Van pool tot pool

Voor Helen, Tom, Will en Rachel

Van pool tot pool

met

Michael Palin

Bosch & Keuning

Van dezelfde auteur:

De cirkel rond
Reis om de wereld in 80 dagen

Oorspronkelijke titel: *Pole to Pole*
Oorspronkelijke uitgever: BBC Books
© Michael Palin 1992
© 1999 voor de Nederlandse taal: Tirion Uitgevers bv, Baarn
Eerder verschenen onder de titel *Pool tot pool* bij
Uitgeverij La Rivière & Voorhoeve

Omslagontwerp: Paul Boyer
Fotografie: Basil Pao, met uitzondering van fotoblad 1 (Patti Muscaro)
en 32 (Nigel Meakin)

Tweede druk 1999
ISBN 90 246 0491 5
NUGI 470

Dit boek is gepubliceerd door
Uitgeverij Bosch & Keuning
Postbus 309
3740 AH Baarn

Inhoud

Dankbetuiging

Van pool tot pool was in elk opzicht een prestatie van een team. Boven aan de lijst staat Clem Vallance, die ik moet bedanken voor het oorspronkelijke idee, de zorgvuldige voorbereidingen om het ten uitvoer te brengen en zijn raad en goede gezelschap onderweg. Nigel Meakin, Patti Musicaro, Fraser Barber en Basil Pao zijn vrijwel overal met me meegereisd. Ik ben hun een reusachtige en haast niet uit te drukken dank verschuldigd, niet alleen omdat ze de beste technici op hun vakgebied zijn, maar vooral omdat ze de allerbeste reisgenoten waren. Mirabel Brooks droeg de piek van de voorbereidingen en een groot gedeelte van de reis met geduld en humor. Roger Mills, mijn coregisseur bij *80 Dagen*, zorgde ervoor dat het werken leuk was – en dat het na het werken nog leuker was. Angela Elbourne, een andere veteraan van *80 Dagen*, was, voor zover mogelijk, minder paniekerig dan ooit. Mimi O'Grady was in het Londense kantoor onze betrouwbare en altijd aanwezige verbinding met de buitenwereld. Bij Prominent Television wil ik met name bedanken: Anne James die zo hard werkte om de boel op gang te brengen, Alison Davies die mijn onsamenhangende en verwarde notities op orde bracht, Una Hoban omdat hij de cheques tekende en Kath James die de wereld op afstand hield terwijl ik weg was.

Er zijn veel meer mensen zonder wier hulp, energie en enthousiasme *Van pool tot pool* niet gemaakt zou zijn. Behalve degenen die ik al in het boek genoemd heb, wil ik Paul Marsh bijzonder bedanken omdat hij geduldig en heldhaftig heeft geprobeerd me Russisch te leren, Roger Saunders, Chris Taylor, Sue Pugh Tasios, Gabra Gilada, David Thomas, Alex Richardson, Jonathan Rowdon, Anne Dummett en als laatsten, maar niet de minsten Suzannah Zsohar, Linda Blakemore en Julian Flanders van BBC Books.

Voor reisinformatie heb ik veel gebruik gemaakt van de uitstekende reeksen *Rough Guides* en *Lonely Planets*, en de *Insight Guides* en Martin Walkers *Independent Travellers Guide to the Sovjet Union* waren onmisbaar.

EEN OPMERKING BIJ DE TEKST

Niet elke dag wordt beschreven. Rustdagen waarin niet meer gebeurde dan het doen van de was, zijn uit consideratie met de lezer weggelaten. Het woord 'klusjesman' wordt vaak genoemd. Klusjesmannen zijn professionele organisators, die ervoor zorgden dat onze reis door hun landen vergemakkelijkt werd.

Inleiding

Nog bijna een jaar nadat ik van mijn reis om de wereld in 80 dagen was teruggekeerd, werden goedbedoelde voorstellen voor een vervolg rijkelijk aangeboden. Ik hoefde maar met een koffer op de 10.15 naar Bristol staan te wachten, en iemand vroeg al: 'Op weg naar een nieuwe reis om de wereld, Michael?' Een toevallige ontmoeting als ik ver van huis was, riep de volgende reactie op: 'Wat nu, Michael... Reis om Penrith in 80 dagen?' Taxichauffeurs stelden me persoonlijk verantwoordelijk voor nieuwe verkeersverbindingen: 'Probeer maar eens door dit *zootje* te komen in 80 dagen!' Een kortstondige aarzeling bij een kruising ging niet onopgemerkt voorbij: 'Je mag dan wel in 80 dagen om de wereld reizen, maar je kunt in Oxford Street niet eens de weg vinden!' Soms wenste ik dat soort grapjassen naar de Noordpool, maar Clem Vallance, optimistisch als altijd, stelde voor dat ik dan beter zelf beide polen kon gaan bezoeken. Zijn plan was de eenvoud zelve – in ieder geval op een atlas. Een reis van de Noord- naar de Zuidpool langs de 30ste oostelijke lengtegraad, die gekozen werd omdat hij de grootste hoeveelheid land bestreek.

Ik wilde de titel *Van pool tot pool met het openbaar vervoer*, maar gezien het ontbreken van een busverbinding door het Afrikaanse oerwoud en een treintaxi op Antarctica, moest dit een vrome wens blijven. Hoewel we op de polen zelf van vliegtuigen gebruik moesten maken, wisten we de rest van de reis over land te volbrengen: een mengeling van schepen, treinen, vrachtwagens, vlotten, Ski-Doo's, bussen, barken, fietsen, ballonnen, 4-liter Landcruisers en paardenkarren.

Het leeuwendeel werd gemaakt tussen juli en Kerstmis 1991. Afgezien van een onderbreking van tien dagen in Aswan hebben we 5 maanden lang gereisd en gefilmd, zijn we door 17 landen getrokken en hebben we in meer dan 70 plaatsen overnacht.

In juli konden we op de Noordpool niet filmen, omdat geen enkel vliegtuig het risico wilde nemen op het zomerijs te landen. Daarom is het gedeelte van de Noordpool naar Tromsø afzonderlijk gefilmd, in mei.

1991 was een uitzonderlijk jaar. Een kwart van de landen die we bezochten onderging gewichtige veranderingen of had deze zojuist ondergaan. Het communisme verdween in de USSR en de apartheid in Zuid-Afrika. We kwamen in Ethiopië aan, vier maanden nadat de burgeroorlog beëindigd was die gedeelten van het land teisterde, en beleefden in Zambia de dag dat Kenneth Kaunda's 28-jarige heerschappij eindigde.

Van pool tot pool is, evenals *Reis om de wereld in 80 dagen*, gebaseerd op dagboeken en cassettebanden die ik tijdens de reis heb bijgehouden. Ze beschrijven de ontbering en de vreugde van de reis op het moment zelf. Ik heb opzettelijk geen gebruik gemaakt van de wijsheid achteraf om deze notities te wijzigen. U krijgt wat we gezien hebben in die buitengewone maanden tussen de polen – met bedwantsen, ongedierte en andere gebreken van dien.

Michael Palin, Londen 1992

DAG 1 – DE NOORDPOOL

Het is kwart voor vier op een zaterdagmiddag en ik bevind mij op 27 kilometer van de Noordpool. Ergens, ver van deze plek, verrichten mensen hun dagelijkse bezigheden. Ze kijken televisie, werken in de tuin, wandelen een stukje met de kinderwagen of bezoeken hun schoonmoeder.

Ik zit dicht opeengepakt in een lawaaiig vliegtuigje, dat door een bedompte grijze wolk afdaalt naar een reusachtige oppervlakte van drijvend en gespleten ijs. Bij me zijn Nigel Meakin met zijn camera, Fraser Barber met zijn bandrecorder en Roger Mills met zijn pijp. Samen met onze twee piloten, Russ Bomberry en Dan Parnham, zijn we de enige menselijke wezens binnen een straal van 800 kilometer. Door mijn raam zie ik een van onze twee motoren die de propellers aandrijven. Langzaam verbruikt deze onze brandstofvoorraad, waarmee we nog ten minste zes uren moeten vliegen. In minder dan tien minuten moet onze piloot een huzarenstukje uitvoeren: landen op niets meer dan een strookje ijs dat sterk genoeg is om een schok van 6000 kg bij een snelheid van 130 kilometer per uur te weerstaan. Beneden het ijs heeft de zee een diepte van ruim 4000 meter.

Ik weet zeker dat ik niet de enige van mijn metgezellen ben die, terwijl hij neerkijkt op de verlaten wildernis beneden, in een onbewaakt ogenblik wenst dat de Noordpool zich niet in het midden van een oceaan zou bevinden, maar zou bestaan uit vasteland voorzien van oriëntatiepunten en zelfs een hut met een koffiezetapparaat. Maar het gespleten en gebroken pakijs biedt geen bemoedigende aanblik – zelfs geen glimp van enige beloning voor de reiziger die zijn weg heeft gebaand naar de top van de wereld. De Noordelijke IJszee, die ook wel de Poolzee wordt genoemd, staart ons onheilspellend aan terwijl we afdalen en lijkt ons enkel deze vraag te stellen – Waarom?

Het is nu te laat om deze vraag aan de producent te stellen, te laat om te bedenken dat ik het voorstel voor de reis naar deze plek zo enthousiast aanvaard heb. En het is helemaal niet aan de orde te vermelden dat we nog zo'n 20000 kilometer hebben te gaan, als we deze landing op het ijs tenminste overleven. Onze De Havilland Twin Otter, ontworpen in de jaren vijftig en geliefd bij poolvliegeniers, vliegt om twee minuten over vier eindelijk over de Noordpool. Je zoekt haastig naar een punt, een top of een heuvel van waaruit je een veelbelovende indruk kunt krijgen van die reus-achtige landmassa's – Alaska, Siberië, Scandinavië en Canada – die grenzen aan de Noordpool. Maar al wat er te zien is ijs en als we het ijs naderen, zien we dat het niet in goede conditie verkeert. Russ, een gereserveerde en zwijgzame man over wie ik niet meer weet dan dat mijn leven in zijn handen is, leunt over het bedieningspaneel naar voren, bekijkt de condities op de grond en fronst zijn wenkbrauwen.

De technologie kan hem nu niet helpen. Hij moet nu beslissen hoe en wanneer we op het ijs zullen landen, en hij alleen moet beoordelen óf we wel zullen landen.

Wat hij ziet, bevalt hem duidelijk niet. Mijn horloge geeft aan dat we bijna 30 minuten rondom het dak van de wereld hebben gecirkeld, voordat een verandering in het geluid van de motor aangeeft dat Russ vaart mindert om te landen. We zakken laag en komen over een geul met open water. Russ kijkt strak naar het ijs als plotseling hoge ijswanden opdoemen, hoger dan ik verwachtte. Ik bereid mezelf voor op de klap, die niet komt. Op het allerlaatste moment duwt Russ de gashandel boven zijn hoofd naar voren en trekt hij ons omhoog, waarbij we steil achterover hellen. Hij controleert het brandstofpeil en vraagt Dan, de jonge copiloot, een van de brandstofvaten aan te sluiten om tijdens de vlucht bij te tanken. Dan worstelt zich naar de achterkant van het vliegtuig, waar hij met moersleutels en slangen in de weer is totdat het vliegtuig is gevuld met de lucht van kerosine. De Noordpool blijft 30 meter onder ons, bijna kwellend ongrijpbaar, waarschijnlijk in het midden van een zwarte poel van gesmolten water. Russ benut een kleine toename van de hoeveelheid zonlicht voor een tweede landingspoging. Opnieuw klopt het hart in onze kelen als de motoren vertragen en een vage massa van ijs en sneeuw en pikzwart water op ons afstormt, maar opnieuw trekt Russ het vliegtuig op het laatste nippertje weg van het ijs en stijgen we verder, opgelucht en bedrogen. Ik neem me voor om nooit meer over een landing te klagen. Russ laat het vliegtuig cirkelen, dalen en stijgen gedurende zo'n 15 minuten, geduldig het drijvende ijs bekijkend voor een nieuwe landingspoging.

Deze keer trekt hij het vliegtuig niet weg. Zes uren nadat we vanaf Eureka Base op Ellesmere Island in Canada zijn opgestegen, raken de wielen en ski's van de Twin Otter de grond en stuiten, slaan, stuiten, draaien, glijden, totdat ze uiteindelijk grip krijgen op het gladde ijsoppervlak. We zijn geland en veilig. Ik kijk op mijn horloge en besef dat ik op deze plaats de tijd voor het uitkiezen heb. Japanse tijd, Indische tijd, de tijd in New York of in Londen – op de pool zijn alle tijden gelijk. In Londen is het nu 10 uur in de avond.

Maar thuis lijkt onmogelijk ver weg, zodra we uitstappen en ons op een ruwe vlakte van ijs en sneeuw bevinden. Het lijkt veilig, maar enkele meters verder zijn watergeulen en het feit dat Russ de vliegtuigmotoren laat draaien ingeval het ijs breekt, herinnert ons eraan dat dit een dodelijk landschap is. Als ik het hoogste punt in de omgeving heb bereikt, een stapel gebroken ijsblokken van ongeveer een meter hoog, plant ik onze 'Noordpool-stok' (aan ons geleend door de vriendelijke Canadezen) en nemen we foto's. Het is windstil, en een waterig zonnetje sijpelt door de grijzige wolken, wat deze plek een troosteloze en verlaten aanblik geeft. De temperatuur is min 25 graden, wat hier als warm beschouwd wordt.

Na een uur filmen voldoen we aan Russ' beleefd doch dringend verzoek, en keren we terug naar het vliegtuig. Hij maakt zich zorgen over de brandstofvoorraad en stijgt snel en zonder ceremonieel vertoon op, alsof de Noordpool slechts een bushalte op zijn route was.

Ons plan is om de dertigste oostelijke lengtegraad helemaal tot aan de Zuidpool te volgen, maar onmiddellijk zijn er problemen. De brandstofvoorraad is slechts toereikend tot de dichtstbijzijnde landingsbaan, een Deense basis op Groenland. Zelfs deze is al op 800 kilometer afstand, op het moment te ver voor radiocontact. We hebben geen andere keuze dan er op hoop van zegen naartoe te vliegen.

Om de een of andere reden is de enige drank waarmee we op deze reis bevoorraad zijn een literblik tomatensap, dat in een gezelschap van zes mensen snel op is. Het is dan ook een dorstig, ondervoed, stijf en uitgeput groepje mensen dat op Nord Base in Groenland neerstrijkt, met nog slechts voor 25 minuten aan brandstof. We zijn, op tien minuten na, twaalf uren van de rest van de wereld weg geweest.

Er is geen levende ziel te bekennen.

Russ, beladen met registratiepapieren en een identiteitsbewijs, sjokt weg om te kijken of hij iemand kan vinden.

Wij wachten bij het vliegtuig, in een merkwaardige toestand van geestelijke en fysieke verdwazing. De enige die echt gelukkig schijnt is Roger, die eindelijk zijn pijp kan opsteken.

Na wat een eeuwigheid lijkt te duren, keert Russ terug. Hij wordt vergezeld door een jonge Deense soldaat, die in grote verwarring verkeert. Niemand had hem verteld dat we eraan kwamen, en aangezien het drie uur in de morgen is op de noordkust van Groenland – op 1100 kilometer van de dichtstbijzijnde nederzetting – moet deze klop op de deur geleken hebben op het begin van een griezelfilm.

Dapper probeert hij de schok weg te lachen: 'We dachten dat het de Kerstman was,' en dan pas biedt hij ons aan waar we zo naar smachten – voedsel, drank en een bed voor de nacht. Zo eindigt onze eerste dag in land één, dat heel onverwacht Denemarken blijkt te zijn.

DAG 2 – VAN GROENLAND NAAR NY ALESUND

De middernachtzon schijnt fel als ik om 3.30 uur in mijn slaaphut klim, en zij schijnt nog even fel als ik om half tien ontwaak. Vanaf 15 oktober verdwijnt de zon achter de horizon om pas eind februari weer op te komen, maar nu, half mei, gaat de dag naadloos over in de nacht.

Groenland behoort tot het koninkrijk Denemarken en bestaat uit een massieve, vrijwel onbewoonde ijskap, die meer dan vijftig keer zo groot is als het moederland. Op de basis Nord wordt de Deense regering door vijf soldaten vertegenwoordigd, maar een van hen is afwezig. Op het moment houden Henny, Jack, Kent en Kenneth de basis draaiende.

Twee grote bevoorradingsvliegtuigen per jaar brengen alles wat ze nodig hebben: nieuwe video's, boeken, voedsel en drank. Het enige nadeel zijn de brieven...'Niet de brieven ontvangen, maar ze schrijven,' leggen ze uit.

Ze zijn zo vriendelijk, open en gastvrij dat de verleiding opkomt de reis maar te vergeten en hier te blijven, verse koffie te drinken met heerlijk Deens brood, met op de achtergrond het rock en roll-liedje 'Making Love in the Snow' van een zekere juffrouw B. Haven, en met het uitzicht op ijzige fjorden die baden in het frisse, heldere zonlicht. Ik vraag aan Jack of de sneeuw ooit verdwijnt.

'O ja,' verzekert hij me, 'de sneeuw smelt in juni. En begint weer uit de lucht te vallen in augustus.'

Het lukt Russ niet om contact te maken met onze volgende aan-
leghaven, Ny Alesund. De Denen zeggen dat ze zullen proberen
een weersvoorspelling van de Amerikaanse basis in Thule op te
vangen. Dat kost enige tijd, maar 's middags komt het bericht door
dat het weer uitstekend is. Nadat we hebben bijgetankt en alles
weer is ingepakt, proppen we onzelf weer in de Twin Otter. Er liggen 520 kilometers tussen Groenland en de Svalbard Eilanden,
waarvan Spitsbergen (door de Nederlandse ontdekkers zo
genoemd vanwege de steile bergwanden) het grootst is. Het
behoort sinds 1925 tot Noorwegen, en het is voor ons een belangrijke springplank van de Noordpool naar Europa. Vanaf
Spitsbergen hopen we het zonder vliegtuig te doen, en onze reis
over land of zee voort te zetten.
Beneden ons ziet de Noordelijke IJszee er geschakeerd uit door
een mengsel van zwarte en heldere watergeulen, bleekblauwe ijsbergen en bevroren en opnieuw bevroren ijs in diverse tinten. Maar
als we de Greenwich-meridiaan oversteken en het Oostelijk
Halfrond binnenkomen, verandert de warme golfstroom uit de
Atlantische Oceaan de omgeving aanzienlijk. Het ijs smelt weg, en
een dikke wolk verbergt voor enige tijd het water. Als we het water
weer zien, bevindt het zich nog maar 450 meter onder ons en blaast
een harde oostenwind het schuim van de toppen van woedende
golven.
De Twin Otter heeft plotseling te kampen met een tegenwind en
een horizontale sneeuwbui. Russ daalt nog eens zo'n 300 meter,
maar het zicht is daar niet beter. Voordat we tegen een bergwand
van Spitsbergen slaan, trekt hij steil omhoog door de ondoordringbare, maar barmhartig laag hangende stormwolken en bereiken we
de kalmere omstandigheden op 600 meter. Op Russ' gelaatsuitdrukking staat te lezen dat Spitsbergen niet zijn dagelijkse aanlegplaats is. Hij is even verbaasd als wij allen, als boven de wolken in
het oosten een kolossale bergwand opdoemt. Op de kaart lijken dit
de pieken van Albert I Land te zijn, en als het kleine vliegtuig zuidwaarts draait, volgen we de kustlijn en dalen we door de woest
zwalkende resten van de stormwolken naar Konings Fjord, waar
gletsjers naar de zee glijden en brokken ijs het donkere water spik-
kelen. Twee gewelfde waarschuwingshuisjes die wel golfballen lijken, een aantal grote betonnen gebouwen en een groepje fel
beschilderde huizen markeren de nederzetting Ny Alesund (Nieuw
Alesund), die in het reusachtige landschap in het niet lijkt te ver-

zinken. In een vlucht van tweeëneenhalf uur zijn we twee tijdzones overgestoken en 8 breedtegraden in zuidwaartse richting gepasseerd.

In Ny Alesund hebben we een rendez-vous met David Rootes, onze adviseur voor overlevingstochten op de Noordpool en verbonden aan het Scott Polar Research Institute, ingenieur Geir Paulson, de organisator van ons transport over land, en Patti, de camera-assistent van Nigel. Basil Pao, fotograaf en het laatste lid van ons team, ontmoeten we pas in Tromsø. Het verslag dat David en Patti over hun reis in onze richting geven en de sneeuwstormen die over de fjord jagen, maken ons duidelijk dat de Noordpool en Groenland een picknick waren vergeleken met wat ons te wachten staat.

Maar eerst het genot van een douche, schone kleren en een drankje in het enige café dat Ny Alesund rijk is. Iedereen lijkt terneergeslagen, maar dat is ongetwijfeld het gevolg van een driedubbele kater, het overblijfsel van het feestje dat hier gisteravond gegeven is om het nieuws van onze aankomst op de Noordpool te vieren.

DAG 3 – ALESUND

We worden eenvoudig maar gerieflijk ondergebracht in een lange houten hut, die eenpersoonsslaapkamers, gezamenlijke douches en wastafels, een sporthal en een conferentie- en studieruimte bevat. Zoals het meeste van Ny Alesund is de hut het eigendom van de Koningsbaai Kull Maatschappij. Kull, ofwel kolen, is de voornaamste reden van menselijke aanwezigheid op Spitsbergen. Als gevolg van een reeks rampen in het begin van de jaren zestig werden de mijnen van Ny Alesund echter gesloten, en de accommodatie wordt nu gebruikt voor wetenschappelijk onderzoek, avontuurlijke vakanties en natuurlijk het onvermijdelijke weerstation. Er is zelfs een aanzet tot een Britse aanwezigheid op Spitsbergen, in de vorm van Nick Cox en zijn vrouw Katie, die bezig zijn met het opzetten van een onderzoeksstation op de Noordpool. Het leven verloopt nog steeds volgens het patroon van een fabrieksstad. Ontbijt om half acht, lunch om twaalf uur en warm eten omstreeks vijf worden nog steeds geserveerd in een gemeenschappelijke kantine, een wandeling van vijf minuten over een besneeuwd weggetje. Het favoriete vervoermiddel is echter de sneeuwmobiel, vaak aangeduid met een van de handelsnamen, bijvoorbeeld de Ski-Doo. De sneeuwmobiel is gebouwd als een te brede motorfiets en rijdt op rupsbanden, met aan de voorkant twee korte ski's om te sturen. Met opvallende sierstrippen en namen als *Exciter, Enticer* en *Phazer II* maken ze een hoop lawaai en geven ze de indruk van een hoge snelheid, terwijl ze zelden harder dan 70 km/u gaan. Zij zijn ons vervoermiddel voor de komende tocht van 250 kilometer, die over de bergen naar de hoofdstad Longyearbyen gaat.

Hoewel we verlangen naar een dag rust na ons poolavontuur, is Geir Paulson, een gezette avonturier met een paardenstaart en een groot gevoel voor humor, van mening dat we moeten vertrekken voordat het slechte weer inzet. (Ik heb opgemerkt dat in landen die bezaaid zijn met weerstations, niemand een accurate weersvoorspelling kan geven. Ze weten je te vertellen dat er over 75 jaar in IJsland palmbomen zullen groeien, maar zeggen niets over het weer van de komende middag.)

We laden de bagage in en vertrekken om 3 uur in de middag. Het is toepasselijk dat onze stoet van sneeuwmobielen en aanhangwagens het één meter hoge bronzen hoofd van de ontdekkingsreiziger Roald Amundsen passeert, op de weg het stadje uit. Het beeld is een herinnering aan de eerste vlucht over de Pool, in Amundsens vliegtuig *Norge*, dat op 11 mei 1926 uit Ny Alesund vertrok en op 14 mei in Noord-Amerika landde, na een vlucht van bijna 5000 kilometer. Amundsen stierf drie jaar later, bij een poging zijn vriend Nobile te redden. Diens vliegtuig vertrok evenals dat van Amundsen vanaf het 10 meter hoge luchtbaken, dat nog steeds aan de rand van het stadje staat en in de verte verdwijnt als we in de richting van de bergen gaan.

Doordat ik wil laten zien wat ik kan, vliegen ikzelf en mijn passagier David Rootes alle kanten op als ik in een scherpe bocht de controle verlies over Mach-Eén (de naam van de zwarte Ski-Doo die mij is toegewezen). Eén hendel is voor het gas, de andere is de rem, en in deze fase kan ik ze nog niet goed uit elkaar houden. Gelukkig veroorzaakt het ongeluk meer schade aan mijn trots dan aan onze ledematen. De zon is nu achter de wolken en de weg is moeilijk te zien. Heinrich, een jonge Noor met onthutsend blauwe ogen, die waarschijnlijk nog een sneeuwmobiel kan besturen als hij op zijn hoofd staat, leidt de processie als we naar een lager gedeelte van de bergrug klimmen. Plotseling worden we omgeven door dichte wolken en is alles rondom ons wit. Iedereen heeft zijn richtinggevoel verloren, en als we uiteindelijk stilhouden, vertelt David Rootes me langs zijn neus weg dat ik op zo'n 300 meter van een steile afgrond sta, waaronder zich een gletsjer bevindt. Verslagen door de steeds slechter wordende omstandigheden keren we terug. Als we Ny Alesund opnieuw binnenkomen, valt er verse sneeuw en heeft zich al een klein bergje gevormd op de zijkant van Amundsens grote, vooruitstekende neus. Noch hij noch iemand anders lijkt verbaasd ons terug te zien.

DAG 4 – NY ALESUND

Ik word wakker en hoor zingende vogels. Daar ik nog geen levend wezen gezien heb op de Noordpool, vraag ik me voor een moment af of dit iemand van onze ploeg is, die gek van heimwee is geworden en daarom een cassette van Percy Edwards afspeelt. Maar Peter Webb, een jonge Engelsman en een van onze Ski-Doo-acrobaten, vertelt mc aan hct ontbijt dat ik het geluid van de sneeuwgors hoor. Op onze reis over het eiland zullen we waarschijnlijk ook nog zeehonden, rendieren en misschien zelfs een poolvos tegenkomen. Ik wil waanzinnig graag een ijsbeer ontmoeten (aangezien ik in Brumas ben opgegroeid), maar als dit gebeurt, zal ik hem waarschijnlijk moeten neerschieten. Ik lees dit op een poster, in het Noors en Engels, die is aangeplakt op de deur van de kantine. 'IJsberen kunnen erg gevaarlijk zijn,' staat er, om te vervolgen met: '...De volgende voorzorgsmaatregelen dienen getroffen te worden: 1 Draag altijd een wapen... 2 Trek geen beren aan door voedsel te laten liggen. Berg uw afval op ten minste 100 meter van het kamp, op een plaats die vanuit uw tentopening of hutdeur te zien is. Komt er een beer op bezoek, dan kunt u deze op tijd zien. Als u een beer hebt moeten doden, breng de autoriteiten dan daarvan op de hoogte, stel het geslacht van de beer vast, en neem de huid en de schedel mee.'
Roger heeft slecht geslapen. Hij vermoedt dat hij een verstuikte pols heeft, als gevolg van de excursie van gisteren. Dat is tenminste zijn excuus om aan één hand een onheilspellende, zwarte handschoen te dragen. Fraser heeft gedroomd dat hij al zijn familieleden voor Kerstmis een Ski-Doo gaf. Ik begrijp waarom hij aan Kerstmis heeft gedacht. De sneeuw valt hier even overvloedig als in een Disney-film, waardoor je je moeilijk kunt voorstellen dat het

juni is. Geir is opgewekt als altijd. De barometer is duidelijk aan het stijgen, en we moeten om zes uur, na het avondeten, bepakt en bezakt zijn.

Om zes uur 's avonds valt de sneeuw in grote, dikke en dwarrelende vlokken. We stellen ons juist – niet zonder tevredenheid – in op een avondje tafeltennis en een goede nachtrust, als Geir en zijn collega's ons vertellen dat de weersomstandigheden vaak het best zijn om middernacht, en ons serieus voorstellen een vertrek om twee uur 's nachts te overwegen. Het voorstel wordt serieus, maar zeer kort overwogen. Een nieuw uitstel, tot morgenochtend, wordt overeengekomen. Terug naar het tafeltennissen.

DAG 5 – VAN NY ALESUND NAAR KAP WIK

2.00 uur: de hemel is helder naar behoren. Het zonlicht doet bergen en gletsjers, 48 uren lang verduisterd, schitterend oplichten.

8.00 uur: Verwachtingsvol open ik mijn zonnescherm. De zon is verdwenen, als in een droom, en de berg sneeuw onder mijn raam is weer ruim een centimeter hoger. Ik loop door een sneeuwstorm naar de kantine. Ik heb al minstens twee keer afscheid genomen van de ontbijtchef, en hij is inmiddels behoorlijk verward en een weinig argwanend naar mijn motieven. Ben ik echt op weg naar de Zuidpool of ben ik eigenlijk de Grote Muesli's van de Wereld aan het uitproberen? Heinrich is onverstoorbaar.

'Wacht...,' zegt hij, 'alles op de Noordpool wacht.'

Na de lunch begint de sneeuw af te nemen en op het plein draaien de Noorse vlaggen abrupt naar het zuiden. Dit is het teken waarop we allen gewacht hebben: het duidt de komst aan van de bestendige noordelijke luchtstroom. De reis naar Longyearbyen zal op zijn minst 12 uur in beslag nemen. Er wordt voorgesteld dat we een rustpauze nemen bij Kap Wik, ongeveer vijf uur van hier, waar zich een trekkershut met accommodatie bevindt. Dit klinkt fotogeniek en sprookjesachtig genoeg, en als de sneeuwmobielen van hun sneeuwpantser zijn ontdaan, de aanhangsleeën vastgebonden en -gekoppeld zijn, en een anti-ijsbeergeweer mee aan boord is genomen, zijn we opnieuw gereed voor vertrek. Nick en Katie vereren ons met een officiële Britse aanwezigheid op dit grote moment, en Nick vertrouwt me een fles whisky toe voor Harald, de pelsjager. Het feit dat we misschien nogmaals moeten terugkeren, brengt me in zo'n grote verlegenheid dat ik het oog van de chef-kok en de ernstige blik van Amundsen vermijd.

De bergen stijgen behoorlijk snel naar 600 meter, waardoor we het eerste uur vaak moeten stoppen. Deels omdat we de sneeuwmobielen moeten bevrijden – die vast komen te zitten door hun zware lading, maar vooral om het spectaculaire uitzicht te fotograferen over de Konings Fjord, gevoed door drie gletsjers en omrand door steile bergtoppen. Zodra de motoren worden stopgezet en de natuurlijke stilte zich herstelt, zijn de grootte, de weidsheid en de ontzagwekkende pracht van het landschap onbeschrijflijk. Op Spitsbergen zijn geen bomen, derhalve uitgezonderd aan de kust weinig vogels, en met het onbetreden sneeuwtapijt in de vallei beneden ons heerst er daardoor een sfeer van majestueuze rust.

In korte tijd steken we de pas over. Dan dalen we met de sneeuwmobielen een zo steile helling af, dat we gewaarschuwd worden de rem niet te gebruiken. Dit is om te voorkomen dat de aanhangwagens gaan slingeren en vervolgens de voertuigen doen omslaan, waarna de bestuurder waarschijnlijk in een ravage van brokstukken naar beneden rolt – hoewel ze je dit laatste nooit vertellen. We wenden en keren door enkele vervaarlijke ravijnen, waarnaar Roger met een zeker genot verwijst als de Muren des Doods, zoals in: 'Michael, we zouden nog graag een vervolgserie van de Muren des Doods zien.' Het hele avontuur lijkt hem overigens naar het hoofd te zijn gestegen, aangezien hij voor zijn kant van de tweezijdige radioverbinding het codewoord 'De Malende Koningin' heeft gekozen. Fraser, aan de andere kant, is 'De Onversaagde', en ik vermoed dat enige angst van ons is weggenomen toen we, glijdend over de gletsjer, de volgende onsterfelijke woorden hoorden: 'De Malende Koningin aan De Onversaagde, Michael bevindt zich nu op de Muren des Doods!'

Aan de andere kant van de pas zien we, aan de oevers van de Engelsbukta, een ander luisterrijk panorama: de 'Engelse Baai'. Hier zocht in 1617 een Engelse walvisvloot onder bevel van Henry Hudson haar toevlucht, op zoek naar de noordoostelijke passage. Het grootste gedeelte van de baai is nog steeds bevroren, en we zien onze eerste zeehonden – niet veel meer dan zwarte vlekjes – die wachten naast hun gaten in het ijs. Een sneeuwhoen in zijn witte winterjas kijkt nieuwsgierig vanaf een rotspunt op ons neer, en een koppel eidereenden scheert laag over de baai.

We trekken in de richting van een brede, vlakke gletsjer en passeren ijskliffen van het bleekste blauw, die miljoenen jaren oud zijn en nog steeds naar beneden bewegen. Ik vraag aan Geir waarom ze die kleur hebben. Blijkbaar wordt die veroorzaakt door de aanwezigheid van lucht in het ijs.

Na de achtbaan-omstandigheden op de pas is de voortgang op de gletsjer snel en redelijk aangenaam. Ik zit bij David achterop, en afgezien van het verzorgen van mijn duim en vingers – die af en toe verstijven door de kou – heb ik tijd genoeg om achteruit te zitten en de pracht van dit weidse, zelden bezochte landschap tot mij te nemen. Een paar Svalbard-rendieren, niet veel groter dan een flinke hond, zwerven over de heuvelrug. God weet wat ze hier te eten vinden.

Na vijf uren worden we gedwongen tot een stop. Onze voertuigen zijn vastgelopen in de diepe, vers gevallen sneeuw op de top van een pas, nauwelijks halverwege de hut van de pelsjager. Repen chocolade, slokjes whisky en verbijsterende vergezichten houden de moed erin, terwijl Geir, Heinrich en het team herhaaldelijk de vallei afdalen om de voertuigen die het niet op eigen kracht konden halen, naar de top te brengen. Als ze alle op de richel staan, moeten ze worden bijgetankt – een langzame, arbeidsintensieve handeling, zoals alles wat het uitladen van de aanhangwagens betreft. We worden beloond met een lange en opbeurende rit over de brede, dalende hellingen, in de richting van onze eerste oversteek over ijs – over de bevroren hoofdstroom van de Ehmansfjord. Het oppervlak is gekrast en gegroefd. Op het laatste stuk is het ijs breed genoeg om naast elkaar te rijden, zodat we als een invasie van Mongoolse horden naar de kleine, geïsoleerde hut op Kap Wik stormen, waar we – ietwat onwaarschijnlijk – de rest van de nacht zullen doorbrengen.

DAG 6 – VAN KAP WIK NAAR LONGYEARBYEN

Het is kwart voor drie in de ochtend als we aankomen bij de hut van Harald Soldheim. Een groot houten raamwerk, behangen met de karkassen van zeehonden, staat op een kleine helling. De hut zelf is iets lager geplaatst, zodat zij uit de wind staat. De eerste verrassing is Harald zelf. In plaats van een grijze, gebaarde oude rot komt er een lange, bedachtzame persoonlijkheid uit de hut om ons te verwelkomen. Hij heeft een baard, maar vastzittend aan zijn lange, gekromde gedaante geeft deze eerder het effect van een rabbi dan van een pelsjager. De tweede verrassing is hoe welwillend en aangenaam hij de verschijning van tien vermoeide en hongerige reizigers in het midden van de nacht tegemoet treedt. Eerst proppen we zijn minuscule hal vol met onze laarzen en zakken, vervolgens vullen we zijn zitkamer tot de nok, terwijl hij een stoofpot opwarmt op zijn houtgestookte fornuis. Zijn houtvoorraad, netjes opgestapeld in zijn werkplaats, bestaat uit drijfhout, dat waarschijnlijk afkomstig is van de Russische kust. Zijn elektriciteit wordt door de wind opgewekt.

Hij haalt een gerookte rendierpoot te voorschijn, die heerlijk smaakt en die we nuttigen met een mengsel van stoofpot, gerookte zalm, aquavit (de lokale drank) en onze whisky. We ontdooien en wisselen verhalen uit. Harald geeft advies, commentaar en informatie, die hij rijkelijk besproeit met droge humor. Het lijkt op een wonderlijk chaotisch lesuurtje.

Om ongeveer 4.30 uur beginnen sommigen van ons een beetje ongerust naar een slaapplaats uit te kijken. Harald legt ons het arrangement uit. In de aangrenzende kamer heeft hij vier stapelbedden en ruimte voor twee bedden op de grond. Op de vloer van zijn werkplaats is nog meer ruimte. De anderen moeten bij hem in de zitkamer slapen. Hij heeft een toilet, maar aangezien dit bestaat uit een zak die geleegd moet worden, verzoekt hij de mannen om zo mogelijk het Grote Buitentoilet te gebruiken. Hierbij dient men zich echter te onthouden van plassen aan de zijkant van het huis, waar hij zijn watervoorraad betrekt. Voor tandenpoetsen en wassen beveelt hij de sneeuw aan.

Als ik wakker word, is het half twaalf. De zitkamer lijkt op het Walhalla der Vikingen, met ledige Noren die achteroverleunen en Harald op de sofa als een in de strijd verslagen krijger. Dan rinkelt de telefoon. In de afgelopen nacht was mijn vermoeide brein zo druk doende Haralds bestaan te romantiseren, dat ik van alles niet had opgemerkt: noch de telefoon, de afstandsbediening voor de matzwarte hifi-installatie of het gastenboek, evenmin als de collectie pianoconcerten van Rachmaninov op cd, getekend 'Aan Harald van Vladimir Ashkenazy'. Is dit alles een droom? Zijn we in de nacht ontvoerd naar een appartement in Oslo? Ik strompel naar buiten, tandenborstel in de handen geklemd, en daar is de geruststellende realiteit met haar lege bergen en bevroren zeeën voor zover het oog reikt.

Ik boen mijn gezicht en nek met sneeuw. Een verfrissende ervaring, die elke dreigende kater verjaagt. Als ik naar binnen ga, heeft Harald de telefoon opgelegd en maakt hij koffie. Deze herfst, zo vertelt hij me, viert hij zijn vijftienjarig jubileum op Kap Wik. Hij heeft familie in Noorwegen, maar die komt zelden op bezoek. Zijn dichtstbijzijnde buren zijn de Russen in de mijnstad Pyramiden, 30 kilometer verderop. Hij leest veel, 'vrijwel alles behalve religieuze literatuur', en hij jaagt op zeehond, rendier, poolvos (een pels levert longveer ƒ 250,- op) en sneeuwgans. 'De koning en de koningin van Noorwegen is "Gans Kap Wik" geserveerd,' vertelt hij met kalme voldoening.

'Dus het is een druk leven hier in Niemandsland?'

Harald haalt zijn schouders op. 'In sommige jaren zie ik niemand van de herfst tot in juli.'

Ik vraag hem of hij nooit behoefte heeft aan gezelschap. Wellicht een vrouw in huis?

'Dat is... eh,' hij glimlacht om zijn plotselinge sprakeloosheid...'het is niet gemakkelijk uit te leggen in de Noorse taal... maar elke vrouw die gek genoeg zou zijn om hier te komen...'

Hij maakt de zin nooit af. Het geluid van een verre helikopter brengt hem weer met beide benen op de grond.

'Dat is mijn post,' legt hij bijna verontschuldigend uit, als de Sea King-helikopter boven de fjord in het zicht wiekt.

Na een late lunch en nog meer verhalen is onze karavaan weer bepakt en op weg. Harald, glimlachend, zwaait ons uit. Ik kan niet helemaal begrijpen waarom een nieuwsgierige, welbespraakte en culturele man als Harald op dieren wil jagen in Spitsbergen, maar ik voel dat hij van zijn raadselachtigheid geniet; en ofschoon hij geen kluizenaar is, behoort hij tot de zelden voorkomende soort van waarlijk onafhankelijke mensen.

De rest van de reis kent minder gebeurtenissen. De hellingen zijn niet meer zo groots, en in sommige valleien verandert de sneeuw in een modderbrij. Het wordt al bijna routine om van de ene gletsjer naar de andere over te steken, de ingesneeuwde bergpassen op te ronken en zeehonden in hun ijsholen te zien verdwijnen als we de fjorden oversteken.

We stoppen even op de plek waar Patti een avontuur meemaakte, toen ze op weg naar Ny Alesund was. Ze verdwaalde tijdens een white-out en werd pas na een uur gevonden. Ik hoop dat dit geen voorteken is voor de weg die we nog te gaan hebben.

Hoewel we een snelle voortgang maken op weg naar Longyearbyen, is het weer nog niet met ons klaar. Als we de brede vallei indraaien die naar het stadje leidt, worden we vol in het gezicht geraakt door een sneeuwstorm met stekende natte sneeuw. Omdat Heinrich in het zicht van de thuishaven versnelt, is dit een zwaar en oncomfortabel einde van de reis.

Na vijfeneenhalf uur reizen zien we door de duisternis de eerste lichten van Longyearbyen en piepen de sneeuwmobielen onhandig over de natte asfaltweg.

Het is half elf en we hebben onze eerste stad bereikt, 1307 kilometer van de Noordpool.

DAG 7 – LONGYEARBYEN

Iedereen in Ny Alesund was nogal grof over Longyearbyen, en zeker vergeleken met de meeste hoofdsteden is het inderdaad geen schoonheid. Het is opnieuw een kolenstadje, grotendeels het eigendom van de Store-Norsk Maatschappij, maar in tegenstelling tot Ny Alesund worden hier nog steeds kolen gedolven. Er hangt een fijn, zwart stof in de lucht, en de trucks op de weg en de huizenblokken strekken zich in een strak roosterpatroon uit op de hellingen van de vallei. Het is ironisch dat het belangrijkste product van dit boomloze eiland fossiele brandstof is. Er bestaat een theorie die beweert dat Spitsbergen eens bij de evenaar lag en bedekt was met tropisch oerwoud.

In mijn Spartaanse kamer in Hotel Nummer 5 lees ik het informatieblad over Longyearbyen, dat meer weg heeft van een fabrieksrapport dan van een informatiebrochure. De nederzetting werd in 1906 gesticht door een Amerikaan, John Munroe Longyear. Tien jaar lang woonden er alleen mannen, maar in 1916 kochten de Noren Munroe uit en mochten de eerste vrouwen van de mijnwerkers hun echtgenoten vergezellen. De bevolking bestaat op het moment uit 250 vrouwen, 250 kinderen en 550 mannen. 'Er zijn echter,' voegt het informatieblad er wat onheilspellend aan toe, 'nog steeds belangrijke verschillen tussen Longyearbyen en de andere kleine steden in de kaap van Noorwegen. Hier zijn geen gepensioneerden, gehandicapte mensen of terminale zieken.' Ik verwacht half dat de deur plotseling wordt opengegooid en mijn geboortebewijs en pols aan een snelle controle worden onderworpen.

Aan de Ski-Doo's valt hier niet te ontkomen. Ik had er de hele nacht over gedroomd en deze morgen ontdek ik dat er een Ski-Doo-conferentie in de stad wordt gehouden, waarvan ons hotel het centrum is. Vanaf 10 uur horen en zien we internationale kopers uit de oudste landen ter wereld een poging wagen om de vrijwel verticale hellingen achter ons hotel te beklimmen. Iets in deze voertuigen maakt het beest dat in een bestuurder huist wakker. Eenmaal in het zadel, geeft hij zich vroeg of laat over aan de onbedwingbare lust iets gevaarlijks te doen. Het zijn voertuigen voor een wereld zonder wegen en politieagenten.

Longyearbyen heeft een supermarkt. Op de automatische deuren staat niet: "s Werelds meest noordelijke supermarkt', maar op 78.15 graden noorderbreedte kan ik me niet voorstellen dat er voor deze titel veel mededingers zijn. Behalve een opvallende sortering aan groenten in blik, met de naam 'Sodd', is er maar een ding dat ons hier kan ophouden: een welvoorziene drankafdeling. Omdat we een lange zeereis voor de boeg hebben, vul ik mijn karretje. Ik moet echter alle flessen weer terug zetten, bij gebrek aan een geldig vliegtuigticket vanuit of naar Longyearbyen. Alcoholische dranken zijn, zo blijkt, strikt gerantsoeneerd. De enige manier waarop we zelfs maar een blikje bier kunnen kopen, is met speciale dispensatie van Sysselmann – de gouverneur. We slenteren naar het Gouverneurshuis om onze consumptiebon te krijgen, terwijl we ons voelen als ondeugende schoolkinderen.

DAG 8 – VAN LONGYEARBYEN NAAR TROMSØ

We vervolgen onze reis zuidwaarts op het bevoorradingsschip *Norsel*, dat vandaag vertrekt naar Tromsø in Noorwegen en dat onderweg een aantal vissersschepen bijtankt ofwel 'bunkert', zoals ze dat hier noemen. Ze hebben een beperkte accommodatie aan boord en het zal een langzame trip worden (de schattingen variëren van 5 tot 7 dagen voor een reis van 950 kilometer), maar bedelaars kunnen niet kieskeurig zijn. De *Norsel* is het enige schip dat zo vroeg in de zomer op Longyearbyen vaart.

We nemen afscheid van allen die ons door Spitsbergen geleid hebben, en ik beloof aan Geir dat ik de wereld zal laten weten dat onze sneeuwmobielen voornamelijk van het merk Yamaha waren – waarvoor hij de dealer is – en geen Ski-Doo's. Hij vertelt dat hij eveneens naar Tromsø gaat, maar dan binnen enkele uren met het vliegtuig, zoals elk normaal mens zou doen. Ik probeer hem de geneugten van het niet-normaal-zijn uit te leggen.

De *Norsel* is het enige schip aan de dokzijde. Adventfjorden, waaraan Longyearbyen ligt, was pas een week geleden vrij van ijs, waardoor de kolenschepen pas over een maand zullen aankomen. Het schip ziet er, hoewel een beetje beschadigd, stevig uit, een helderrode veeg tegen de achtergrond van de grijze gebouwen in de haven en de golvende witte jassen van de bergen boven de fjord. Het is geen groot schip, slechts 550 ton, en onze hutten hebben de grootte van een kast, maar onder het dek heerst een aanlokkelijk warme en veilige atmosfeer. Eerder op de dag praatte ik met een journaliste van de Svalbard-krant, die haar wenkbrauwen optrok toen ze hoorde dat ik per schip naar Tromsø overstak.

'Ze noemen dat schip "De dansvloer van de duivel".'

Ik vertel dit aan de kapitein, Stein Biolgerud, die daarop weinig bemoedigend in zichzelf begint te lachen. Hij legt uit dat de *Norsel* de uitzonderlijke diepgang van 8 meter heeft, wat betekent dat het grootste gedeelte van het schip zich onder de waterspiegel bevindt als het volgeladen is, waardoor het schip eerder gaat rollen en stampen.

'En zijn we op het moment volgeladen?' Zijn lach wordt breder: 'Jazeker.'

Het goede nieuws is dat de romp is samengesteld uit platen met een dikte van 28 millimeter.

'De hoogste klasse tegen ijs... ,' gaat hij enthousiast verder. 'We kunnen door een massieve ijslaag van 60 centimeter varen.'

'Dus we zijn veilig wat het ijs betreft?'

'Oh, zeker. Behalve natuurlijk als zich te veel ijs op de bovenbouw hecht. Dan kan het schip kapseizen.'

De eer voor de ongetwijfeld solide romp van de *Norsel* gaat naar Hitlers scheepswerven, want daar werd het schip in 1943 gebouwd. Het werd echter niet afgebouwd, totdat de Noren het in 1947 overnamen. Sindsdien heeft het schip gediend voor de zeehondenjacht, de mosselvangst en als expeditieschip. Er is een zevenkoppige bemanning: een kapitein, een eerste stuurman, een hoofdmachinist, een kok en drie dekknechten. Op het ogenblik houden ze toezicht op het uitladen van wat de jaarlijkse voorraad toiletpapier lijkt. Dit kleine, weinig opvallende schip is hier de levensader. De kapitein herinnert zich een jaar waarin hij met een voorraad bier aan boord te laat arriveerde.

'Ze hadden op het hele eiland nog maar 17 blikjes. Er stonden kerels op de kade te wachten.'

We laten vlak na 7 uur, op een avond met doordringend zonlicht, Spitsbergen achter ons, ronden de kaap en varen tenslotte in de open wateren, die ons naar de Noordelijke IJszee brengen.

Al snel doemt een grijze muur van wolken voor ons op en de kapitein zegt dat er een storm is voorspeld. Zijn brug wemelt van de elektronische apparatuur, maar hij geeft er de voorkeur aan een van de raampanelen opzij te schuiven, zijn hoofd naar buiten te steken en te kijken hoe de vogels zich gedragen. Hij is sceptisch over weerberichten. In deze wateren verandert alles bijzonder snel. 'Van één ding kun je hier zeker zijn, je kunt nergens zeker van zijn,' merkt hij op. Weer zo'n voorbeeld van de Noordpoolse wijsheid.

Hij heeft de koers bijna pal west uitgezet om het ijspak langs de kust te vermijden, maar het is juist vanuit het westen dat de storm komt. Indachtig dat het wel eens voor enige tijd de laatste maaltijd zou kunnen zijn, doen we ons behoorlijk te goed aan de goed gevulde stoofpot. Deze is gekookt door Anthony, een kleine, bleke man die geheel in het wit is gekleed, als een verontrustende tandarts. We vermoeden dat hij geen Noor is, en Roger houdt het erop dat hij een Rus is. 'Ben jij Russisch?' vraagt hij, terwijl hij zich aan een nieuwe portie stoofpot helpt. Op Anthony's gezicht verschijnt een kort, breekbaar lachje, en hij schudt zijn hoofd: 'Pools.' Het blijkt dat de drie dekknechten ook Polen zijn. Later, op de brug, maakt de kapitein (Noors) zich zorgen over de wind, die eerder dan verwacht naar het westen draait.

'Niet goed voor ons,' mompelt hij. Aan de andere kant van de brug zit de besnorde hoofdmachinist (ook Noors). Hij leest een stripverhaal, zonder erbij te lachen.

DAG 9 – DE NOORDELIJKE IJSZEE

Een nacht met verschillende niveaus van instabiliteit. Af en toe een heftig stampen en schudden, waardoor klokken, boeken en glazen op de vloer vallen. Het geluid van de motor is hard, doordringend

en constant, iets waaraan we zullen moeten wennen. Geluids-
isolerende wanden hebben evenals stabilisators nooit deel uitge-
maakt van de Norsel.

Ontbijt met eieren en bacon. Fraser maakt zich zorgen omdat we
geen training voor de reddingssloepen hebben gehad. Roger werd
diep in de nacht wakker, en trof een grote zeeman in zijn hut aan.
Deze was door de kapitein gestuurd, die in de omgeving wat ijs
had gezien en dacht dat we het misschien wilden fotograferen.

Winterse toestanden. Sneeuw jaagt over het dek en een zware zee.
Zeevogels als de stern, de noordse stormvogel en de drieteen-
meeuw rusten even uit op de met ijs bedekte boeg, voordat ze hun
gracieuze zoektochten over het water hernemen.

Ik toon Fraser de resultaten van een Amerikaans onderzoek, gepubliceerd in het scheepvaarttijdschrift *Trogie Winds*, waarin mensen
gevraagd werd aan wie ze een plaats in een reddingssloep zouden
afstaan. Van de mannen zou 67 procent een plaats aan hun vrouw
afstaan, 52 procent aan moeder Theresa, maar slechts 8 procent
aan Madonna. Van de vrouwen zou 43 procent een plaats aan hun
man afstaan, en slechts 3 procent aan 'mannen die niet hun echtgenoot zijn'. Ik geloof niet dat Fraser de reddingssloep al gevonden heeft, zodat de vraag nú nog academisch is.

Ik vraag de kapitein wat onze maximumsnelheid is.

'Tja,' hij trekt hevig aan een vergelende, zelfgerolde sigaret, 'met
een lichte lading, goed weer en met de stroom mee... tien knopen.'
Ik bereken dat we er dus 30 uur over zullen doen om enkel de kust
van Spitsbergen langs te varen, en dat het nog eens zo'n twee dagen
zal duren voordat we de vissersvloten in de Barentszzee bereiken.

Het stampen en schudden van het schip is vannacht zo erg dat ik,
terwijl ik in mijn bed lig, de niet eens zo onplezierige sensatie
onderga dat ik word uitgerekt. Eerst probeert mijn lichaam via mijn
voeten naar buiten te glijden, het volgende moment probeert alles
via de kruin van mijn hoofd te ontsnappen. Terwijl ik in slaap val,
bedenk ik hoe men een apparaat zou kunnen ontwerpen dat hetzelfde effect sorteert.

DAG 10 – DE BARENTSZZEE

Tien uur in de ochtend. Ik controleer onze positie op de satelliet-
indicator: 75.47 graden noorderbreedte en 16.25 oosterlengte. We

varen de Barentszzee binnen, genoemd naar de Nederlander die haar in 1596 ontdekte, en de wateren worden ondieper maar kouder, doordat nu niet een Atlantische, maar een polaire stroom ze voedt. Dit betekent dat we onze weg door een dikker wordende ijsvlakte moeten banen, zodra we oostwaarts naar de visgronden gaan. Tot nu toe dreven de brokken ijs nogal verlaten voorbij, lijkend op omgekeerde tafels en stoelen, of op groepjes mensen die na een optocht naar huis terugkeren. Maar nu de lucht kouder wordt, groeien de brokken ijs, terwijl de stukken open water in grootte afnemen.

Stein (uitgesproken als Stain), zoals we de kapitein nu aanspreken, baant zich voorzichtig een weg. Sommige van de 3 meter hoge ijsschotsen hebben onder water een massief voetstuk, dat bij een frontale botsing veel schade kan veroorzaken. De beste manier om ze aan te pakken, zo legt Stein uit, is de boeg hoog boven het ijs te houden, zodat het ijs onder de kiel doorschiet en vervolgens door het gewicht van het schip in tweeën wordt gespleten. Als we ons midden in het dichte pakijs bevinden, stopt de kapitein de motoren en wordt onze onverschrokken cameraman vanaf het dek op een geschikte ijsschots getakeld. Persoonlijk ben ik van mening dat het nog veel te vroeg in de reis is om hem kwijt te raken, maar ik word overstemd. Het spektakel van Nigels eenzame gedaante, die langzaam van ons wegdrijft, is een verontrustende aanblik, en ik weet zeker dat wij veel meer foto's van hem nemen dan hij van ons.

Het griezelige geluid van ijs dat langs de romp schraapt, duurt de gehele dag voort, totdat we eindelijk in open maar ruwe zee komen. Roger, die steeds meer op kapitein Pugwash begint te lijken, bekijkt het hoog opspattende schuim dat door de golven die op de boeg breken, wordt opgeworpen. Hij trekt aan zijn pijp en zegt tevreden glimlachend: 'De duivel betreedt de dansvloer, Mike.'

DAG 11 – DE BARENTSZZEE

Sneeuwstormen en een hoge zee. Ik voel me niet echt misselijk, maar de aanblik van een overdadige ontbijttafel met gebakken eieren, achterham, worstjes, yoghurt, mayonaise, vispasta in tubes, kaas, bacon en garnalensalade in plastic tubes, verjaagt me behoorlijk snel naar het dek. Het is bijtend koud, maar bleekjes staar ik naar de horizon, zoals wordt aanbevolen, en neem ik enkele teugen poollucht, totdat de aanval van misselijkheid voorbijgaat.

Deze ochtend is iedereen aan het glijden en slippen, en als we een slinger van 60 graden maken, vliegen alle laden uit het bureau van de kapitein.

Een optocht van Russische trawlers, die deinen op de golven, is het eerste teken dat we de vissersvloten bereikt hebben. Ik vraag aan Stein of hij de Russen bijtankt. Hij schudt zijn hoofd. 'Ze hebben er het geld niet voor.'

Anderhalve week na de Noordpool, en het goede nieuws is dat we ons bijna exact op het gestelde doel bevinden: 30 graden oosterlengte. Het slechte nieuws is dat we hier ongeveer 48 uur moeten blijven, omdat de schepen die we moeten bunkeren zich in een straal van 40 kilometer bevinden.

De zee is te ruw om de schepen aan de zijkant bij te tanken, waardoor Stein voor de boeg-tot-achtersteven-procedure moet kiezen, die veel lastiger en tijdrovender is. Zodra een schip zich ongeveer 5 meter achter ons bevindt, worden kabels overgeworpen. Als deze zijn vastgemaakt, wordt een zwarte, rubberen pijp overgehesen en de olie overgepompt. Onze eerste klant, de Noorse vissersboot *Stig Mozgne*, moet een uur vastgekoppeld blijven. Van de beide kapiteins wordt grote vaardigheid en zeemanskunst geëist om de schepen op de juiste afstand te houden, terwijl beide wild duikelen en dansen op de 8 meter hoge golven.

Tijdens deze operatie jaagt een ranke, op een oorlogsschip lijkende boot van de 'Kystvakt' (Kustwacht) voorbij, die enkele minuten later ondersteund wordt door een viermotorige Lockheed Orion, die laag over ons duikt voordat hij naar het zuiden vliegt. Stein vertelt ons dat het vliegtuig van de kustwacht illegale lozingen van olie probeert op te sporen, en dat de boot zaken als de grootte van de netten onderzoekt. De vangsten worden voortdurend gecontroleerd en ieder die te veel jonge vis of de verkeerde vissen in zijn netten heeft, wordt van de visgronden verwijderd.

Rond middernacht, als ik een whisky te veel op heb en bij een spelletje scrabble van het bord ben gezet, verlang ik naar de baarmoederlijke veiligheid van mijn wieg, de kooi, wanneer Steins lange, bleke gedaante plotseling voor ons opdoemt. Hij lijkt erg tevreden met zichzelf.

'Het weer is verbeterd, en bovendien heb ik contact met een schip van een visfabriek dat jullie graag aan boord wil nemen en jullie wil laten zien hoe ze vissen.'

'Hoe laat in de ochtend zal dat ongeveer zijn?' vraagt Roger. Stein kijkt op zijn horloge. 'Over een uur of twee.'

DAG 12 – DE BARENTSZZEE

Mijn wekker gaat om half twee af. Hij moet hard werken om boven het geluid van de motor uit te komen, die koortsachtig knarst, over-toeren maakt, hort en achteruit gaat. Op de brug biedt Stein zijn verontschuldigingen aan. Het laatste schip dat hij bijtankte 'wist niet wat het aan het doen was'. Na 40 minuten slaap voel ik me iets beter en ik speur de grijze zee af naar het schip dat ons aan boord wil nemen. Om ongeveer twee uur komt de *Jan Mayen* tevoor-schijn aan onze bakboordzijde. Hij is twee à drie keer zo hoog als de *Norsel*, en zijn achtersteven baadt in het licht van oranje natri-umlampen. De overstap van schip naar schip zal met een kraan gebeuren, en voor ik over het pas onlangs gesmolten water van de Barentszzee word getakeld, word ik in een reddingsvest gehesen. Dit is een groot, onhandig rubberen ding, dat de indruk wekt onmiddellijk in een lijkenzak te veranderen als ik in het water zou belanden. 'Niet bang zijn,' grijnst een van de Poolse bemannings-leden met leedvermaak, als hij een touw onder mijn armen bindt. Hij gebaart naar een gezichtsloze gedaante hoog boven mij en plot-seling stijg ik op, slingerend als een doos toiletpapier, een krat bier of ander stukgoed, over de zijkant en boven het water, dan omhoog en naar een andere wereld. De zeelieden op de *Jan Mayen* zijn niet sjofel en informeel, zoals onze vrienden op de *Norsel*. Ze zijn keurig gekleed in geel pvc en grote zwarte laarzen, als politieagenten bij een auto-ongeluk. In tegenstelling tot de *Norsel*, die beneden wild dobbert, ligt de *Jan Mayen* vrijwel stil. Men leidt ons naar binnen en toont ons de brug. Deze is aircondi-tioned en voorzien van snel klikkende bedieningspanelen met mannen eromheen, alsof ze in *Star Trek* meespelen.
De achtersteven lijkt op een bowlingbaan, met lange, groene net-ten die met een kakofonie van knarsende en kletterende geluiden 400 meter naar beneden vallen, tot ze de zeebodem raken. Het is een indrukwekkend en opwindend schouwspel, en men vraagt zich af welke machtige zeewezens zulk een verschrikkelijke kracht vereisen. Het antwoord is: de garnaal. De *Jan Mayen*, met zijn brug van drie miljoen gulden, zijn veertigkoppige bemanning, zijn com-

putergestuurde Datasynchro-weergave en zijn Deense turbinemotoren van 4080 pk, is niets anders dan een opgetuigd garnalennet. Ze zijn een maand lang onafgebroken op garnalenvangst geweest en hebben 400 ton van die kleine rode dingen aan boord. Bovendien hebben ze een fabriek aan boord die de vangst in 24 uur van zeediertjes tot diepvriespakketjes transformeert. Het lijkt een overdreven vertoon van kracht. Wie eet er nu zoveel garnalen? Het antwoord, als bij zoveel zaken, is: de Japanners.

Om acht uur 's ochtends, vergezeld door twee inspecteurs van de kustwacht, bekijken we het binnenhalen van de netten. Nogmaals een schitterend vertoon van technologische kennis en menselijke organisatie. Weer 3 ton garnalen.

Om 9 uur draait de *Norsel* langszij, waarna we ons weer voorbereiden op een uitwisseling over zee. Terwijl we onze gratis pakketjes garnalen vastklemmen, bungelen we boven het dek, als kinderen die terugkomen van een schoolreis.

DAG 14 – VAN DE BARENTSZZEE NAAR TROMSØ

Ik word wakker met een kalme zee en een heldere hemel. Deze ochtend zien we voor het eerst het vasteland van Europa. De rotsige, met sneeuwkappen bedekte bergen van het eiland Furloy aan de ene kant en van Arnoy aan de andere kant zijn indrukwekkend genoeg om de poort te zijn naar ons eerste continent.

De koude greep van de Noordpool wordt eindelijk losser. Het ijs op de ankerlier is gesmolten, de zee klotst kalm en vreedzaam tegen de romp en de eerste sporen van vegetatie dobberen in het water. Op de brug is alle onrust van de afgelopen moeilijke dagen verdwenen. Met twaalf schepen die met succes zijn bijgetankt, is Stein onmiskenbaar hartelijk, zijn de bemanningsleden geboend en geschoren als koorknaapjes en is de hoofdmachinist een en al glimlach terwijl hij naar huis belt.

Voor ons is het einde van de reis nog lang niet aangebroken, maar als we ten zuiden van de 70ste breedtegraad komen, begrijp ik waarom iedereen op de *Norsel* zo gelukkig uit zijn ogen kijkt. We hebben een uitstapje overleefd in een wereld van extreme omstandigheden, waar de foutmarges gevaarlijk klein zijn.

Om 2 uur in de middag ontdekt de eerste matroos een vliegtuig, dat van de luchthaven van Tromsø opstijgt. Binnen een uur varen we door de Grotsundet, waarvan ik veronderstel dat deze in zekere zin de Poort van de Noordpool vormt, en vervolgens zie ik al het vertoon van de beschaving voor mij liggen, een Legoland van geverfde muren en daken. Vijf dagen en 21 uren nadat we Longyearbyen verlaten hebben, arriveren we aan de kade van Tromsø. Twee kleine, aantrekkelijke dames van de Noorse douane stappen aan boord en na een korte inspectie mogen we aan wal.

Tromsø is de eerste stad op mijn reis, en hoewel het slechts 50.000 inwoners heeft, kan het bogen op drie kathedralen, een universiteit, een brouwerij en 23 nachtclubs. Het noemt zichzelf graag 'Het Parijs van het noorden', en omdat ik voel dat ik de aankomst in Europa moet vieren, zoek ik het eerste café aan de boulevard op. Ik tref mijzelf aan buiten de Cormorant Bar, waar ik wantrouwend een glas bier bekijk van een merk dat iets als 'Muck' betekent. De zomer lijkt Tromsø vroeg te hebben bereikt. Grote groepen studenten genieten van hun drie maanden zonder treurnis, wanneer de combinatie van de warme golfstroom en 24 uur zonlicht de hele stad in een hedonistische sfeer dompelt. Vandaag worden zij vergezeld door voetbalsupporters uit Trondheim, bijna 800 kilometer naar het zuiden. De Muck stroomt overvloedig, hoewel ik heb ontdekt, enigszins tot mijn teleurstelling, dat Muck de lokale uitspraak is van 'Mack', een brouwerij die beroemd is om de zuiverheid van haar product en om de slagzin op haar flesjes – 'De eerste op de Noordpool'.

Op loopafstand van de Cormorant staat een bronzen standbeeld van Roald Amundsen – de eerste man op de *Zuid*pool. Amundsen staat doelbewust op zijn bronzen sokkel, gekleed in zijn favoriete, losse Eskimodracht en turend over de fjord. Een zeemeeuw staat op Amundsen. Ik sta zwijgend voor het beeld en tracht een bemoedigende blik in zijn hoekige, ascetische trekken te lezen. Welbeschouwd zijn er toch weinigen van ons die uit Noorwegen zijn vertrokken om naar de Zuidpool te gaan.

's Avonds eten we in een restaurant dat een intrigerende schotel met de naam 'Zeehondenlasagne' op het menu heeft staan. Waakzaam als ik ben, indachtig de verontwaardiging over mijn consumptie van slang in Kanton, vraag ik de ober:

'Dit is toch geen... *baby*zeehond, naar ik hoop.'

'Oh nee, meneer,' verzekert hij me, 'dit is zeer oude zeehond.'

Even later wandel ik over het centrale plein, de Storttogret, terug naar mijn hotel. Voor de nachtclubs staan lange rijen, en een groep dronken jongens is bezig met het schoppen tegen tafels en het omvergooien van zonneschermen. Niet gewelddadig, maar met een landerige, strompelende en vermoeide wanhoop. Ze denken vermoedelijk dat ze zich amuseren. Dichterbij het hotel staren twee rustiger knapen naar de besneeuwde bergen die de stad omringen. Pas na een poos kom ik erachter dat ze eigenlijk naar de haven turen. Het is middernacht, en in het westen, boven de koude heuvels van het eiland Kvaloy, begint de zon alweer te rijzen.

DAG 15 – TROMSØ

Is dit dezelfde stad als gisteravond? Deze ochtend lijkt zij de onschuld zelve. De mensen hebben hun horizontale positie voor een verticale verruild, en de chaos van de nacht is veranderd in een ongerepte rust.

We rijden over de lange, smalle brug die het eiland Tromsø verbindt met het vasteland van Noorwegen. Het is een heldere, prachtige ochtend en de klokken van de Noordpool-Kathedraal luiden – een opvallend modern gebouw, dat is samengesteld uit 11 in elkaar grijpende, driehoekige ruimten, die elk een apostel voorstellen (met uitzondering van Judas Iskariot). Binnen treffen we een beschaafde, fatsoenlijke en bescheiden congregatie aan, die elders in deze eigenschappen niet verbeterd zou kunnen worden. De eerste rijen zijn volstrekt leeg, en de hymnen worden zacht, op bijna verontschuldigende wijze gezongen.

Wie zijn de moderne Vikingen? De robuuste, slingerende jongens die tafels op het plein omver smijten of deze eenvoudig geklede steunpilaren van de maatschappij?

Tegen de avond wordt de zon door wolken verduisterd en een noordwestenwind rimpelt het water in de baai. De plaatselijke bewoners schudden hun hoofd. De weersverandering herinnert me eraan hoe dicht we ons nog steeds bij de poolkap bevinden. Basil heeft zich in Tromsø bij ons gevoegd, als officiële fotograaf, en hij is er al in geslaagd een Mongools restaurant met een Japanse kok te vinden. Sushi en sashimi op 320 kilometer van de poolcirkel. Erg vreemd. Alhoewel Odd niet ongewoon is in Tromsø, in feite is het een van de meest voorkomende achternamen. Als u ooit incognito in een hotel in Tromsø wilt verblijven, moet u zich inschrijven als de heer en mevrouw Odd.

DAG 16 – VAN TROMSØ NAAR HAMMERFEST

Het weer is omgeslagen. De grijze wolken hangen laag, waardoor Tromsø zijn allure van een badplaats aan de Middellandse Zee heeft afgeworpen en meer op Noord-Schotland lijkt. Om onszelf op te monteren bezoeken we het Noordpoolmuseum. Dat is een fout. Het herinnert er ons alleen maar aan dat we van geluk mogen spreken dat we nog leven. Het leven op de Noordpool biedt weinig vertroosting, en de gezichten die ons aankijken, vanaf zeehondenjachten en schipbreuken, zijn vroegtijdig oud. Van de andere kant blijven voorwerpen wel goed bewaard in de intense koude: Amundsens pijp, mok, kam, typemachine en naaigerei zijn alle prachtig geconserveerd. Evenals dit menu voor een speciaal diner, dat gegeven werd ter ere van de behouden terugkeer van Amundsen en zijn team van de Zuidpool in 1912:

Poolsoep
Walvis in vette olie
Saelbundsblod (Zeehondenbloed)
Varkensschotel uit Haakon VII
Pigviner (Pinguïn)
Polaris mit Hvalrostuender
(Poolijs met zeeolifantstanden)

En geen alternatief voor de vegetariër

We zijn wat afgeweken van onze route langs de 30ste lengtegraad, zodat we Noorwegen op de kortst mogelijk manier zouden moeten verlaten. Maar de woeste bergketens van Finland vormen zo'n onneembare natuurlijke grens, dat alle oostelijke reisroutes eerst noordelijk moeten afbuigen. Om vier uur in de namiddag schepen we ons in op het MS *Nordnorge*, een stevig schip van 2600 ton, dat eruit ziet alsof er hard op gewerkt wordt. Het maakt deel uit van de Hurtigrute-lijn (letterlijk: de 'snelle route'), van Bergen naar Kirkenes aan de Russische grens.
Het schip doet er 11 dagen over om heen en terug te gaan via de kanalen en eilanden van deze kronkelende kustlijn. In Tromsø worden zakken aardappelen en uien, zijden vlees, televisietoestellen, wasbekkens en post ingeladen. De Hurtigrute is een transportdienst, een busdienst, een postdienst en, voor toeristen, een

manier om het leven op en de aanblik van de fjorden te ondergaan. Het is echter een slechte dag voor mooie vergezichten. Een lage, grijze wolkenmassa hangt op zo'n honderd meter boven het water, waardoor de verbeelding een handje moet helpen bij het bezichtigen van de fjorden. Er is een restaurant, met een vrouwelijke pianist die aankondigt 'Beatle-melodieën te spelen zoals u ze nog nooit hebt gehoord.' Ze is zo goed als ze zegt te zijn.

Als ik me in de ingewanden van het schip te ruste leg, maken we zo'n 15 knopen op een bestendige koers en speelt de pianiste 'De vrolijke zwerver'.

DAG 17 – VAN HAMMERFEST NAAR KARASJOK

Mijn kooi is comfortabel, maar elke keer als iemand een naburige kraan opendraait, heeft dit een reeks mokerslagen tot gevolg en dus uiteindelijk een nacht met weinig slaap. Present op de brug om kwart over zeven om onze aankomst in Hammerfest te filmen, alwaar mij wordt verteld dat we een uur te laat zijn en beter in bed hadden kunnen blijven om naar de kranen te luisteren. Het landschap biedt weinig compensatie. Een ononderbroken wolkendek hangt, als een gordijnkap, over het boomloze vasteland. Als Hammerfest verschijnt, een gevlekt vogeltje in een kom van toendraheuvels, blijkt dat het de glans van Tromsø ontbeert. Bleek en belegerd als het stadje is, kan men zich goed voorstellen dat, toen het in 1789 werd gesticht, de eerste inwoners aangemoedigd moesten worden met een belastingvrijstelling gedurende 20 jaar. De *Nordnorge*, die er 15 uur over gedaan heeft om ons hier te brengen, laadt vracht uit, draait naar de Noordkaap en laat ons achter op een donkere, vochtige kade. De Noren grinniken en schudden vermoeid hun hoofd als ik het woord 'koud' uitspreek. Misschien beschouwen zij koude als iets vanzelfsprekends, net als wij het woord 'lucht'.

'Slecht weer bestaat niet, Mike, alleen slechte kleren.'

Het Hoofd van Toerisme in het stadje is bijna lyrisch over het weer. Wist ik wel dat drie dagen geleden de temperatuur in Hammerfest 28 graden onder nul was?

'Tja, dat is natuurlijk *te* warm,' zegt hij met een scheef gezicht, waarmee hij het effect van zijn vorige opmerking eigenlijk bederft. Wist ik verder dat gisteren nog de QE2 in de haven had aangelegd?

'Tweeduizend vijfhonderd mensen... die allemaal tegelijk winkelen.'

Ik kijk om me heen naar de kraampjes met etenswaren op de marktplaats, die rendierworst, kabeljauwtongetjes, fel gekleurde hoeden en laarzen van zeehondenleer verkopen. Zonder succes tracht ik me de scène voor de geest te halen.

Ben ik bekend met de Koninklijke Oudheidkundige IJsbeer Vereniging? Doordat het Hoofd van Toerisme mijn blik van onbegrip voor nieuwsgierigheid aanziet, brengt hij me, zonder verdere plichtplegingen, naar de Burgemeester van 's Werelds Meest Noordelijke Stad. Deze licht me in vloeiend Engels in over de rol van de IJsbeer in de geschiedenis van Hammerfest. Dat is duidelijk een ondergeschikt rolletje geweest, waarvoor de ijsbeer weinig méér hoefde te doen dan stil te liggen en niet op te staan, maar de stad is trots op zijn aandeel in het jagen en vissen in de wateren der Noordpool.

Met kwieke Scandinavische efficiëntie word ik ingeschreven als lid 116.747 van de Koninklijke Oudheidkundige IJsbeer Vereniging en voorzien van kaart, stickers, badge, certificaat en een draagtas om het allemaal in te doen. Hetgeen weer eens aantoont dat je moet roeien met de riemen die je hebt, als je burgemeester bent van een stadje op 500 kilometer van de poolcirkel, waar de zon drie maanden per jaar niet verschijnt.

Een middel om aan de melancholie van de lange, donkere wintermaanden te ontsnappen is de alcohol, en het gebruik en misbruik daarvan heeft de autoriteiten gedwongen tot het nemen van draconische maatregelen. Ik verneem er enkele uit de mond van Troels Muller, onze Noorse klusjesman, terwijl ik mijn huurauto zuidwaarts richting Lapland rij. De Noorse politie, in burgerauto's, kan elke bestuurder op elk moment stoppen en aan de blaastest onderwerpen. Als ze meer dan 0,5 promille alcohol in hun bloed hebben – dat is het equivalent van één licht biertje – kunnen ze drie weken gevangenisstraf krijgen. Er is geen mogelijkheid tot hoger beroep. Dit alles heeft tot enkele ongewone problemen geleid.

'Mensen moeten één tot twee jaar op hun gevangenisstraf wachten. En dan, als je naar de gevangenis gaat, wil je dat natuurlijk voor je vrienden verbergen. Dus je zegt dat je op reis gaat.'

Troels pauzeert als ik een paar mismoedige rendieren ontwijk, die langs de weg slenteren met het lef van voetballers die zojuist de bekerfinale hebben verloren.

'Er is een gevangenis in de buurt van Oslo die de Costa del Ilseng genoemd wordt, omdat, weet je wel... iedereen, die gaat naar Spanje... en, natuurlijk, niemand gaat echt naar Spanje...'

Wat verderop komen we bij een boomloze helling waarop een puntige tent omhoogrijst, gemaakt van lange takken die voor driekwart bedekt zijn met canvas en huiden. Dit is een *laavu*, de traditionele behuizing van het Samevolk (uitgesproken Sarmai), die de oorspronkelijke bewoners zijn van Noord-Scandinavië en delen van Rusland. Velen van hen leven nog steeds van het houden van rendieren, zoals ook de twee die we nu gaan bezoeken, Johan Anders en zijn vrouw Anne Marie. Helaas is hun kudde rendieren verdwenen.

We keren terug in de richting van Hammerfest, maar zelfs de afgedwaalde dieren die ik eerder op de weg had gezien, blijken onvindbaar. De zoektocht naar rendieren verandert in een klucht, als we op een rotsachtig spoor stuiten dat een vuilnisbelt blijkt te zijn. Tussen bergen rottend karton, weggegooid papier, roestende apparaten en bevroren voedselpakketten staat de ongelukkige gedaante van de heer Anders, de armen gespreid en het onwaarschijnlijke gebaar aangevend van 'ze waren hier zo net nog'.

Ergens tussen Hammerfest en Karasjok – de 'hoofdstad' van Same, die zo'n 200 kilometer naar het zuidwesten ligt – moet ik in slaap zijn gevallen. Als ik wakker word, is het landschap volledig veranderd. De boomloze vlakte heeft plaatsgemaakt voor eindeloze vergezichten op bomen en meren. Een bemoedigend teken dat we weer in de juiste richting gaan.

Eland als diner. Bijna niet te vatten.

DAG 18 – KARASJOK

Het SAS Turisthotell in Karasjok. Buiten mijn raam ontbijt een groepje mussen van een bed nieuw gezaaid gras. Vannacht heb ik naar huis gebeld, en herinnerde me te laat dat de hele familie in Frankrijk op vakantie is. Naar Frankrijk gebeld. Het regende vanaf het moment dat ze waren aangekomen. Hier, boven de poolcirkel, schijnt de zon, en ik zou in hemdsmouwen buiten zijn als er geen muggen waren. Uit wat ik meemaak, concludeer ik dat alle muggen die het zich kunnen veroorloven 's zomers naar Lapland gaan. Een zwaar antimuggenmiddel is vereist, en ik ben klaar voor ze met Jungle Formula Repel with added Deet. Deet, als zoveel andere dodelijke stoffen, is ontwikkeld voor de VS-strijdkrachten in Vietnam. Ik ben druk doende het op elke bereikbare plek van mijn lichaam te spuiten, als Patti binnenkomt en zegt dat het spul sterk genoeg is om verf van auto's te verwijderen, waarop Fraser beweert dat het eenmaal zijn polshorloge heeft doen smelten.

Het is een dag voor Mogli-avonturen, te beginnen met een tocht over de Karasjoka (de rivier de Karas) in een lage, snelle, houten kano, op zoek naar goud. Mijn gidsen zijn twee Same-yuppies – Nils Christian, die Beverly Hills heeft bezocht, en Leppa, die een draadloze telefoon in zijn nationale kledij draagt. De rivier betekent groot geld. Alhoewel ze enkele maanden van het jaar bevroren is, is ze volgens Nils nog steeds de rivier met de meeste zalm van Europa. Vorig jaar bracht ze 133.000 kilo op.

De Karasjoka herbergt ook rijke schatten, en in een borrelende stroom naast een koel, vochtig stuk bos barstensvol met muggen word ik ingewijd in de duistere kunst van het goudwassen.

Benodigdheden: een paar rubberen laarzen tot dijhoogte, een plastic goudzeef, een schop en een natuurlijk gevoel voor ritme. De plastic goudzeef heeft de metalen vervangen (zoals die in de film gebruikt wordt), omdat het goud beter zichtbaar is op het blauwe plastic. De schop is nodig om de modder op te scheppen en een gevoel voor ritme vergemakkelijkt het zeven. Goud, het zwaarste metaal, zinkt altijd naar de bodem, en de moeilijkste vaardigheid is de behoedzaamheid waarmee de kiezeltjes en de modder moet worden uitgefilterd zonder de goudkorrels te verliezen. Aangezien ik noch om mijn gevoel voor ritme, noch om mijn behoedzaamheid bekend sta, ervaar ik een kinderlijke blijdschap als ik, al na een paar minuten zeven en overgieten, een gouden glimp zie in het pikzwarte grafietzand. Niet genoeg om een Zwitserse bankrekening te openen en waarschijnlijk nog minder dan op Elisabeth Taylors wimpers te vinden is – maar het feit dat ik het klompje door mijn eigen inspanningen op deze afgelegen rivier heb verkregen, geeft een bevrediging die ver boven de waarde uitstijgt. Mijn zelfgezeefde fortuin wordt ergens in de buurt van *f* 33,- geschat. Ik besluit een biertje voor de filmploeg te kopen en de rest te investeren.

Sven Engholm is de Martina Navratilova van de hondenslee-rennen.

Hij heeft de *Finnmarkslopet*, de langste race van Europa, negen keer gewonnen. Zoals iedereen in deze onherbergzame, meest noordelijke hoek van het continent, heeft hij een draagbare telefoon en een scherp oog voor toeristen. In de laavu in zijn tuin, een vijftal kilometers buiten Karasjok, serveren hij en zijn vrouw Ellen ons een traditionele Same-lunch. Gerookte zalm met eieren en versgebakken bruinbrood wordt gevolgd door rendierbouillon en een rendierstoofschotel, die wordt opgediend uit een beroete zwarte pot boven een open vuur. We zitten op rendierhuiden en eten van houten borden. Net als we denken dat de maaltijd erg gewoon wordt, haalt Sven een groot jagersmes te voorschijn, reikt naar een verkoolde bruine homp die boven het vuur hangt en biedt ons een plak gedroogd rendierhart aan voor bij de koffie.

De honden die Sven zo succesvol fokt, bevinden zich buiten in een omheinde ruimte. Zevenendertig volgroeide en tien jaarlingen. Zij lijken wild en overactief, zoals ze hun riemen strak trekken, blaffen en naar Sven uitvallen als die passeert. Ik veronderstel dat het geheim van een goede hondenslee-menner ligt in de vaardigheid waarmee hij deze manische energie transformeert in een voorwaartse snelheid. Een indicatie van Svens succes is dat hij samen met zijn team een race van 1000 kilometer over het Finse plateau in minder dan vijf dagen kan volbrengen. Gedurende het interview, als Sven serieus uitlegt dat honden de behoefte hebben om sociale contacten aan te gaan, niet alleen onder elkaar, maar ook met mensen, hoor ik de cameraploeg in lachen uitbarsten. Ik kijk naar beneden, zodat ik nog net kan zien dat een van Svens honden zojuist een sociale relatie met mijn rechterbeen is aangegaan.

DAG 19 – KARASJOK

Er is niet veel te zien in Karasjok. Het is een doorgangsstad, aan weerskanten van de E6 Noordpool-Hoofdweg, de toeristische route naar de Poolkaap. Maar als je wat beter kijkt, en langer stopt dan het voorgeschreven halve uurtje van de touringcars bij de toeristenwinkel, zie je de tekens van een bloeiende cultuur, die noch Noors, noch Zweeds en noch Fins is. Het is de Same-cultuur, levend en in goede staat, met een eigen museum, een radiostation en sinds 1989 een gloednieuw Same-Centrum, dat hun eigen parlement bevat. Ik ontmoet Gunhild Sara, die over de hele wereld gereisd heeft en in Canada en Tanzania is geweest.

Ik vraag haar of dit niet gewoon Lapland is, maar dan onder een andere naam. 'Lapland bestaat niet. We zijn in Same-land.'

Dus ze is geen Noorse? Ze schudt ontkennend haar hoofd.

'Ik ben een Same. Ik zal altijd een Same zijn. Welk paspoort ik ook bezit, ik zal sterven als een Same.'

Ik vraag wat haar naar Tanzania voerde, en ze lacht, wat een ontspanning teweegbrengt.

'Zoals dat vaker gaat. Je ontmoet een knappe vent, en dan ga je maar.'

Ze verkiest de Tanzanianen boven de Kenianen: 'Ze hebben meer zelfvertrouwen, meer eigenwaarde. De Kenianen willen alleen maar Brits zijn.' Maar ze heeft geen goed woord over voor de sociale hervormingen van Julius Nyerere.

'Hij hield lange, vermanende redevoeringen voor de radio... probeerde de plaatselijke Masai te bewegen onderbroeken aan te trekken als ze op de bus stapten.'

Later op de dag aanschouw ik een waarlijk surrealistisch onderdeel van de Same-cultuur: een joik-ceremonie. Een joik (uitgesproken zoals je het schrijft) is geïmproviseerde zang, voorgedragen op een jodelachtige wijze. Het heeft geen begin, midden of einde. Het is muzikaal, maar het is geen echt lied. Het bevat het wezen van een stemming, een karakter of een emotie die volledig persoonlijk is, en die behalve binnen de familiekring niet kan worden overgebracht. Om te beginnen maakt onze aanwezigheid de joikers zeer zelfbewust. Ze trekken driftig aan hun sigaretten (roken is hier wijdverbreid), totdat iemand bier brengt en het merkwaardig trillerige zingen begint. Het lijkt erg Iers, of misschien wel Indiaans, en later kom ik erachter dat joiken een onlosmakelijk deel uitmaakt van een internationale volkstraditie. En inderdaad was één van hen zojuist teruggekeerd van een joik-bijeenkomst in Reading, Zuid-Engeland.

Angela is van mening dat we misschien beetgenomen zijn, maar ik geef ze het voordeel van de twijfel. Als we terugkeren naar het hotel, is het al laat. Het licht van de middernachtzon vermengt zich met de sierlijk kronkelende nevelslierten boven de rivier, en een sprookjesachtige verstildheid en pracht verspreidt zich over de half geoogste velden.

DAG 20 – VAN KARASJOK NAAR IVALO

Zuidwaarts richting Finland op de Postilinjat, de postbus, de enige vorm van openbaar vervoer in deze streken. Ik voelde me in het noorden van Noorwegen tot rust komen en ben blij dat we weer op weg zijn. Een regenbui is overgetrokken, Nigel doet een tukje en Basil is bang dat hij op een kaart aan zijn dochter 'reindeer' als 'raindeer' heeft gespeld. De bus heeft 50 zitplaatsen, maar slechts enkele stoelen zijn bezet. Een Japans paartje zit heel efficiënt voor-in, een gebaarde Fransman zit gebogen over een rugzak en een Noors jongetje is onderweg naar zijn Finse grootouders om bij hen zijn vakantie door te brengen.

Bij een slaperig gehucht met de naam Karigasniemi passeren we de Noors-Finse grens. Het Japanse paartje, dat de reispapieren al een halfuur in de handen houdt geklemd, kan maar niet geloven dat niemand hun paspoorten hoeft te zien. Ik zoek zonder resultaat naar typisch Finse kenmerken. Ik zie een Shell-garage en een café met een Mercedes ervoor, waar pizza's worden geserveerd. De plaatselijke bewoners verdringen zich rondom het spelletje Space Invaders.

Tijdens de rit van 150 kilometer naar Ivalo komen we nog heel wat meer Mercedessen tegen. Vele slepen forse caravans achter zich aan op hun weg naar het noorden, naar de meren en de wouden voor een zomer met de muggen. Het valt me op dat Finland dui-delijk overvloediger is dan Noorwegen. Ze lijken hier zelfs meer rendieren te hebben, en als de bus niet stopt om de post in de geïmproviseerde brievenbussen te deponeren, is hij bezig met het ontwijken van de dieren. Men vertelt mij dat de rendieren, nu ze hun wintervacht verliezen. geteisterd worden door de wolken van vliegen en muggen en verlichting zoeken in de koele wind die over de autoweg waait.

De bochtige tweebaansweg is goed onderhouden en de tijd kruipt traag voorbij, terwijl de kleur van de meren in het avondlicht van zwart naar diepgroen in zilver verandert. In Inari, een stadje aan het meer dat gonst van de buitenboordmotoren, stapt het onver-schrokken Japanse paartje uit, om plaats te maken voor enkele plaatselijke bewoners, waaronder een tienermeisje dat op weg is naar de disco in Ivalo. Ze zegt dat ze 's avonds om tien uur thuis moet zijn. Haar Engels is goed. Ze deelt ons mede dat dit het resultaat is van een zomer te Hastings. Als altijd voel ik me in verlegenheid gebracht door de moeite die buitenlanders nemen om onze taal te leren, hetgeen schril afsteekt bij onze prestaties in een vreemde taal. Maar Fins is hoe dan ook een zeer moeilijke taal, met als enige verwante Europese taal het Hongaars. De werkwoorden hebben *zestien* naamvallen.

Reizen is optimaal als het bestaat uit een voortdurende poging het ongeloof te overwinnen, en als ik me in een Fins hotel aan de Noordpool-Hoofdweg bevind, met een bord buiten het raam dat aangeeft 'Moermansk 313 kilometer', en ik het geluid hoor van een klagende viool die het daglicht begeleidt, dat weigert om te verdwijnen, voel ik na een biertje of twee dat dit soort dingen het leven waard maakt om geleefd te worden.

DAG 21 – VAN IVALO NAAR ROVANIEMI

Ik was niet de enige persoon aan het ontbijt die het was opgevallen dat, afgezien van klagende violen, ons hotel in Ivalo ook van een volledig uitgeruste disco was voorzien, die rond middernacht van start ging en die gemakshalve onder de slaapkamers was gesitueerd. Om half acht vertrekken we opnieuw in zuidwaartse richting. Een wit rendier steekt de weg over. Deze zijn zeldzaam, en hopelijk even goedgunstig als een zwarte kat.

Troels verlaat ons bij de grens. We zijn nu in de handen van Kari Vaatovaara, een jongeman uit Helsinki, die onder zijn vaardigheden het bespelen van de luit telt. Ik vraag hem naar de berichten die ik heb gelezen over de effecten van nucleaire fall-out van Tsjernobyl in dit deel van de wereld. Zijn reactie is direct en ontkennend:

'Alles is onderzocht.'

De noodzaak voor dergelijke testen moet dringend geweest zijn, aangezien dit gebied zich direct onder de halvemaanvormige radioactieve wolk bevond, gedurende een periode van zware regen. Het hoofdvoedsel van de rendieren bestaat uit een wortelloze korstmos, die al zijn vocht aan de lucht onttrekt. Het meeste voedsel in het bos – bessen, paddenstoelen en dergelijke – absorbeert eveneens de vervuiling uit de lucht, en de rendieren en ande-re beesten die daarvan eten, lopen een verhoogd risico. Dit is de theorie (die in de uitstekende *Rough Guide to Scandinavia* wordt uiteengezet), maar Kari wil er niets van horen. Alles in Sameland is in orde.

Een ongewone ontmoeting in de bus. De filmploeg is vooruitge-gaan om te filmen, en ik bevind me in het gezelschap van een dronken Fin.

Hij glimlacht wazig. Ik lach terug. Hij begint te praten. Ik versta er niets van. Hij kijkt bedroefd. Ik voel dat ik moet helpen. Ik zeg langzaam en nadrukkelijk:

'Ik ben een Engelsman.'

Een blik van verbazing verandert in herkenning.

'Ah... Eenglishman!' roept hij uit, en voordat ik tijd heb om beves-tigend te antwoorden met een minzaam lachje, produceert hij een langgerekt en verachtelijk geluid.

We passeren zomerhuisjes in het woud en af en toe een open plek waar het gras gemaaid is en aan lange houten rekken te drogen hangt, of gedrapeerd is om afzonderlijke, scherpe stokken die op grafstenen lijken. We rijden door Sodankyla, dat zichzelf betitelt als de stad van het Noordpool Filmfestival, en 130 kilometer verder, op 66.32 graden noorderbreedte, passeren we het meest zuidelijke punt waar de zon langer dan 24 uur boven of onder de horizon blijft, dat gewoonlijk wordt aangeduid als de poolcirkel.

Er is een bushalte op de poolcirkel, die bovendien door een half in een greppel verscholen bord in diverse talen wordt aangeduid, maar dit alles wordt volledig overschaduwd door de bizarre aan-wezigheid van Kerstmandorp. Dit gebouwencomplex aan de kant van de weg, dat iets van een klein vliegveld weg heeft, bevat onder andere een overdekt winkelcentrum, een café en het Postkantoor voor Kerstzaken. Met zakelijk inzicht hebben de Finnen weten te bewerkstelligen dat de jaarlijkse half miljoen brieven aan de Kerstman, waarvan vele in een onbestemde, noordelijke richting worden gestuurd, op deze plek worden besteld. De onderneming is opgezet door een ex-discjockey met stekeltjeshaar en een jour-nalist, die zó dik is dat je hem op zijn woord zou geloven wanneer hij zou beweren Vadertje Kerst te zijn.

Hij voelt zich bij ons niet erg op zijn gemak, omdat hij aan de ene kant vaderlijk en joviaal wil schijnen, maar aan de andere kant zijn aanzienlijke investering wil beschermen tegen lastige bemoeials en cynici. Hij houdt een wervend betoog over het combineren van de 'commerciële' en de 'ideologische' kanten van Kerstmis, maar het is moeilijk je gezicht in de plooi te houden als je achter hem een groepje merkwaardig uitziende vrouwen, gekleed in rode capes en hoedjes met kwastjes, uit een Portakabin ziet komen. Hij volgt mijn blik en draait zich om.

'Aha, daar ziet u de elfjes van de middagploeg.'

De elfjes zitten aan bureaus met rode en witte computers, waar zij 's werelds grootste verzameling verlanglijstjes verwerken.

'Iedereen krijgt persoonlijk antwoord van de Kerstman,' vertelt de Grote Man met gepaste trots.

Afgezien van Finland komt de meeste post voor de Kerstman uit Japan – het afgelopen jaar zo'n honderdduizend brieven. De Grote Man heeft de vorige zomertournee zes weken in Japan doorgebracht, opgetuigd als de Kerstman.

De Japanse verbondenheid met de Kerstman wordt nog eens onderstreept, als we even later het Japanse paartje van de Ivalo-bus doelbewust uit de Kerstgrot zien komen met een certificaat in hun handen.

Een gestage stroom toeristenbussen uit Duitsland draait vanaf de Noordpool-Hoofdweg het terrein op, en hoewel het hoogzomer is, willen ook zij de Kerstman zien. Dit brengt de Grote Man in verwarring, aangezien hij heeft beloofd persoonlijk voor mij de Kerstman te spelen, terwijl een van zijn collega's de toeristen verzorgt.

'Het is niet goed voor hen om twee Kerstmannen te zien,' mompelt hij.

Maar uiteindelijk is alles geregeld, en voor het eerst sinds 41 jaar zit ik op schoot bij de Kerstman.

Iets voorbij Kerstmandorp bevindt zich de stad Rovaniemi (de Finse uitspraak beklemtoont alleen de eerste lettergreep: '*Ro*vaniemi'). Het werd verwoest tijdens de oorlog, waarna het werd opgebouwd door de beroemde Finse architect Alvar Aalto, die een stratenplan ontwierp in de vorm van een paar rendierhorens.

'Er wonen maar 35.000 mensen hier, die nog steeds allemaal verdwalen,' merkt Kari onvaderlandslievend op.

Belangrijker voor ons is dat Kari de noordelijke grens van het Finse spoorwegennet vormt. Om tien voor half acht in de avond, met voor het eerst sinds we de Noordpool verlieten een ondergaande zon, zitten we in de nachttrein naar Helsinki, zodat we eindelijk het Noordpoolgebied achter ons laten.

DAG 22 – VAN ROVANIEMI NAAR HELSINKI

De spoorlijn naar Rovaniemi is gebouwd toen Finland nog deel uitmaakte van het tsaristische Rusland, en de Sovjet-Unie wordt hier nog steeds gezien als een onheilspellende buur, een verborgen bedreiging voor de spectaculaire welvaart die de Finnen hebben bereikt sinds hun onafhankelijkheid in 1917. Finland heeft slechts vijf miljoen inwoners, die de op een na hoogste levensstandaard van Europa hebben. Daarnaast delen ze een lange grens met een land dat uiteenvalt, waardoor een van hun grootste angsten is dat Gorbatsjovs hervormingen zullen leiden tot een stroom van Russische immigranten. Ik vraag aan de dochter van een Finse familie, die ik ontmoet in de restauratiewagen, wat zij van Rusland afweet.

Ze trekt een scheef gezicht. 'Ik heb gehoord dat er veel gestolen wordt. Een vriend van mij is beroofd van zijn geld, kleren en horloge.'

Kari valt haar enthousiast bij. Een vriend van hem is bestolen door een taxichauffeur in Estland.

'Hij had geen geld, geen paspoort en geen bagage meer.' 'Ik sta te popelen.'

Onze trein rijdt een uur te vroeg Helsinki binnen. Het is een warme zondagochtend. Nadat mijn aankomst gefilmd is, hebben we de rest van de dag voor onszelf. Helsinki, met een inwonertal van een half miljoen, is op geen enkele manier een ongeregelde of afschrikwekkende stad, en we moeten een bewuste geestelijke inspanning verrichten om ons weer aan te passen aan een omgeving die door mensen wordt gecontroleerd, in plaats van andersom.

Het station is een opmerkelijk gebouw, een voorbeeld van wat bekend staat als de Nationale Romantische Stijl, die Saarinen en anderen rond de eeuwwisseling ontwikkeld hebben om architectonisch uitdrukking te geven aan een Finse cultuur en traditie, vrij van Russische of Zweedse dominantie. Het laat inheemse materialen als roze granietsteen, messing, hout en koper mooi uitkomen, en is versierd met reliëfs van bomen en planten. Donker en mystiek als het is, met reminiscenties aan landhuizen of middeleeuwse kastelen, contrasteert het sterk met het vroeg negentiende-eeuwse Helsinki aan de zeezijde. Dat is licht, gracieus en neoklassiek, waardoor het doet denken aan Leningrad, dat slechts 290 kilometer naar het oosten ligt.

In een nieuwe stad richt ik mij altijd op de volgende plaatsen: stations voor de drukte en de kranten, markten voor voedsel en kleur, botanische tuinen voor rust en contemplatie, en, indien mogelijk, havens voor de ruimte en het spektakel. Het prettige van Helsinki is dat je al deze plaatsen in enkele uren kunt bezoeken.

Vroeg in de avond ga ik voor de eerste keer tijdens deze reis hardlopen, rond de Toolonlahti – een ondiep meer dat vlak bij het centrum ligt. De temperatuur ligt rond de 20 graden, en het is hard werken. Om kwart over elf, als ik terugga, zijn de lichten langs de Mannerheimintie aangestoken – de hoofdweg naar de stad vanuit het noorden, waar de zon nog steeds moet schijnen. Om kwart voor twaalf gaat de telefoon. Het is een erg opdringerige Fin, die een interview met mij wil voor de universiteitskrant. Tevergeefs wijs ik hem op het late tijdstip, op het feit dat ik sliep en op het werk dat ik morgen moet verrichten.

'Ik sta hier beneden in de lobby,' dringt hij aan. 'Het is niet bepaald een goed tijdstip.'

'Ik ben een artikel aan het maken, alstublieft werkt u toch mee, over John Cleese, en ik dacht dat u hem kende...'

Dat doet de deur dicht.

'Ik *lig* in bed. Ik heb vier maanden reizen in het vooruitzicht, en ik heb *geen* tijd om over John Cleese te praten.'

Tot mijn verrassing amuseert dit mijn beller bijzonder, en pas dan herken ik in het kakelende, onFinse gelach de onmiskenbare karakteristiek van een zekere, lange mede-Python.

'Ik belde even om te informeren hoe het ging,' piept John opgewekt... en dan herinner ik me hoezeer hij ervan genoot stemmen met een Scandinavisch accent te doen.

DAG 23 – HELSINKI

Vandaag word ik ingewijd in de geneugten van de sauna, hier uitgesproken als 'soo-na'. De sauna is geen Finse uitvinding, want de Noord-Amerikaanse Indianen gebruikten al hete stenen om hun tipi's te verwarmen, een gewoonte die zich via Azië naar het

Westen verspreidde. Maar de Finnen hebben er een bijna een religie van gemaakt, en zoals elke religie kent ze orthodoxie en ketterijen. Een van de Finse sauna's die het meest recht in de leer is, bevindt zich bij een landhuis aan het meer met de naam Hvittrask, een halfuurtje rijden vanaf Helsinki. Het huis is op zichzelf al een bezienswaardigheid. Het werd 90 jaar geleden gebouwd door Saarinen, Gesellius en Lundgren – de architecten die ook verantwoordelijk zijn voor het in dezelfde stijl gebouwde station – en het belichaamt veel van de vooruitstrevendste ideeën over decoratie en vorm, zoals badkamers *en-suite*, centrale verwarming en een revolutionair gebruik van weefstoffen als behangpapier. Al deze dingen, die de burgerij uiteindelijk overnam, waren destijds opzettelijk onconventioneel en anti-bourgeois.

De sauna is traditioneel. De haard verspreidt meer licht dan de schaarse elektrische lampen en de nadruk ligt op donkere balken, tegels, houtblokken en granieten muren. Het is op dezelfde wijze als een botenhuis aan het meer gebouwd, met een lange aanlegsteiger waaromheen hoge bomen staan.

Mijn gezelschap bestaat uit een Finse schrijver, een ex-parlementariër met de naam Lasse en een Brit die komedies voor de Finse televisie heeft geproduceerd en gastheer is geweest bij een controversieel praatprogramma. Maar, zoals Lasse zegt, wanneer we onze vlezige, witte lichamen tegen de latten houtwanden van de sauna drukken: 'Als je naakt bent, kent niemand je.'

Wat wel vaststaat, is dat niemand van ons Madonna is. Wanneer Nigel scènes tracht te filmen die acceptabel zijn voor BBC-Television, wordt Lasse lyrisch. 'Het is meditatief, contemplatief en noodt tot reflectie... geen plaats voor angst, onrust of argumenten... daardoor worden zoveel geschillen in Finland in de sauna beslecht – politieke geschillen, economische geschillen... wat dan ook. Want wie wil er nu argumenteren, als hij naakt is, begrijp je...' 'Waar zijn die twijgen voor?' vraag ik, meditatief gestemd.

'Dat zijn berkentwijgen. Ze moeten omstreeks midzomer geplukt worden, als de bladeren nog zacht zijn...'

Lasse raapt het bundeltje op en mept zichzelf herhaaldelijk op zijn gezicht en bovenlichaam, voordat hij het mij aanbiedt.

Ik pas de procedure wat zachtzinniger toe. Nigel is niet onder de indruk. 'Nee, je moet de bloedcirculatie op gang brengen...'

Hij grijpt de twijgen en mept op me in. Lasse kijkt goedkeurend toe.

'Vergeet het gezicht niet, het is erg prettig op het gezicht... het veroorzaakt een aangename geur...'

De geseling brengt inderdaad een aangename, aromatische en tintelende sensatie te weeg. Ik voel dat de beleefdheid voorschrijft dat ik aanbied iemand anders te kastijden. Lasse biedt zich aan, zodat ik aan het werk kan.

'Zeg maar wanneer...'

Dit alles lijkt erg energiek, en ik wacht nog steeds op het contemplatieve, rustgevende onderdeel als Neil voorstelt te vertrekken om in het meer te duiken.

De duik is vandaag zeer verfrissend en, afgezien van de mogelijkheid dat we een groepje zwemmende schoolkinderen verschrikken, ook tamelijk ongevaarlijk. 's Winters maken ze een gat in het ijs.

'Daarin houd je het maar een halve minuut uit... daarna ga je in de sneeuw rollen.'

Als we teruggekeerd zijn in de intimiteit van onze sauna, bespreken we Finland en de Finse gewoonten. Ze willen graag de mythe ontzenuwen dat Finnen altijd over seks praten, maar Neil zegt dat de meisjes in het noorden van Finland erg direct zijn. Tijdens een dansfeestje of disco nemen ze altijd het initiatief. 'Zelfs oude en lelijke meisjes,' vult Lasse aan.

'Vóór elf uur moet je wel iemand hebben.'

Om de een of andere reden gaan mijn gedachten terug naar de elfjes, die zwoegen boven de post voor de Kerstman en dromen van de avond.

Het blijkt dat de Finnen egalitair zijn ingesteld en formaliteit en klassenbewustzijn verafschuwen. Ze hebben gevoel voor humor, maar weinig gevoel voor ironie. De humor is introspectief en persoonlijk; er bestaat geen traditie om met een gezelschap naar het theater te gaan en daar gezamenlijk te lachen.

Een voorbeeld hiervan is wellicht hun nationale aids-campagne. Het is erg Fins dat er een intensieve campagne tegen aids gevoerd wordt, terwijl er relatief weinig gevallen van aids in Finland voorkomen. Zij zijn erg veeleisend wat hun gezondheid betreft, en vooruitziend genoeg om het probleem aan te pakken voordat het een probleem wordt. Maar men is er erg serieus onder. Neil vertelt me dat bekende persoonlijkheden op de televisie de voordelen van masturbatie hebben verdedigd met de slogan: 'Help een handje.'

'We zijn een plattelandsbevolking,' zegt Lasse, 'Finland is geen ver-stedelijkte samenleving, nog niet.'

DAG 24 – VAN HELSINKI NAAR TALLINN

Het Hesperia hotel te Helsinki heeft een zwembad. Ofschoon het betekent dat ik wat vroeg moet opstaan, voel ik dat ik van een der-gelijke luxe gebruik moet maken. Want vandaag vertrekken we naar de Sovjet-Unie, waar alles heel anders zal zijn.

Anderhalf uur later sta ik onder aan de kade. De vroege zeemist is opgetrokken en het ziet ernaar uit dat het opnieuw een warme dag wordt. De haven is druk, met schepen die vanuit de omringende eilanden binnenvaren, de Suomalinen. Sommige brengen produc-ten voor de markt: aardappelen, wortels, uien, aardbeien, kersen en pruimen. Vissersschepen voeren rivierkreeft, zeezalm en Baltische haring aan en veerboten brengen forenzen mee. Het schip dat ons naar Estland zal brengen, is de *Georg Ots*, een rank en opgetuigd schip dat in Rusland geregistreerd staat en eigendom is van de Baltische Scheepvaart Maatschappij.

Als we wachten op de inscheping van onze 30 stuks filmappara-tuur, raak ik aan de praat met een van de douaniers. Hij herhaalt wat ik overal in Helsinki heb gehoord: het bestaan van een Russische maffia, die een drugs- en prostitutiehandel onderhoudt tussen het armlastige Estland en het rijke Finland. De minachting die de Finnen voor alles in Rusland hebben, kan nauwelijks wor-den overschat.

Met een sonore stoot van de hoorn vaart de *Georg Ots*, genoemd naar een Estlandse operazanger, stipt om 10.30 uur weg van Finse bodem. De kopergroene koepels en de sterk hellende gevelspitsen van het havenmeesterhuis verdwijnen in de verte, als het schip zijn weg zoekt tussen de eilandjes en de zandbanken, die als puzzel-stukjes verspreid liggen. De nauwe kanalen daartussen leiden naar de Finse Golf en, 80 kilometer verder zuidwaarts, Estland. Geo-grafisch gezien is de golf niet breed, maar in veel andere opzich-ten is zij reusachtig.

Omdat ik denk dat ik hier nogal exotisch ben, speur ik bij de ande-re passagiers naar kentekenen van hun nationaliteit. De eerste leest de *Daily Mail*, de volgende leest *Newsweek*. Een opvallend meisje met een donkere zonnebril en een zwart-en-witte clochehoed leunt bestudeerd tegen een van de schotten, haar hoofd naar de zon gekeerd. Zij zou Audrey Hepburn in *Breakfast at Tyffanys* kunnen zijn, als ze niet een lycra fietsbroek aanhad. Ik ben niet verbaasd te vernemen dat ze in de mode-industrie zit. Ze is Duitse, en op weg naar een festival in Riga, de hoofdstad van Letland. Ze legt uit dat dit het enige festival in de Sovjet-Unie is waarin Russische ontwerpers een vrij contact met hun westerse tegenhangers mogen hebben.

De man met de *Daily Mail* is een Engelsman. Zijn vader, een Est uit de stad Tartu, emigreerde tegen het einde van de oorlog om te ontsnappen aan Stalins meedogenloze zuivering van Estlandse nationalisten. Op een nacht in 1944, zo vertelt hij me, werden zestigduizend mensen uit de Baltische staten bijeengedreven en weggevoerd.

'Het is mogelijk dat mijn grootvader zich onder die zestigduizend bevond, of dat mijn verwanten zich onder die zestigduizend bevonden... Ik heb geen hoge verwachtingen... maar ik voel... het wordt een avontuur hier...'

Hij tuurt over de vlakke, kalme zee, en op een bepaalde manier begrijp ik wat hij bedoelt. Drie weken in de lege, ongerepte wildernis van het Noordpoolgebied en de verwennerij van het comfortabele materialisme van Scandinavië hebben mij niet voorbereid op wat voor me ligt: een land dat ongelooflijk veel geweld ondergaan heeft.

De *Georg Ots* heeft een bar vol glanzend chroom en spiegels, waar bier, wodka en koffie wordt geserveerd. Amerikaanse videoclips van MTV draaien zonder ophouden op een scherm. Iedereen in de bar ziet eruit als een mechanische pop. Peter is een jonge Est die zijn twee jaar verplichte dienst in het Sovjet-leger erop heeft zitten, en een wisselkantoortje en een modieus koffertje heeft, dat hij in Singapore heeft gekocht. Hij leert me 'Hallo' in het Estlands te zeggen, waarna hij nog ander advies geeft:

'Russische meisjes heel goed...'

'Heb je een Russische vriendin?'

'Ja...' hij kijkt waar de filmploeg zit, 'maar niet voor camera, ik heb ook vrouw.'

Hij wil niet toelichten wat er nu zo goed aan Russische meisjes is, maar vertelt me in plaats daarvan waar ik ze kan vinden.

'De nachtbar van het Palace Hotel.'

Later vraag ik aan Clem waar we in Tallinn zullen verblijven. Het blijkt het Palace Hotel te zijn.

Ik kan mijn opwinding niet verbergen als ik mijn eerste glimp van Tallinn opvang, dat omstreeks één uur aan stuurboord verschijnt, vanaf een lage, groene kustlijn. Ik heb nooit kunnen geloven in het bestaan van Estland. Het klonk altijd meer als de naam uit een sprookje dan als een feit, dit kleine land aan het puntje van een spoor dat uitsteekt in de Baltische Zee. Nogal plotseling, sinds de *glasnost*, is het bestaan of niet-bestaan van Estland een belangrijk politiek onderwerp geworden – en nu we het naderen sta ik niet alleen op het punt een levenslange nieuwsgierigheid te bevredigen, maar zal ik ook een land zien waar geschiedenis gemaakt wordt.

Naast de ronde, bruine stadsmuren reiken de pieken, koepels en torens van een middeleeuwse stad naar de hemel, maar de kaden bieden een neerslachtig schouwspel. Drie uur geleden verlieten we een springlevende en grootsteedse haven, maar in de Tallinnse haven zijn onze enige andere varensgezellen een aantal roestige kolenschepen en enkele vrachtschepen, die duidelijk behoefte hebben aan een lik verf. Alle dragen de hamer en sikkel op hun schoorstenen. De douanepapieren bestaan uit fletse kopieën, en omdat er lange rijen voor de douaneposten staan, keer ik terug om een laatste foto van de *Georg Ots* te nemen. Er stopt onmiddellijk een auto, waaruit een soldaat stapt die me minachtend bekijkt.

Ik heb wat Russisch geleerd, maar dit is niet de voorstelling die ik van mijn eerste poging in die taal had gemaakt.

'Ik kom uit Londen en maak een televisieprogramma,' flap ik eruit. Ik geloof niet dat hij één woord verstaat, want zijn gelaatsuitdrukking verandert niet. Hij stapt weer in zijn auto en rijdt minachtend weg.

Het gevoel dat ik in de gaten word gehouden, wordt versterkt als ik mijn eerste wandeling vanuit het hotel maak. Soldaten en politieagenten staan overal. De soldaten zijn smalle, broodmagere dienstplichtigen, sommigen met de donkere, gladde huid van de verafgelegen Aziatische republieken. Vergeleken met de politieagenten zien ze er verloren uit. Dezen zijn niet minder smal of mager, maar ze patrouilleren doelbewuster door de straten, in groepjes van vijf of zes, terwijl ze hun politieknuppels vasthouden. Ik voel mezelf van alle kanten bespied. Soms word ik door een jongeman benaderd die aanbiedt mijn dollars in roebels om te wisselen voor een absurd lage koers. Dit doordat de roebel vrijwel waardeloos is. Toen ik eerder in het hotel roebels wilde wisselen, dacht de caissière dat ik gek geworden was. Ze vroeg me hoe lang ik in de Sovjet-Unie bleef.

'Ongeveer drie weken,' antwoordde ik, waarop ze naar een biljet van vijf pond wees.

'Dat moet voldoende zijn.'

Naast het hotel bevindt zich een kleine bar die er gezellig uitziet, maar als we naar binnen willen gaan, verschijnt er een drietal uitsmijters. Voor de derde keer vandaag voel ik dat er van mij een verklaring verwacht wordt.

'We willen gewoon een biertje.'

Weinig hulpvaardig schudden ze het hoofd.

'Alleen wodka of champagne,' waarmee natuurlijk, 'Alleen harde valuta,' bedoeld wordt.

's Avonds bezoek ik een cabaret in een van de toeristenhotels. De toeristen zijn voornamelijk Russen, soms hele families, ondanks het feit dat de voorstelling bestaat uit een volledig uitgevoerde, frontale striptease en een kronkelende en sensuele dans, die enigszins bedorven wordt doordat de man de vrouw op een gegeven moment laat vallen.

We komen uiteindelijk terecht in de Skybar Disco van het Palace Hotel. De MTV-video's spuwen beelden van Amerika uit, de lichten zwaaien en flitsen, maar je kunt er tenminste een biertje krijgen. En waarschijnlijk een Russisch meisje, als je dat wil.

DAG 25 – VAN TALLINN NAAR LENINGRAD

Ik nuttig een ontbijt met goed vers brood, honing en koffie onder de muziekflarden van *This Little Bird* van Marianne Faithfull, waarna ik de stad inga. De kranten staan bol van het nieuws dat president Bush gisteren in Moskou een grote mate van zelfstandigheid voor de Baltische staten heeft geëist, als tegenprestatie voor de benoeming van de USSR als 'meest begunstigde handelspartner'.

Op de route naar Kasteel Toompea zie ik grote rots- en betonblokken op de weg, die daar onlangs op last van de burgerlijke autoriteiten zijn neergelegd, in antwoord op de recente militaire repressie in Litouwen. Het heden voelt hier gespannen aan, maar toch lijkt het verleden, in de vorm van een uitgestrekte en schitterend bewaard gebleven oude stad, sereen en rustgevend. Geen enkel modern gebouw verstoort de harmonieuze, geplaveide straten met koopmanshuizen en gildenhallen. In het centrum bevindt zich het Rackoja Plein, een mooie en weidse plaats die aan een kant begrensd wordt door het stadhuis, een indrukwekkend veertiende-eeuws gebouw.

Een windwijzer met de naam Vana Toomas (Oude Tom) staat sinds 1530 boven op het gebouw.

De vanzelfsprekende schoonheid van de oude stad onderstreept de stelling van Colin Thubron dat het verleden nergens zo goed behouden blijft als in een moderne socialistische staat, die het juist zo heftig heeft bestreden.

Op een zijweggetje biedt een voorbijganger Patti iets in een zak aan voor vijftien dollars. Het blijkt een wapen te zijn. Patti schudt beslist haar hoofd, waarop hij onverstoord de prijs tot tien dollar laat zakken.

We kopen een exemplaar van de *Tallinn City Paper*. De krant is in het Engels, goed gemaakt, anti-Russisch en overal te krijgen. Ze gaat over politiek – spreekt zonder veel verwachting de hoop uit dat Moskou de Sovjet-troepen in het land, met een totaal van 180.000, zal reduceren – over de visserij: 'Deze havenstad, waarin de beste vis... naar Leningrad, naar Moskou... en niet naar Estland gaat,' – en over nationale verschillen: 'De Esten klagen dat de Russen hier heetgebakerd en onopgevoed zijn, en dat ze geen moeite hebben gedaan om zich de cultuur eigen te maken van het land waarheen ze geëmigreerd zijn. Russen... klagen dat de Esten kil, arrogant en saai zijn.'

Als we terugkeren naar het Rackoja Plein, zien we een groepje, met de naam de Johanson Brothers, waarnaar een kleine verzameling mensen staat te luisteren. Jakov Johanson beweert dat '... zingen voor de Esten... de meest effectieve manier is om hun taal te gebruiken... we zingen luid... dat we Esten zijn.' Hij ziet overeenkomsten met de Ieren, van wie ze ook liederen uitvoeren, en hij trekt een parallel tussen de Russische bezetting van Estland en de Britse bezetting van Noord-Ierland.

Voor onze laatste maaltijd in Estland volgen we het advies op van de *Tallinn City Paper*. We eten in een restaurant dat onweerstaanbaar beschreven wordt als 'zo ongeveer het beste restaurant dat u in het hele Sovjet-imperium zult vinden.' Het heet De Maharadja, en het eten van een voortreffelijke en delicate Indische curry in een veertiende-eeuws burgermanshuis maakt een intense maar verwarrende herinnering aan deze buitengewone stad compleet.

Ik zou hier graag nog enkele dagen langer zijn gebleven, maar we hebben nog een pool te gaan. Omdat we vanaf de Noordpool-Hoofdweg pal zuidwaarts naar de zuidelijke stranden van de Finse Golf zijn gereisd, moeten we ons weer naar het oosten richten om op de 30ste lengtegraad te komen, die in Rusland en Afrika onze richtsnoer is. Voor dit doel verzamelen we ons onder een dominant bas-reliëf van Lenin op een van de Tallinnse stationsmuren, waar we ons voorbereiden op de achturige reis naar de stad waaraan hij zijn naam gaf.

Elke treinwagon draagt het embleem van een krans die omwikkeld is met linten, waarop in de talen van de vijftien republieken is geschreven: 'Proletariërs aller landen verenigt u!', met daaronder een hamer en een sikkel. Een gedurfd ontwerp, dat de spookachtige zwaluw van de British Rail nog sterker doet verbleken. Ook de prijzen zijn concurrerend. Mijn kaartje, voor het equivalent van een reis van Londen naar Newcastle, kost acht roebels en veertig kopeken – ongeveer één gulden. De trein is erg warm en erg traag. Iedereen is hulpvaardig en vriendelijk, en niemand méér dan de belaagde eigenaar van het buffet. Hij heeft twee problemen. Het ene is dat hij niets heeft om te verkopen, het andere is dat hij dit moet uitleggen aan een Engelsman die zijn Russische conversatie wil uitproberen.

'Hebt u thee?'

'Nee...'

'Hebt u koffie?' 'Nee...'

'Wat hebt u anders nog?'

Zijn antwoord, wat uitgebreider dan de voorafgaande zinnen, is volslagen onbegrijpelijk, zodat ik terugkeer met een kersentaartje en een plak cake.

We passeren de Russisch-Estse grens bij Nana, alwaar we van de kleinste Sovjet-republiek (45 duizend vierkante kilometer) naar de grootste gaan (17 *miljoen* vierkante kilometer). Over twee uur bereiken we Leningrad. Het is een warme en plakkerige nacht als we ons, voor de eerste keer sinds de visgronden van de Barentszzee, weer op de hoogte van de 30ste meridiaan bevinden.

DAG 26 – LENINGRAD

Het Okhintskya Hotel is pas twee maanden open. Het is een grote, anonieme en moderne blokkendoos op ongeveer 20 minuten van het centrum van de stad, en mijn kamer bezit, afgezien van een mooi uitzicht op de rivier de Neva, een tapijt, een bidet, warm water en een massieve, dreunende koelkast van het type Cheshinka 304, waaruit ik 's nachts de stekker trek, nadat ik gedroomd heb dat er een tank door de muur kwam.

In het hotel bevindt zich een grote groep Italiaanse toeristen, die af en toe de lobby bijna doet exploderen, maar afgezien van hen en ons lijkt het hotel leeg.

Onze Russische gastheren laten ons door middel van een rondrit met de stad kennismaken. De straten verkeren in een verschrikkelijke conditie, vol barsten en gaten, en de alomtegenwoordige tramrails zijn vaak volledig van het wegdek losgekomen, waardoor ze iets weg hebben van de ribben van een skelet.

's Avonds worden we meegenomen naar een zigeunerrestaurant. Onze vaste chauffeurs hebben een dag vrij en Volodya, een van onze Russische klusjesmannen, zit achter het stuur. Hij ziet er normaal al gekweld uit, maar vanavond, terwijl het voertuig koortsachtig vooruitschiet, lijkt hij ongelukkiger dan anders. Als hij naar de richtingaanwijzer grijpt om het uitwijken voor een gat in de weg aan te geven, slaagt hij er slechts in de ruitenwissers te activeren. Helaas bevindt zich geen wisser op de houder en een afgrijselijk gepiep weerklinkt als de metalen klauw wild over de voorruit schraapt, die overigens toch al gebroken is. Vrijwel alles wat met voertuigen te maken heeft, is een nachtmerrie voor Volodya en zijn team. Het chronisch tekort aan benzine betekent voor de vaste chauffeurs dat zij vanaf drie uur 's ochtends in de rij moeten staan om verzekerd te zijn van brandstof. En het chronisch tekort aan glas verklaart het feit dat elke voorruit in de stad gebarsten is. In het restaurant eten we *zakuski* – een voorgerecht dat bestaat uit plakjes tomaat, komkommer, augurken, ham uit blik, rund- en varkensvlees op een bedje sla, hardgekookte eieren met mayonaise, vispasta en kaviaar. Wodka en wijn worden overvloedig geschonken, en aangezien de wijn zeer wrang is en bier niet te krijgen is, houden de meesten van ons het bij wodka. Deze kant van de reis zal een behoorlijke overlevingstest gaan vormen.

DAG 27 – LENINGRAD

Vandaag is Alexander 'Sasha' Godkov mijn gids in Leningrad. Hij is een professionele Lenin-imitator, en het feit dat hij vrij over straat kan lopen terwijl hij de vader van de Revolutie nadoet, zonder onmiddellijk naar de dichtstbijzijnde afdeling van de KGB te worden afgevoerd, toont aan hoe lauw het traditionele communisme aan het worden is. Hij neemt me mee naar het Finland Station, waar zijn feitelijke voorganger in 1917 tweemaal opdook, eenmaal met hulp van de Duitsers – die de groei van het communisme stimuleerden om zo de oorlog te winnen – en eenmaal vermomd als een stoker van de spoorwegen. De locomotief waarop hij stoker was, wordt bewaard in een perspex omhulsel, dat, gezien het feit dat het een van de belangrijkste gedenktekens van de Revolutie bevat, opmerkelijk vuil en onverzorgd is. Buiten het station ligt één verwelkte roos op de sokkel van het manshoge bronzen standbeeld van de grote man.

De melancholie van een verleden dat niemand schijnt te willen, wordt weggespoeld door de levendigheid van een ritje met de tram over de Nevski Prospekt. Onze chauffeur is een gezette, blonde dame in een jurk met bloemetjesopdruk. De kaartjes moet je in een mapje kopen en aan de zijkant van de tram zelf afstempelen met behulp van een knop-met-veer-apparaat, waarin je het kaartje steekt en vervolgens een harde mep op de knop geeft. Enkele dikke mannen zitten tegenover het apparaat, bekijken mijn gepruts en grijnzen breed. Sasha raakt met ze in gesprek. Ze komen uit Armenië, en nadat ze me Engels hebben horen praten, willen ze me een hand geven en vertellen ze me dat Engelsen en Armeniërs na de grote aardbeving (van 1988) nauw hebben samengewerkt en hoezeer dat is gewaardeerd. Nog meer brede grijnzen en handen en bij de volgende halte verdwijnen ze. We bereiken het Paleisplein, een enorme en kleinmakende open ruimte, omgeven door klassieke en barokke gevels, die Leningrad duidelijk tot een Europese stad maken. De Zuil van Alexander in het midden van het plein is ontworpen door een Fransman, Montferrant, niettegenstaande het feit dat het beeld een aandenken is aan de overwinning op de Fransen in 1812. De tsaar stond erop dat het hoger zou worden dan de obelisk op de Place Vendôme, en ook hoger dan de Zuil van Trajanus in Rome. Het weegt 610 ton en is gehakt uit één stuk graniet.

Enkele minuten lopen verder staat het ruiterstandbeeld van Peter de Grote. De bekranste Peter is geplaatst op een reusachtige granieten rots, en met zijn paard dat hoog in de lucht steigert, lijkt het alsof hij de rivier de Neva over wil springen. Het is een machtige en ontroerende belichaming van bedwongen kracht en is dusdanig geliefd bij de Leningraders dat er vrijwel altijd een rij pasgehuwden voor het standbeeld staat, wachtend om ernaast gefotografeerd te worden. Dit zet me aan het denken over Lenins beeld bij Station Finland, met de eenzame verdorde roos. Het is duidelijk dat Peter, oude despoot als hij was, een veel grotere plaats in het hart van de Leningraders heeft behouden. De stad werd door hem gebouwd, en zou best weer eens naar hem terug kunnen keren. Bij een recente enquête was 52 procent ervoor de naam van de stad te veranderen in Sint-Petersburg.

We eten vanavond in een Georgisch restaurant. Het maakt deel uit van een anoniem blok in een zijstraat, maar het heeft een verbluffend, avant-gardistisch interieur, dat vermoedelijk de kern van een Egyptische piramide moet uitbeelden. Er lijken nogal wat mannequins aanwezig te zijn. Verder zeer smakelijke Georgische gehaktballen en vers brood, dat lavash genoemd wordt. Fraser heeft echte Franse champagne voor ons besteld, om te toosten op de derde verjaardag van zijn zoontje Jack. Het enige probleem is dat Volodya zodadelijk weer het busje moet besturen. Wanneer we naar huis zwenken en zwalken, vraag ik Volodya waar hij zijn tweejarige militaire dienst heeft doorgebracht.

'In tanks,' schreeuwt hij, zodat we de dag met gelach beëindigen.

DAG 28 – LENINGRAD

Een onrustige nacht. Voor het eerst tijdens deze reis moet ik een paracetamol nemen. Aan het ontbijt ontdek ik dat de andere twee ook geleden hebben. We komen met tegenzin overeen dat de champagne te goed voor ons geweest moet zijn.

Ik duik in de menigte voor het hotel en word met de stroom meegevoerd naar het Alexander Nevski-klooster. Nevski is een grote Russische held, die de Zweden in 1240 versloeg bij de rivier de Neva. Het klooster, het op twee na grootste in Rusland, werd als eerbetoon aan hem gebouwd door Peter de Grote in 1710. Tegenwoordig is het een erg drukke plek, een teken dat de religie floreert ondanks 75 jaren van officieel atheïsme. Spastische mensen en andere gehandicapten staan in rijen op het kloosterterrein. Ze worden hier gebracht om te bedelen, omdat de families voor hen van de staat slechts een aalmoes ontvangen.

In de hoofdkerk, onder koepels en zuilen die versierd zijn met verhalende en felgekleurde bijbeltaferelen, lopen priesters rond die lijken te zijn gekozen op grond van hun gelijkenis met de profeten. Zij dragen missen op, zwaaien met wierookvaten en op één plek ontvangen ze een groep bedevaartgangers, die de iconen kussen, wachten op een troostend woord, de zegen ontvangen en verder lopen. Van één ontmoeting kan ik mijn ogen niet afhouden. Een vrouw, jong en met een hoofddoek, praat indringend met een priester, maar ook zacht, waardoor hij moet buigen en aandachtig luisteren. Hij vraagt haar iets, waarop ze pauzeert en even voor zich uit staart en vervolgens instemmend knikt. Het is een ogenblik van intimiteit, dat uit de toon valt in deze overvolle, levendige plaats. Ze veegt haar tranen weg en buigt haar hoofd. De priester legt een doek over haar hoofd en maakt het kruisteken. Ze kust de iconen, bekruist zichzelf en loopt verder. Als ze mij passeert, zie ik een uitdrukking van ontroostbare droefheid op haar gezicht.

In de crypte maakt men de voorbereidingen voor de eerste openbare doopceremonie van de dag. Doopplechtigheden waren in de dagen van de harde-lijnpolitiek niet toegestaan en moesten in het geheim geschieden, maar de zaken zijn veranderd. Er zijn twee ceremonies per dag, en vier op elke zaterdag en zondag. Ik neem plaats tussen de families van de 30 à 40 baby's die aanwezig zijn. Iedereen behalve ik heeft zijn beste kleren aan. De priester is een imponerende, charismatische persoonlijkheid, maar is nog niet zo hoog gestegen dat hij niet af en toe heimelijk een kam uit zijn gewaden pakt om zijn dikke bos zwarte haren te verzorgen.

Hij laat zich niet verstoren door de voortdurende herrie van kuchjes, gekir en gekrijs en houdt een lange openingstoespraak, voordat hij zijn rondgang maakt en de aanwezigen zalft op het voorhoofd, in de nek en onder de oren, waarbij hij een kruis tekent. Als hij nadert, zie ik dat de mannen hun broekspijpen opstropen. Nigel, die op zijn hurken achteruit schuifelt, fluistert met klem: 'Stroop je broekspijpen ook op. Ze doen het allemaal.'

Ik vermoed dat de priester me hoe dan ook niet op zal merken, omdat ik in een hoek van het gewelf ineengedoken zit. Maar dat klopt niet. Hij merkt me niet alleen op, maar onderbreekt de gehe-

le dienst als hij behoorlijk wantrouwend naar mijn knieën kijkt.
'Wat is uw geloof?'
In deze omstandigheden zou 'De anglicaanse Kerk' nogal banaal klinken, dus kies ik voor iets algemeners...
'Ik geloof in God.'
Zijn zalvende hand blijft in de lucht hangen. Hij wendt zich tot zijn assistent. Ze overleggen. Hij kijkt me opnieuw aan. De Russische gemeente kijkt toe, met stomheid geslagen.
'Ik ben gedoopt,' vul ik hulpvaardig aan.
Nog meer overleg. De priester kijkt me streng aan, maar met een blik waarin enige ontsteltenis is te lezen.
'Wilt u van geloof veranderen?' vraagt hij.
Het leven is op het moment al ingewikkeld genoeg zonder lid te worden van de Russisch-orthodoxe Kerk. Ik sla het aanbod beleefd af.
'Het juiste moment is aangebroken.'
Ik probeer wanhopig in de muur te verdwijnen.
'Nee... eh... het is zo goed... dank u...'
De camera komt dichterbij, en op het gezicht van de priester breekt een lach door.
'Ik kan acteren, als u dat wilt.'
We gaan liever niet op zijn aanbod in. Hij loopt naar de doopvont. Intussen is de eerste baby gereed. Haar kleertjes zijn uitgedaan, en het mollige, naakte lichaampje wordt in de handen van de priester gelegd. Ze wordt zo hoog opgetild dat het tafereel voor een moment doet denken aan een van die schilderijen van de kindermoord te Bethlehem. Dan wordt Tatiana (zoals hij haar noemt) in het water gehouden en ondergedompeld, niet één, maar drie keer. De kracht van deze drievoudige onderdompeling brengt Tatiana tot een verbluft zwijgen en voordat ze zich realiseert wat haar heeft getroffen, wordt ze doorgegeven aan de assistent, die haar ogen, neus, oren en kin met olie bet en een kruis om haar nek hangt.
Als snel is de hele crypte gevuld met het geluid van krijsende baby's en sussende ouders. Daarna volgt er psalmodiëren, zingen en een kaarsenprocessie, die nog steeds aan de gang is als ik vertrek.
Op het terrein van het klooster bevindt zich de begraafplaats Tikhvin, waarop een deel gereserveerd is voor de 'Meesters van de kunsten'. De kwaliteit is indrukwekkend. In een wandelingetje van tien minuten tref ik aan: Dostojevski, Rimski-Korssakov,

Moessorgski en Tsjaikovski. De gedenksteen van Tsjaikovski ziet er betreurenswaardig uit. De buste van de grote man stond verzonken in een bed van begonia's en werd geflankeerd door een grotesk paar overemotionele engelen, zodat het geheel niet zou misstaan op de bovenste plank van een rommelwinkel.

Later op de middag bezoek ik twee tegengestelde voedselbronnen. De ene is een privé-markt, waar mensen hun zelfverbouwde producten kunnen verkopen. Zij lijkt veel op een gewone overdekte markt, alhoewel de hygiënische omstandigheden te wensen over laten, vooral bij de toonbanken van de slagers, waar de marktkooplieden voortdurend vliegen van varkenskoppen wegslaan. Maar er hangt een levendige en goed gehumeurde atmosfeer – één man is een briljante imitator van vogelgeluiden, en elke keer als Nigel zijn microfoon in de hoogte houdt om een impressie van de sfeer op te nemen, wordt de markt plotseling gevuld met exotisch vogelgefluit. Volgens Irena, onze tolk, kan de modale Rus zich niet veroorloven hier boodschappen te doen. Zelfs haar ouders, die redelijk welvarend zijn, kunnen zich hier maar twee a drie keer per maand op iets trakteren. Een zak met 7 peren kost me 15 roebels. Het gemiddelde loon in Leningrad bedraagt 70 roebels per week. Het alternatief, de staatsvoedselwinkel, is aan de overkant van de straat. Deze is schoon, goed verlicht, hygiënisch en vrijwel geheel zonder voedsel. Bedienden met wit gesteven hoeden en overalls staan achter grote bergen margarine en onverkochte blikjes sardines. In een vlaag van wanhopige ironie is de winkel 'Gastronomia' genoemd. Ik probeer een fles echte Russische wodka te kopen. De flessen zien er ongewoon uit, waardoor ik vraag of ik wel wodka krijg. Zeker, het is wodka, maar er is zo'n tekort aan glas in de Sovjet-Unie dat ze de wodka in flessen hebben gedaan die eerder sinaasappelsap voor kinderen bevatten. Bovendien blijkt dat ik toch geen wodka kan kopen, aangezien wodka strikt gerantsoeneerd is en ik geen bonnen heb. Ik vraag daarom om wijn, maar er is geen wijn op de schappen doordat de anti-drankhervormingen van Gorbatsjov hebben geresulteerd in een enorme productievermindering. Het schijnt dat 60 procent van de Georgische wijnoogst opzettelijk is vernietigd.

DAG 29 – LENINGRAD

Vandaag is mij een zeldzame eer te beurt gevallen, maar ik wilde dat het niet zo was. Ik mag het middagkanon afvuren vanaf het dak van de barakken van het Petrus en Paulus-fort. Deze traditie dateert van ongeveer 1750, toen het geluid van het kanon de enige manier was om de stad dagelijks de tijd te laten weten. De gewoonte wordt nog steeds zeer ernstig genomen, zodat vandaag alles afhangt van mijn vaardigheid om precies op 12 uur een 152-millimeter houwitser af te vuren, die gebouwd is in 1941 en een bereik van 8 kilometer heeft. Om voor de hand liggende redenen komen enige oefenschoten niet in aanmerking, dus bereidt een officier me voor door me alles wat fout kan gaan mee te delen en me tenslotte oordopjes aan te bieden. Als het tijdstip nadert, verzamelt zich een dichte menigte Russische toeristen. Nooit heb ik me sterker een veroordeeld man gevoeld. De filmploeg doet haar oordopjes in, de officier beveelt iedereen, behalve mij, een behoorlijk stuk achteruit te gaan, en eenzaam sta ik voor de loop van mijn houwitser en kijk ik uit over de fonkelende torens en koepels van deze imposante stad. Mijn laatste gedachte is dat zich in de stad ongeveer vijf miljoen mensen bevinden en dat het dus een ongelooflijk harde knal moet worden. Vervolgens gaat de arm van de officier naar beneden en heb ik, voordat ik het weet, aan het touw getrokken en het kanon afgevuurd. Er klinkt een oorverdovende knal en plotseling ben ik veranderd van een angsthaas in een artillerist, die niet kan wachten om het nogmaals te doen.

De middag is bijna even bizar. Ik breng deze door in het gezelschap van Edward Bersudski, die in een kleine studio werkt waar hij zijn Cinematografische Sculpturen maakt, zoals hij ze noemt. Dit zijn ingewikkelde apparaten, die gemonteerd zijn in de stijl van Heath Robinson en die draaien, zoemen en haast levensecht bewegen tijdens een uitvoering van een uur.

Eén heet 'Het grootse idee' en bestaat uit een houten Karl Marx in een lendendoek, die een hendel overhaalt om een groteske schroothoop van tandraderen en riemschijven, veren, hefboompjes en vliegwielen mechanisch te laten bewegen. Een andere constructie, die ietwat onheilspellend 'Een herfstwandeling tijdens het tijdperk van de perestrojka' heet, brengt een koffer tot leven van waaruit een hand van een skelet verschijnt, vergezeld door een paar automatisch bewegende soldatenlaarzen op een buighouten stoeltje, een accordeon die uit zichzelf speelt, een Duitse helm gecompleteerd met een wc-trekker en een raket die rechtop springt en met een harde knal, maar erg langzaam, een balletje afvuurt. Edward ziet in het apparaat eerder een symbool van orde dan van wanorde. Hij wil laten zien dat wij allen overgeleverd zijn aan de cirkel van leven en dood en paradijs en hel. Alles beweegt, maar is tegelijk in rust. De hindoes noemen het *sansara*. Hij noemt het 'Sovjet-absurdisme'.

Tenslotte drinken we thee in een vriendelijk, rommelig keukentje achter de studio. Het tafelkleed is een Sovjet-kaart van de wereld, maar Edward is nooit in het buitenland geweest. Hij is jood, een van de 'nationaliteiten' voor wie reizen erg moeilijk is. Hij zal binnenkort voor het eerst het land verlaten om zijn werk op een festival in Glasgow te laten zien, maar zijn paspoort zal nog steeds expliciet vermelden dat hij jood is. Een zacht zonlicht verwarmt de kamer en ik voel me voor een moment teruggevoerd naar huis, op een van die zondagmiddagen wanneer de tijd vertraagt en mensen op bezoek komen en het gesprek rondgaat als bij een van Edwards apparaten. Ik vind Edward en zijn assistenten bijzonder sympathiek. Verwante zielen, vermoed ik. Hij lacht veel. Hij zegt dat alle Russen veel lachen. Zonder humor zouden ze niet kunnen overleven.

'En politiek?' vraag ik. Hij trekt een gek gezicht.

'We zijn ziek van de politiek! .. . De afgelopen 70 jaar hebben we genoeg politiek gehad!'

DAG 30 – VAN LENINGRAD NAAR NOVGOROD

Voor de laatste keer word ik wakker met uitzicht op Leningrad vanaf de 13de verdieping. Ik zal de aangename aanwezigheid van de brede rivier missen, met het oeverpad waarop ik in de vroege avond langs vissende jongens, wandelende mannen en ruziënde geliefden rende. Eén avond ontdekte ik daar een droomhuis, nummer 40, Sverdlovskaya. Het moet dateren uit de achttiende eeuw – de gouden eeuw van tsaristisch Leningrad – want het heeft een elegante, drie verdiepingen hoge gevel met halvemaanvormige golvende uitsteeksels, die samen culmineren in een perfect geproportioneerd paviljoen. De voorkant van het huis wordt afgeschermd door een zware ketting, die door de bekken van 15 stenen leeuwen loopt. Het was verlaten, een overblijfsel van een andere tijd, het aristocratische verleden van Leningrad, nu bijna verloren tussen de fabrieken, warenhuizen en appartementen van het proletarische heden.

Op het busstation in Leningrad staat een van die kleine advertentieborden die een aanblik bieden in de details van de burendiensten, dingen die te koop worden aangeboden en verloren of gevonden zijn. Het leven van de Leningraders is vergelijkbaar met dat van ons – 'Rugmassage, manuele therapie', 'Rotweilers Club', ofschoon er één advertentie was die me verraste: 'Zeehond... intelligent, aanhankelijk, zachtaardig'. Nodig voor de lasagne?

De bus is comfortabel. Er is zelfs airconditioning, maar als ik deze wil aanzetten, valt de ventilator in mijn hand uiteen, zodat ik mezelf tevreden moet stellen met het openen van een raam – hetgeen iedereen overigens al heeft gedaan. We passeren een verkeersbord met: 'M20. Kiev 1120 kilometer'. Kiev is een andere stad op de 30ste lengtegraad. Maar eerst komen we door Novgorod, 188 kilometer van Leningrad, op de hoofdweg naar Moskou. Een van Novgorods pogingen tot eeuwige roem is dat het een zusterstad van Watford is, en ik ben opgezadeld met een gift van Watford om de banden tussen de steden aan te halen. (Hoe ontstaan dergelijke zustersteden? Is er een agentschap? Misschien hebben ze een advertentie geplaatst: 'Goed uitziende, ommuurde stad, iconen, vergulde uivormige koepels, zoekt kennismaking met Engelse stad / stad met treinverbinding / bij voorkeur binnen bereik van Gatwick / Heathrow.') Het meeste verkeer op de tweebaansweg naar het zuiden bestaat uit lawaaiige vrachtwagens die veel rook uitbraken, en het landschap bestaat uit vlakke velden, onderbroken door berken en populieren en zo nu en dan een kleine nederzetting, waarvan een enkele kan bogen op felgekleurde houten huizen die omgeven zijn door volkstuintjes en bedjes met zonnebloemen. We hebben nu een maand lang naar het zuiden gereisd, zodat ik geneigd ben te denken dat we spoedig in een Middellandse-Zeeklimaat zullen komen, maar in feite bevinden we ons pas op dezelfde breedtegraad als die van de Shetland Eilanden.

Het weer voelt continentaal aan: warm en vochtig, onbeweeglijk en drukkend. Het zorgt in combinatie met de oneffenheid van de weg en het miasma van uitlaatgassen van de vrachtwagens voor een slechte introductie tot Novgorod. Net als ik in mijn aantekeningenboekje neerpen dat alles, voor zover het oog reikt, smerig is, doemt er in de verte een luchtspiegeling op. In een zee van zwarte daken en rookwolken rijzen vier glanzende koepels omhoog, een gouden en de andere van zilver. Dit is mijn eerste blik op het historische centrum van Novgorod, een juweel op een vuilnisbelt, dat ingeklemd en bedreigd wordt door een onbeperkte industriële expansie.

We verblijven in het Partijcomité Hotel, dat eruit ziet als een politiebureau in een provincieplaatsje. Men wijst mij een suite toe, die erg groot is en glimt van het pas geverniste hout. Het omvat een hal, een ontvangstkamer voorzien van een glazen kabinet dat gevuld is met aardewerk, een kleine zitkamer met een televisie en een buffet, een slaapkamer en een badkamer met twee toiletpotten, maar geen zeep en slechts twaalf velletjes toiletpapier, die bij mij het vermoeden doen opkomen dat het geen toiletpapier is maar een kladblok. In de lobby van het hotel bevinden zich gebonden exemplaren van de *Pravda* en *Isvestia* – de twee partijkranten. Beide zijn erg dun: elk slechts acht dicht bedrukte pagina's. Men heeft mij verteld dat het lezerspubliek van de *Pravda* in de vijf jaren van de perestrojka is teruggevallen van 10 miljoen naar 3 miljoen. Een plaatselijke fotograaf brengt Basil en mij een klein stuk buiten de stad, aan de oevervlakte van de rivier de Volkhov. Het platteland is bezaaid met kerken, en opnieuw word ik getroffen door de paradox dat een atheïstische staat zoveel moeite doet om ze in stand te houden. Ik vermoed dat de sleutel van dit raadsel ligt in de andere monumenten in deze lage, drassige velden: oorlogsmonumenten. De gevolgen van de oorlog waren in dit deel van het land dermate verwoestend dat de restauratie van de kerken, net als de gedenktekens gevormd door tanks en vliegtuigen, een daad van uitdaging en trots vormde – om te laten zien dat de ziel en de geest van Moedertje Rusland nooit verslagen kunnen worden.

DAG 31 – NOVGOROD

Ik word wakker door het geluid van maaimachines. Niet één of twee, maar een heel squadron, dat losgelaten wordt op de grasvelden die het hotel omgeven, en dat een zeldzaam indrukwekkende voorstelling geeft van het grasmaaien in formatie.

's Ochtends maak ik kennis met een film- en wodkaproducent met de naam Edward Ranenko. Ik ontmoet hem bij het Correspondents Filmcentrum, dat gesitueerd is in een lang, laag, witgekalkt gebouw aan een lommerrijke avenue. Hij is lang en slank en staat zo recht als een soldaat op wacht. Zijn lang, zilvergrijs haar is teruggekamd van een hoog voorhoofd, en verder is hij in het bezit van een snor. Een duidelijk charismatische persoonlijkheid, voor wie mensen alles doen. Hoe kan ik anders het feit verklaren dat we hem allen plechtig volgen naar een modderig vijvertje, omgeven door huizenblokken, een hoofdweg en een bouwplaats, om een filmopname van rivierkreeften te maken?

Edward staat juist op het punt mij een rol in het gebeuren aan te wijzen, mogelijk als tweede rivierkreeft, als er bericht komt dat ik onmiddellijk naar het Partijcomité Hotel moet gaan om mijn kamer te ontruimen. Een VIP is zojuist uit Moskou gearriveerd. Dat verklaart waarschijnlijk de aanval van de grasmaaiers. Protesteren is zinloos. De receptionist is beslist, maar verontschuldigend. De vice-premier van de Sovjet-Unie heeft mijn kamer nodig.

'De vice-premier van *Rusland*?' vraag ik.

'Nee.' Ze spreidt haar armen met een breed gebaar. 'De vice-premier van de gehele Sovjet-Unie.'

Als ik door het hotel loop, wordt elke vloer nog verraderlijker glad gemaakt door een leger schoonmakers, en in mijn badkamer bevindt zich een oudere, kale en overvloedig transpirerende loodgieter, die het verwarmde handdoekenrek tracht te repareren. Hij maakt zijn werk af en schuifelt weg. Ik pak mijn spullen verder in en kijk voor het laatst naar mijn bed, dat spoedig beslapen zal worden door de op één na machtigste man van de Sovjet-Unie. Ik speel met de gedachte een briefje achter te laten – 'Ga door met de arbeid... we weten dat iedereen in Rusland Gorbatsjov haat, maar wij vinden dat hij goed werk verricht.' .. . van die dingen – maar ik heb ontdekt dat het kladblok toch toiletpapier is. Ik wil net de deur dicht doen, als ik merk dat zich op de vloer een steeds groter wordende plas water uit de badkamer vormt. Een stroom water gutst vrolijk uit het ene einde van het verwarmde handdoekenrek.

Edward Ranenko heeft me vanavond voor de traditionele Russische gastvrijheid uitgenodigd op de Correspondents Club. Hij wil me onthalen op rivierkreeft en samogon – de zelfgemaakte wodka die hij in zijn garage stookt.

Hij verzekert me: 'De mijne is het best. Met samogon heb je de volgende ochtend geen hoofdpijn.'

Het diner wordt geserveerd op de opmerkelijkste tafel die ik ooit gezien heb. Deze is 2,5 meter lang, zeer onregelmatig gevormd, gevernist en heeft de kleur van rauw vlees. Het oppervlak is gegraveerd, en vanuit het midden van de tafel verheft zich een paard waaraan een koperen harnas met belletjes is gehecht. Het is, vertelt Edward me, het werk van Vladimir Grebenikov, vader van vijf kinderen en een ondergewaardeerd genie. Zijn fantastische ontwerpen zijn ook zichtbaar in de rest van de inrichting – complex bewerkte stoelen en decoratieve lampenkappen met de omvang van Romeinse borstplaten. Het totale effect heeft iets van een kamer waarin iemand als een razende met een Black en Decker tekeer is gegaan.

En zo begint de Nacht van de Duizend Toosten. Edward heeft ook een aantal familieleden en vrienden uitgenodigd, van wie niemand goed Engels spreekt. Valery, rustig en niet op zijn gemak, maar een groot kraanmachinist. Igor de kok, vrolijk en goed gezelschap, met een zoon in het leger. Edwards zoon Michael, wiens namen, in het Russisch gebruik van een vadersnaam, hetzelfde luiden als de mijne – Michael Edvardovitch, en tenslotte Sasha, een journalist van Radio Moskou. Edwards illegale wodka wordt geserveerd met een schijfje knoflook en geschonken uit een Coca Cola-fles. Voor een optimaal effect voegt hij nog een verfijning toe – twee vers geplukte kersen die vóór elk glas in de mond genomen moeten worden.

De eerste toost begint vroeg, en andere volgen snel. Bijna alles voldoet...'Op de gasten!', 'Op Michael!', 'Op de rivierkreeft!'

Na elke toost dient het glas geleegd te worden. Tamelijk snel kan ik nauwelijks meer rechtop staan en lach ik als een waanzinnige over alles, inclusief over een toost op de Romanovs, rechthebbenden op de troon van Rusland. Deze toost is in het geheel geen grap, maar wordt door Edward zeer serieus genomen. Als de maaltijd is beëindigd, heb ik op zijn minst een fles wodka naar binnen gegoten en heb ik, tot verrukking van de gasten, 'The Lumberjack Song' uit Monthy Python gezongen. Omdat ik me er bewust van ben dat ik de volgende ochtend mijn rol van ambassadeur van Watford moet spelen – en mijn gastheren bovendien lange, zeer sentimentele Russische liederen beginnen te zingen, neem ik afscheid. Nooit is zulk een kussen en aan de borst klemmen en omarmen vertoond. Het leek alsof de wereld buiten de Correspondents Club had opgehouden te bestaan. Alle warmte, droefheid en krankzinnigheid van de Russen stroomde in een waterval van emoties, terwijl we aan elkaar hingen.

Ik herinner me nog net het einde van de avond. Ik zit op een stoel voor het Partijcomité Hotel, ongevoelig voor de muggenwolken en genietend van de warme, vochtige nacht, terwijl ik wacht op de aankomst van de vice-premier van de Sovjet-Unie. De staf van het hotel verkeert nog steeds in een staat van hevige opwinding, als plotseling de receptioniste de nacht in rent terwijl ze een kartonnen doos op armlengte van zich af houdt.

'Wat is dit?' gilt ze. 'Ik denk dat het een bom is!'

Iedereen zoekt dekking, behalve degenen die onmiddellijk weten wat het is: Basils doos met exotische sauzen voor het verbeteren van de plaatselijke keuken. En die vanaf nu bekend staat als 'De bom'.

DAG 32 – VAN NOVGOROD NAAR DNO

Edward Ranenko had in één opzicht gelijk: gezien de enorme hoeveelheden samogon die ik heb genuttigd, heb ik een opmerkelijk helder hoofd. Maar mijn maag voelt zich minder gelukkig en ik ben aan flarden gebeten door aan wodka verslaafde muggen. In mijn kamer, ditmaal in de orde van grootte van een samovar, wordt mijn lot nog onwaardiger als ik leun op het bad in de badkamer, dat echter niet vastgemaakt is aan enig ander onderdeel van de badkamer. Het maakt een halve salto in mijn armen, wat me zo'n schok geeft dat ik op slag vergeten ben waarvoor ik het eigenlijk nodig had. Na de vrolijkheid en uitbundigheid van gisteren is deze ochtend een behoorlijke domper. Zelfs de onderminister van Buitenlandse Zaken is al gekomen en weer weggegaan voordat ik zelfs maar ben opgestaan.

Men zou verwachten dat Novgorod nogal trots op zichzelf was, met zijn geschiedenis, zijn mooie gebouwen en zijn 200 kerken. Maar er is nog geen vakantiekaart te zien. Ik word naar een souvenirswinkel met een hoopgevend uithangbord gestuurd: 'Open van 9 tot 6'. De deur is gesloten en vergrendeld, hoewel het 10.15 uur in de ochtend is. Ik geef het op en bereid mezelf voor op de zuster-stad-ceremonie. Deze voorbereiding bestaat uit het nemen van enkele capsules Arret om er zeker van te zijn dat mijn ingewanden zich naar behoren gedragen, en uit het overdenken van de deugden van burgerlijke saamhorigheid.

Het blijkt dat Novgorod niet geheel trouw aan Watford is geweest, want als ik de zilveren berk bezichtig die op 9 september 1983 is geplant om de verbintenis tussen de twee grote steden te symboliseren, zie ik dat de plek werkelijk bezaaid is met vriendschapstekens. Er staan bomen van Nanterre en Bielefeld, Uusikau in Finland en Rochester in New York.

De ceremonie wordt buiten gehouden, op het mooiste plekje van Novgorod, waarachter de koepels van de Heilige Sofia zich tegen de hemel aftekenen. Een volksdansgroep is opgetrommeld en een lompe maar imposante geluidsinstallatie is opgebouwd en getest. Ik draag een colbert en een stropdas, voor het eerst tijdens de reis, en klem de glazen karaf met inscriptie uit Watford tegen mijn borst – 'Aan de burgers van Novgorod, augustus 1991'. Het enige onderdeel dat ontbreekt, is de burgemeester van Novgorod. Een groepje jongens met hun handen in hun zakken bekijkt onze verwarring met beleefde interesse. Het blijkt dat een van deze jongens de burgemeester van Novgorod *is*. Hij houdt in vloeiend Engels en voor de vuist weg een toespraak, waarin hij weldaden van het vrije ondernemerschap in Novgorod breed uitmeet. Daarna overhandigt hij me een prachtige maar breekbare aardewerken schotel, die zich gelukkig mag prijzen als hij Kiev haalt, om over Watford nog maar te zwijgen. Hij gaat dan weg om zijn stad te besturen, zodat hij me overlaat aan een atletische volksdansgroep, die staat te popelen mij te betrekken in een Russische Kussendans. Dat is een bijzonder woeste activiteit, waarbij een colbert, een stropdas en een stel turbulente ingewanden niet van pas komen.

Als ik in staat was geweest wat meer tijd met de burgemeester en wat minder met dansen door te brengen, had ik hem kunnen vragen waarom er in een stad met 250.000 inwoners maar vijf restaurants zijn. En verder waarom datgene waar wij in terechtkwamen überhaupt als restaurant wordt beschreven. Het maakt deel uit van het Paleis van Cultuur, een reusachtig, verlaten, vervallen en modern gebouw in een buitenwijk van Novgorod, dat eens het gezicht van de gouden proletarische toekomst moet zijn geweest, maar nu – letterlijk – aan het rotten is. Midden in de kleurloze en stoffige hallen van dit gebouw bevindt zich een kantine, waar ze de slechtste pizza's die ik ooit gegeten heb serveren. Dit is echter slechts een kleine schaduw over een grimmige dag. Eerder deze middag stortte een van onze chauffeurs door helse pijn in elkaar en bevindt zich nu in het ziekenhuis met een geperforeerde maagwand.

Het is derhalve een terneergeslagen team dat van het Paleis van Cultuur vertrekt om 100 kilometer naar het zuidwesten te rijden, zodat we in de stad Dno op de Leningrad-Kiev-expres kunnen stappen. Dno betekent in het Russisch letterlijk de bodem, de diepten. Drie uren later zijn we volledig verdwaald.

De totale duisternis en het ontbreken van elk aanwijsbord hebben onze chauffeurs finaal gevloerd. Het zijn allen Moskovieten, die niets afweten van dit moerassige platteland. Uiteindelijk, nadat we uit de landweggetjes wijs hebben proberen te worden door een proces van eliminatie, stuiten we op en over wat wonderbaarlijk genoeg een spoorbaan blijkt te zijn.

DAG 33 – VAN DNO NAAR KIEV

Het is één uur in de ochtend op het station van Dno. De hoofdlijnen van Tallinn naar Moskou en van Leningrad naar Kiev kruisen elkaar op dit station, dat één keer een historisch moment heeft gekend. Op dit station werd in april 1917 Nicolaas II door zijn generaals overreed om af te treden, waarmee een einde kwam aan 450 jaar tsaristische heerschappij.

Ik weet dat het niet eerlijk is een plaats te beoordelen na een middernachtelijk uur wachten op de trein, maar het lijkt een oord van wanhoop. Een groep tieners verschijnt van onder een goederentrein, rent over de spoorbaan en springt op het perron. Ze hebben wilde ogen en zijn groezelig en erg dronken. Eén jongen lijkt zwaar op zijn gezicht te zijn geslagen. Modder en bloed zijn gelijkelijk over zijn kleren verspreid. Ze dringen steeds dichter de kleine cirkel van licht binnen waar we onze apparatuur opstellen om de trein te filmen, en eisen dat we hun bier geven. We zijn gewend aan mensen die zich bij het filmen voegen, maar ditmaal heerst er een akelige sfeer vol agressie en potentieel geweld. Van het personeel van de spoorwegen valt geen hulp te verwachten en de andere reizigers zijn volledig ongeïnteresseerd. We halen allen opgelucht adem als de klagende stoot van een dieselhoorn de nadering van de Kiev-expres aankondigt. Alle coupés zijn donker, uitgezonderd een zilveren licht in de restauratiewagen, waar enke-le leden van de staf een softporno-video bekijken. Ik troost me met de gedachte dat Dno weliswaar de bodem is, maar dat het ook het begin is van een reis van 1000 kilometer naar het zuiden, in min-der dan 24 uur. Vergeleken met onze recente vooruitgang is dat een regelrechte sprint.

Om twee uur in bed, wakker bij zessen. Ik strompel naar een onaangenaam toilet met badkamer, dat we delen met de gehele wagon. Er is een houten rek voor een wastafel in mijn coupé, maar die is verdwenen, evenals de meeste lampen.

Enkele uren later passeren we Orsa, dat 100 kilometer ten westen van Smolensk ligt. We zijn nu in Wit-Rusland, onze derde Sovjet-republiek, na Estland en Rusland. Vanaf hier zullen we de Dnepr volgen tot aan Odessa en de Zwarte Zee. De Dnepr is de op drie na grootste rivier van Europa en is een belangrijk onderdeel van een van de grote handelsroutes in de geschiedenis, die Rusland en Scandinavië met Azië en het Middellandse-Zeegebied verbond. We hebben echt het gevoel dat we het noorden achter ons laten en naar het centrum der dingen gaan.

Ik loop door de trein. De ramen gaan open nu de temperatuur stijgt. De open gemengd-slapen wagons zijn overvol, maar er heerst vreemd genoeg een vredige en intieme sfeer. Iedereen maakt het beste van de ruimte die hij heeft. Mensen gaan languit liggen slapen en generen zich daarbij niet voor elkaar. Ik worstel me langs blote voeten, kousenvoeten, achteroverliggende groot-moeders, schaakspelende oude mannen en groepjes kinderen bij de ramen. Het geratel van de wielen over de rails is het hardste geluid, en zelfs dat is slaapverwekkend en hypnotiserend.

Bij de stad Zlobin, zo'n 300 kilometer van Kiev, steken we over naar de linkeroever van de Dnepr en komen we de Oekraïne bin-nen. Ik zit bij een Oekraïense schrijver en filmmaker, Vadim Castelli, en we toosten op zijn land met granaatappelsap. Hij is gepassioneerd trots op zijn vaderland.

'De Oekraïne is in potentie zo'n rijk land... we produceren onge-veer eenderde van alle industriële producten van de USSR, we produceren meer dan eenderde van de landbouwoogst in de USSR. Ongeveer 80 à 85 procent van deze rijkdom verdwijnt... in de bodemloze put die Sovjet-economie heet...'

Ik vraag Vadim of hij denkt dat er ooit een onafhankelijke Oekraïne zal zijn. 'Het zal niet snel gaan. We zijn nog steeds conservatief...

we zien wat er in de Baltische staten gebeurt, we zien wat er in Litouwen gebeurt – dat willen we niet... maar het proces van afscheiding is onvermijdelijk... ik hoor de mensen in de straten van Kiev... Oekraïens spreken..., de cultuur waarvan iedereen dacht dat zij voor altijd verdwenen was. Als je je een Oekraïner voelt, als je voelt dat daar je wortels liggen, dan is dit een zeer opwindende periode om mee te maken.' Ik word ontroerd als ik Vadim zijn gevoelens zo welsprekend hoor verwoorden, en die ontroering is des te sterker als ik Vadims persoonlijke ervaringen met de Sovjet-instellingen hoor. Zijn vader, schrijver en filmregisseur, werd in 1977 door de KGB gearresteerd, nadat zijn werk, waarin kritiek op het regime geuit werd, in het Westen was gepubliceerd. Hij werd als een gezonde man van 49 jaar naar een KGB-gevangenis in Kiev gestuurd, waar hij zes maanden later verlamd en verward uitkwam. Twee maanden later verschenen zijn vaders dagboeken in het Westen. De KGB was woedend, maar kon geen enkele manier bedenken waarop de geschriften uit de streng beveiligde gevangenis waren gelekt. Twaalf jaren lang onderging Vadim allerlei kwellingen, totdat de buitengewone gevolgen van de glasnost hem in staat stelden zowel zijn vaders oorspronkelijke werk als de dagboeken in de Oekraïne te publiceren. Maar het is voor hem nog niet voorbij. De autoriteiten zijn nog steeds in het bezit van zijn vaders papieren, en Vadim waarschuwt: 'De KGB is nog steeds zeer sterk, de militairen zijn nog steeds zeer sterk... we moeten nog erg voorzichtig zijn...'

Ergens tussen Gomel en Tsjernikov komt aan onze voortgang een einde. We gaan op zoek naar de 'chef' van de trein. In zijn hut bevinden zich twee foto's, de ene van een schaars geklede danseres met hoge laarzen en kwastjes aan haar tepels, de andere van een madonna met kind. Hij zegt dat verderop een rail gebroken is en dat we een vertraging van tweeëneenhalf uur zullen oplopen.

De passagiers nemen het nieuws gelaten op. De meesten verlaten de trein. Sommigen steken de rails over naar een huis waar eenden, geiten en schriele kippen rondom een vijvertje in de tuin lopen. Uit deze bron halen de bewoners emmers water, waarmee ze, zonder een blijk van betaling, een verzameling bekers, blikken en plastic flessen vullen die de passagiers hebben meegenomen. Andere passagiers hebben zwemkleding aangetrokken en zijn door de bossen naar een grote, vol water gestroomde steengroeve gelopen. Deze verandert in een geïmproviseerd vakantiestrand.

Sommige mannen bouwen een duikplank met behulp van boomstammen, andere klimmen op elkaars schouders. Er is een verschrikkelijk gedreun en gespetter en gelach. Anderen, die minder extravert zijn, kijken vanaf de rand van het bos toe of lopen door het struikgewas, onderwijl bosbessen en rode bessen plukkend. De wind brengt halfslachtig een wilg in beroering, maar verschaft weinig meer dan een briesje in de lome hitte van de middag.

Na een duik keer ik terug naar de trein, waar ik onze wagonopzichtster met twee collega's een stoofschotel van vis en groenten naar binnen zie werken, die ze op een klein primustoestel heeft klaargemaakt. Ze glimlacht als ik toekijk, en biedt me wat aan. De effecten van Ranenko's rivierkreeft- en wodkaorgie zijn nog steeds merkbaar en ik druk met gebaren buikpijn uit. Een hoop gelach.

Om half zes weerkaatst de fluit van de trein door het bos. De baders en zonnebaders en geliefden en eenzamen en bessenplukkers en waterhalers banen zich langzaam een weg naar de trein, en als we schokkend in beweging komen, voel ik plotseling een hevige spijt. Ik zoek de kaart en lokaliseer deze plaats, voor het geval dat ik niet meer zou geloven dat dit alles is gebeurd. Wanneer ik dit doe, merk ik op minder dan 160 kilometer naar het zuidwesten de naam van een kleine, haast onbeduidende stad op: Tsjernobyl.

Om kwart voor tien in de avond zijn we in Nezin, al twee uren te laat en nog steeds geen spoor van Kiev. Zelfs met open ramen en deuren ondervinden we geen verlichting van de klamme hitte. De chef van de trein heeft zijn hemd uitgetrokken en zijn enorme witte pens hangt buiten het raam. Zoals dat gebeurt bij treinreizen die ver over het tijdschema zijn, kan het niemand meer iets schelen. Lagen stof en vuil hechten zich geleidelijk op de passagiers, die er enkele uren geleden nog geboend en geschrobd uitzagen. Ik probeer te lezen. Vadim en Roger zijn hevig in discussie over het feit of Lenin al dan niet aan syfilis is gestorven.

Een kwartier voor middernacht rijden we Kiev binnen, de hoofdstad van de Oekraïne en de derde stad van de Sovjet-Unie. Het station staat stijf van de mensen. Sinds India heb ik zoiets niet meer gezien. Onze bewonderenswaardige chauffeurs vinden bagagewagentjes en op de een of andere manier zijn we binnen een uur uit dit gekkenhuis en worden we naar een groot en nieuw hotel gereden, met uitzicht op het voetbalveld van Dynamo Kiev. Portiers zijn onvindbaar maar de kamer ziet er uitstekend uit.

Totdat ik de gordijnen sluit, en eerst het ene en vervolgens het andere zachtjes naar het eind van de rail glijdt en dan op de grond valt.

DAG 34 – KIEV

Ik vier het einde van mijn 24 uur durende, post-rivierkreeft vasten met een eersteklas ontbijt in Hotel Warsaw. Dit bestaat uit een dun plakje kaas, enkele even dunne sneetjes brood, een likje jam en een kop koffie.

Sovjet-restaurants zijn ontworpen om de klanten buiten de deur te houden, en als een klant per ongeluk toch binnenkomt, maken ze de klant het leven zo zuur dat hij of zij wenste buiten gebleven te zijn. Zelfs voor een simpel plakje kaas moet je al een aanzienlijke hoeveelheid bureaucratische onderhandelingen voeren. Een kaart, die alleen bij de receptie verkrijgbaar is, dient getoond en voor een ticket omgewisseld te worden, dat vervolgens nauwkeurig door de Gauleiter van het restaurant wordt geïnspecteerd. Die draagt je dan over aan een serveerster, door wie je wordt genegeerd.

Het maakt je allemaal erg neerslachtig en ik vermoed dat het een microkosmos van het Sovjet-systeem is – onpraktisch, paranoïde en onpersoonlijk.

Deze ochtend ben ik getuige van een bemoedigende verandering, als ik Vadim vergezel naar de juridisch assistent-gevolmachtigde voor de Oekraïne, die de zaak behandelt voor de teruggave van de papieren van Vadims vader, die nog steeds door de KGB worden vastgehouden. Om welke reden dan ook is deze oudere Sovjet-officier van justitie hartelijk en staat hij welwillend of zelfs positief tegenover het verzoek de ontmoeting te mogen filmen. Hij is klein en met zijn brede schouders, zijn open, krachtig gezicht en zijn goed passend pak personifieert hij 'De mens Gorbatsjov', die nauwlettend toekijkt op elk detail dat de public relations betreft.

Hij verzekert Vadim dat de rehabilitatiecommissie, die vorig jaar door Gorbatsjov is samengesteld om de gevallen van politieke gevangenen in de USSR te onderzoeken, in minder dan vijf maanden ongeveer 1200 mensen van blaam heeft gezuiverd en dat hij persoonlijk de zaak van Vadims vader ter hand zal nemen. Dan biedt hij ons thee uit Oezbekistan met een speciaal kruid aan. Trots vertelt hij dat hij dit kruid zelf heeft verbouwd. Alles bij elkaar was het een gladde vertoning, maar Vadim, die zeer cynisch is over het Sovjet-rechtssysteem, voelt dat er ook daadwerkelijk iets gebeurt. We maken een korte rondrit door Kiev, dat eruit ziet als een groene en mooie stad met brede boulevards en veel bomen. Het is bijna onvoorstelbaar dat nog gedurende mijn leven deze groene en plezierige heuvels het toneel waren van onuitsprekelijk lijden. Tijdens de bezetting van Kiev door de nazi's – van oktober 1941 tot oktober 1943 – werden 400.000 mensen in de stad en in vernietigingskampen gedood, werden meer dan 300.000 mensen gedeporteerd om in Duitsland dwangarbeid te verrichten en werd 80 procent van de woonwijken verwoest. De opbouw van de stad, met name van prachtige oude gebouwen als het holenklooster, vormt een van de meer tastbare resultaten van het Sovjet-bewind. Het bewind eiste echter ook zijn tol, zoals de oprichting van een reusachtig roestvrijstalen standbeeld van een vrouwelijke soldaat, 96 meter hoog, dat de hoogten boven de Dnepr domineert. Het beeld is kolossaal, lomp en niet te missen, dateert van de jaren zeventig en wordt plaatselijk aangeduid als 'Brezjnevs moeder'.

Kiev is bovendien ternauwernood aan een recente ramp ontsnapt. Als de wind op 26 april 1986 – de dag dat de reactor in Tsjernobyl ontplofte – niet uit het zuiden had gewaaid, zou Kiev, op slechts 88 kilometer afstand, nu een dode stad zijn geweest. Niemand weet hoe ernstig de gevolgen desondanks zijn. Vijf dagen na de explosie draaide de wind naar het zuiden, terwijl de reactor pas een maand later werd afgesloten. Vanaf de oude stadswallen kijk ik neer op mensen die in de Dnepr zwemmen. Ik vraag Vadim of dit veilig is. Hij zegt me dat een vriend van hem, een kernfysicus, hem heeft verteld dat hij veilig kan zwemmen zolang hij de bodem niet raakt, omdat radioactief materiaal altijd zinkt. Vadim haalt zijn schouders op. Op een warme dag als vandaag zullen er altijd mensen zijn die risico's nemen.

Als we naar het hotel zijn teruggekeerd, heeft Volodya zojuist een potentiële crisis bezworen. Twee maanden geleden heeft een Engelsman die in ons hotel logeerde en Michael heette, een plaatselijk meisje zwanger gemaakt. Haar moeder heeft sindsdien het gastenboek doorzocht op een Engelsman met de naam Michael, en deze ochtend leek het raak te zijn. Samen met haar misbruikte dochter heeft ze de gehele dag in de lobby gebivakkeerd, wachtend op de terugkeer van Michael Palin. Ik ben blij dat ik niet als eerste naar binnen ben gegaan.

DAG 35 – VAN KIEV NAAR NARODICHI NAAR KIEV

Vandaag komen we vlak bij Tsjernobyl om steden en dorpen te bezoeken die als gevolg van de ramp ontruimd zijn of op het punt staan ontruimd te worden. We zullen ons niet binnen de verboden vijftig-kilometer zone begeven, maar we zullen wel in besmet gebied komen en Volodya, Irena en de rest van onze Russische ploeg weigeren met ons mee te gaan. Mirabel heeft eveneens beslist het niet te riskeren. Roger heeft advies gevraagd aan de Nationale Radiologische Beschermingsdienst te Harwell, maar die bood slechts een schrale troost. Ze zeiden dat het stralingsniveau hetzelfde, zo niet minder zou zijn dan dat op de polen, met hun concentratie aan magnetische krachten. Maar de wetenschap dat er nog steeds verwarring en discussie bestaat over de gevolgen van de ramp, en het advies van wetenschappers dat we de schoenen en kleren die we dragen naderhand weg moeten gooien, werpen een schaduw van gevaar over de komende tocht. Aan het ontbijt vliegen de nerveuze grappen over de plakjes kaas.

Vanuit Kiev gaan we in noordwestelijke richting naar de stad Narodichi. Deze ligt 62 kilometer ten westen van Tsjernobyl, waarvan overigens nog steeds twee reactors in bedrijf zijn, zoals Vadim ons in herinnering brengt. Het parlement van de Oekraïne heeft unaniem besloten de reactors te sluiten. Het Sovjet-parlement heeft dit geweigerd. De Oekraïners zeggen dat 8000 mensen ten gevolge van het ongeluk zijn overleden. Het officiële Sovjet-cijfer is 32. We komen langs bosjes kreupelhout van eiken en pijnbomen, waartussen geoogste velden en kersen- en amandelboomgaarden liggen. Een militaire colonne van 42 vrachtwagens passeert ons, op weg naar het zuiden. Na een poos maakt het kreupelhout plaats voor een brede en vruchtbare vlakte. De eerste aanwijzing dat deze overvloed besmet is, komt als een schok. Tussen de bramen en het lange gras staat een bord waarop te lezen is: 'Waarschuwing'. Het is verboden vee te laten grazen en paddenstoelen, aardbeien en medicinale kruiden te plukken'.

We stoppen op deze plaats om onze TLD-badges op te spelden, die stralingsniveaus registreren en die we na ons drie uur durende bezoek ter analyse terug zullen sturen naar Harwell. Gewapend met de badges en een stralingsdetector komen we Narodichi binnen, waar de mensen al meer dan vijf jaar met de straling leven. Het is een keurige, trotse kleine stad, met een kastanjelaan als hoofdstraat en een zilverkleurige Lenin voor het partijgebouw, maar over een jaar zal hier niemand meer wonen.

In de gemeentelijke plantsoenen is het gras ongemaaid, maar klatert nog een fonteintje. We zien verscheidene gedenktekens. Een daarvan is een geschroeide boom met een kruis erop – de plaatselijke bevolking denkt dat het woud hen tegen het ergste van de luchtstroming heeft beschermd. Naast de boom bevinden zich drie grote rotsblokken, waarvan één de vier dorpen en 548 mensen herdenkt die in 1986 zijn geëvacueerd, en een andere 15 dorpen met 3264 inwoners die in 1990 zijn geëvacueerd. Tweeëntwintig andere dorpen en nog eens ongeveer 11.000 mensen zullen in 1991 verdwijnen. Een inscriptie luidt: 'Ter nagedachtenis aan de dorpen en het menselijke bestaan in het gebied van Narodichi, die door de straling werden verwoest'.

Een van de meest vervuilde plekken is de kinderspeelplaats, met een verhoogde gammastraling van 13 tot 17 keer het normale niveau. De roodmetalen stoeltjes hangen aan de draaimolen en blauwstalen bootjes bewegen zachtjes in de wind, maar er is niemand meer die hier mag spelen.

Michael, de plaatselijke onderwijzer, is kort en dik, en zijn gelaat heeft een ongezonde grijze kleur. Hij vertelt me dat er 10.000 kinderen in deze streek woonden, van wie er nog maar 3000 over zijn. Twee van zijn leerlingen komen langs op de fiets. Hij grijpt ze in de nek en stelt ons voor. De jongens, die net terug zijn van een pionierskamp in Polen, kijken ons verveeld aan en antwoorden met één lettergreep, wat Michael aldus vertaalt: 'De kinderen van de Sovjet-Unie zenden een broederlijke groet aan de kinderen van het Verenigd Koninkrijk.' Hij glimlacht trots en een beetje wanhopig. Ik vraag of de prestaties van de kinderen zijn aangetast door de nabijheid van Tsjernobyl. Hij zucht en knikt bevestigend.

'Er is hier geen enkel gezond kind.'

Als we Narodichi uit rijden, praat Michael trots over de geschiedenis van de stad, waarbij hij af en toe een alledaagse, maar angstaanjagende opmerking maakt.

'Dit is de brug over de rivier de Oush. Dit gebied is het ergst vervuild.'

We komen bij het dorpje Nozdrishche, dat vorig jaar is geëvacueerd. Er zijn geen ruïnes, er is geen afbraak of verwoesting. Houten huisjes met geverfde ramposten staan in ordelijke rijen. Bloemen staan in bloei en sprinkhanen schieten heen in weer in weelderige, overwoekerde tuinen. Het is een warme, zachte en aangename zomerdag. Toch zeggen wetenschappers die het gebied hebben onderzocht, dat het wel 700 jaar kan duren vóór dit gebied weer tot leven komt. Het is moeilijk wat je moet geloven, want welke vloek er ook over deze dorpen ligt, hij is des te angstaanjagender omdat hij onzichtbaar is. Het lijkt op de voorspelling van het platteland na een kernoorlog – vriendelijk, glimlachend, dodelijk.

Een jaar blootstelling aan weer en wind heeft de zwakke geur van desinfecterende middelen in een klein kraamziekenhuis nog niet kunnen verdrijven. Een poster op de muur beeldt een Amerikaanse Space Shuttle af die om de aarde draait, met daaronder één woord: 'Nyet!' Er is een boek over borstvoeding dat door muizen is aangevreten, een onderzoekstoel, medische dossiers die nog keurig opgeborgen zijn, en een portret van Lenin dat uit zijn lijst is gevallen en in een hoek ligt, onder de overal verspreide objectglaasjes en injectiespuiten. We bewegen ons snel door het dorp, ons bewust van het feit dat ons is geadviseerd hier slechts een beperkte tijd te vertoeven. In een zijstraatje van de hoofdweg ontwaar ik twee gestalten. De ene is een zeer oude dame, wier naam Heema is, de ander is haar neef. Heema is 90 jaar oud en weigert het dorp te verlaten. Ze zegt dat ze sinds de ramp vijfmaal verhuisd is en dat ze nu te oud en te ziek is. Haar enige wens is te sterven in het huis waar ze geboren is, maar dat is nu afgezet met prikkeldraad, zodat ze hier blijft met haar dochter. Ze zijn de enige inwoners van Nozdrishche.

Een eind verder op de hoofdweg, bij het dorp Novoye Sharno, geeft de stralingsdetector voor het eerst een alarmsignaal.

'Opgepast,' zegt Michael, 'de straling is hier zeer hoog.'

Dit is een van de dorpen die in 1986, direct na de explosie en de brand, geëvacueerd zijn. De dorpswinkel is al haast overgroeid. Binnenin treffen we een ravage van gebroken schappen, verlaten goederen en kapot gesmeten flessen aan. 'Hier is paniek uitgebroken,' legt Vadim onnodig uit.

We rijden terug via Narodichi, waar, evenals in Novoye Sharno en Nozdrishche en in alleen al deze streek in nog 40 andere dorpen, het gras snel om deuren heen zal groeien die nooit meer geopend worden. En iedereen die hiernaartoe komt zal geïnformeerd worden over de gevaren en de risico's, die pas aan degenen die hier woonden werden medegedeeld toen het te laat was.

Tweeëneenhalf uur later zijn we terug in Kiev. Opnieuw word ik getroffen door het netjes opgeknapte uiterlijk van de stad in vergelijking tot Leningrad of Novgorod. Een Russische schrijver in de *Insight Guide* verbindt zelfs dit met Tsjernobyl: 'Door de verschrikkelijke gevolgen van Tsjernobyl bezagen de mensen van Kiev en andere steden zichzelf met andere ogen. Kiev is schoner, en niet louter doordat de straten nu tweemaal per dag worden schoongespoten; toen de mensen zich bewust werden van de broosheid van het menselijk bestaan, veranderden ze.'

De dag eindigt in een kelder met bakstenen gewelven in de Andreevski Spusk, een straat die op Montmartre lijkt en bezaaid is met cafés, winkels en ontmoetingsplaatsen voor studenten. Het voedsel is het beste dat we in de Sovjet-Unie zijn tegengekomen – een Armenisch-Georgische keuken – kebabs, konijnenstoofpot, aubergine en uiensalade. Een uitstekend jazz-trio bestaande uit contrabas, viool en piano speelt lokale muziek en goed uitgevoerde klassiekers als 'Take the A-train'. De wodka vloeit rijkelijk. Het is een van de mooiste avonden en in zekere zin de enige manier waarop we kunnen verwerken wat we vandaag hebben gezien.

DAG 36 – VAN KIEV NAAR TSJERKASSY

De wekker loopt om zes uur af. Het is een zondag, maar geen rustdag aangezien we verder zuidwaarts gaan. We reizen tot Tsjerkassy over de rivier, op de *Katun*, een 50 meter lange schuit met een kanariegele romp, die een vracht samengesteld uit flessen, stoffen, sportuitrusting, kleren, kinderwagens en elektrische apparatuur over de Dnepr naar de haven van Cherson aan de Zwarte Zee brengt. De *Katun* is een schuit met karakter. Ze wordt volgend jaar veertig en het binnenwerk bestaat meer uit hout dan uit plastic of het alomtegenwoordige formica. Twee kleine hutten onder de brug zijn voor ons vrijgehouden. Een daarvan heeft een bureau met stoel, een oude eiken klerenkast, een geëmailleerde wastafel en een alkoof die 's werelds comfortabelste bed lijkt te bevatten. Als ik aan het bureau zit en door een patrijspoort kijk, verbeeld ik me dat ik Joseph Conrad ben, alhoewel de foto boven mijn hoofd die de bonkige kerels van het Zaporozje metaalarbeiders-voetbalteam afbeeldt, niet geheel in de romantische illusie past.

Op de brug bevinden zich een groot en mooi stuurwiel en een boek met rivierkaarten die met waterverf geschilderd zijn. Ons beeld van de Sovjet-Unie wordt zo sterk bepaald door reusachtige institutionele ruimten en gezichtsloze gebouwen, dat het telkens een verrassing is als we een warm, besloten en vriendelijk plekje als de *Katun* vinden. We varen met een rustige gang van 10 knopen onder de bruggen van Kiev door en verlaten de opmerkelijke aanblik van barokke kerktorens, witgesausde muren, malachietgroene daken en spitsen die immer met goud zijn gekroond. Roger leunt over de reling en tuurt naar het water.

'Heb je wel eens een rioolzuiveringsinstallatie gezien?' vraagt hij me na zijn intensieve bestudering van de Dnepr. 'Zo ziet het water eruit voordat het naar binnengaat.'

Het is een prettig luie dag, die we denk ik allen nodig hebben. Basil slaapt, Irena zit aan het bureau te lezen in een exemplaar van *Longman's Dictionary of Common Errors*. Ze spreekt vloeiend Engels, maar ze wil bijzonder graag haar rijmtalenten in het Cockney-dialect vervolmaken.

We varen door een netwerk van kleine eilanden en stranden met veel vakantiegangers. Op gezette tijden zoeft er een vleugelboot voorbij, die als een witte kakkerlak over het water schiet. Pramen passeren, vaak beladen met kolen. De kapitein zegt dat de Dnepr tot Mogilov bevaarbaar is, dat op zo'n 500 kilometer van Moskou ligt. Sinds de catastrofe (zoals hij het noemt) van Tsjernobyl komt hij niet meer ten noorden van Kiev. Er is niets meer om iets naar toe te brengen.

Hij is een slanke, verweerde en knappe man, die ronduit weigert om geïnterviewd te worden. 'Ik ben geen acteur,' zegt hij. Zelfs het filmen op de brug veroorzaakt al enige consternatie. Er heerst een golf van activiteit als de eerste stuurman iets verbergt wat we van de kapitein niet mogen zien. Het blijkt zijn bruine jasje te zijn, waarvan hij zegt dat het 'erg oud' is. Later merk ik op dat ze samen één zonnebril delen.

De Dnepr is afgedamd bij het plaatsje Kanev, waar een meer van 3 kilometer breedte in één sluis wordt samengeperst, met een verval van 14 meter. De stank tussen de bedompte en slijmerige wanden van de sluis is schrikbarend. Aangezien het een goede vijftien minuten duurt voor de sluis is gevuld, valt er nauwelijks te ontsnappen aan de geur van verrotting en dode vis.

Dit wordt gecompenseerd door een zondagse lunch van stoofpot en aardappelpuree, een middag lui lezen en tenslotte een glas whisky terwijl we boven op het ruim zitten en kijken naar de magnifieke zonsondergang, die een landschap van lage, begroeide zandbanken doet schitteren en dan vervagen. Ik realiseer me dat ik in het Noordpoolgebied niet zozeer het donker miste, als wel de zonsopgangen en zonsondergangen die daarmee gepaard gaan.

Om elf uur 's avonds bereiken we Tsjerkassy en banen we ons een weg door een met containers bezaaide kade met behulp van een fel, stekend zoeklicht. Onze chauffeurs zijn ons vanuit Novgorod gevolgd, maar het slechte gesternte dat al een van hen in het ziekenhuis heeft doen belanden, bestaat nog steeds. Een van de voertuigen, een Wolga-limousine, is na een ongeluk afgeschreven en de andere, de 'Latvia'-minibus, heeft twee klapbanden overleefd waarvan één op volle snelheid.

DAG 37 – VAN TSJERKASSY NAAR ODESSA

Het ontbijt in Hotel Dnepr te Tsjerkassy bestaat uit vreemde kost. Er is erg zoete yoghurt die in een glas wordt opgediend, boerenkaas met suiker en een keuze uit ofwel hard, droog witbrood of hard, droog bruinbrood met plakjes worst. Er is geen koffie, maar wel thee uit een samovar.

Als ik boven voor de 17de keer tot dusver op deze reis mijn spullen inpak, kijk ik naar mijn bed en ervaar ik een hoogst ongewoon voorgevoel. Ik ben gewoonlijk niet geneigd tot voorkennis, maar iets waarschuwt me tegen het reizen naar Odessa over de weg. Twee van onze drie voertuigen zijn beschadigd, waarvan een onherstelbaar, en ik heb inmiddels zoveel gezien van de lukrake inefficiëntie van de Sovjet-Unie dat ik me zorgen maak over de veiligheid van het derde.

Uiteindelijk blijken onze problemen niet zozeer de motoren als wel de navigatie te betreffen. Ergens tussen Tsjerkassy en Uman raken we volslagen verdwaald op de ongemarkeerde kaarten en de onbewegwijzerde wegen en stranden we in een landschap van gewiede tarwevelden die zich naar alle kanten uitstrekken. Uiteindelijk bereiken we de hoofdweg van Kiev naar Odessa, die smal en gelukkig niet druk is. We steken de snelstromende rivier de Brug over en passeren, op 19 kilometer ten noorden van Odessa, de eerste wijngaarden die ik in de Sovjet-Unie gezien heb.

De mensen hier hebben een donker, bijna Turks uitziend gezicht en het blonde haar van het noorden maakt plaats voor het weelderige, gitzwarte haar van het zuiden.

Rond zes uur, na een rit van 500 kilometer, bereiken we veilig Odessa. Boven aan de Potemkin-trappen, enkele honderden meters vanaf het hotel, spreek ik tegen de Zwarte Zee mijn dank uit.

DAG 38 – ODESSA

Midden in de nacht word ik gewekt door stemmen die vanaf de straat naar mijn raam opstijgen. Een man en een vrouw praten. De stem van de vrouw is diep, vol en vloeiend. De conversatie verandert in ruzie. Een poosje overdenk ik tamelijk jaloers het exotische, mediterrane gevoel van het straatleven in Odessa, totdat de ruzie ontaardt in een heftige schreeuwpartij. Plotseling gilt de vrouw herhaaldelijk met zo'n primitieve intensiteit dat ik opvlieg en naar het raam ren. Ik hoor het geluid van dichtslaande autoportieren, een gierende motor en piepende banden, maar als ik de gordijnen heb teruggeslagen is alles verdwenen, op de weerkaatsende echo's van haar stem na.

We verblijven in het Londonskya Hotel, dat ligt aan een esplanade met bomen aan weerszijden en uitzicht op de haven. Het heeft een zware neoklassieke gevel, is gebouwd in 1910 en kreeg in 1948 de naam Odessa Hotel, als onderdeel van een 'anti-kosmopolitisatie'-politiek. Dankzij de glasnost heet het vanaf vorige week weer De Londenaar. De lobby is een redelijk accurate weergave van een Londense club, donker en nogal groots ingericht met gebrandschilderde ramen en een brede en gewichtige trap.

Even decoratief, maar veel meer vervallen is het Kuyalnik Sanatorium, een van beroemdste instellingen van Odessa, waar mensen uit alle delen van de Sovjet-Unie komen herstellen door middel van een modderbehandeling. De modder wordt onttrokken aan een naburige lagune, die vroeger deel uitmaakte van de open zee en die mineraalafzettingen bevat die heilzaam werken op gewrichts- en ademhalingsklachten, alsook op het zenuwstelsel, hernia, trombose en nierproblemen. Het is gebouwd in 1892 in een reeks van rococo paviljoens, maar het is nooit geheel hersteld van de overstroming in 1941, toen een dam werd opgeblazen om de opmars van de Duitse troepen te stuiten. Het bleef tot 1948 onder water staan.

Na de inspanningen van onze reis vanuit het Noorden ben ik bereid alles wat kalmerende eigenschappen heeft te proberen, en dus volg ik de vakantiegangers op de trappen van het sanatorium. Voor mij lopen drie vrouwen, die gekleed zijn om te zonnebaden en op maïskolven kauwen. Als ik binnen ben, word ik door gangen met wachtende patiënten geleid en kom ik door kleine atria waarvan de vochtige en groezelige wanden voorzien zijn van afbladderend stucwerk. De zwavelachtige lucht van rotte eieren wordt steeds doordringender als ik de behandelkamer nader en ik begin spijt te krijgen van de hele onderneming.

De bedden, of behandeltafels, staan in twee rijen aan elke kant van een betegelde overstroomde vloer. Elke vorm van privacy ontbreekt en heren in diverse intieme behandelstadia zijn in volle glorie te aanschouwen. Een man tilt zijn zwarte en naakte lichaam van het bed als iemand die uit een moeras ontsnapt. Aan een ander wordt een modderlavement toegediend met behulp van een grote witte ontstopper. Het totale, groteske toneel lijkt op een kruising tussen een ziekenhuis en een abattoir.

Mijn uur heeft geslagen, en de opzichtster – van het welwillende, moederlijke soort met roze oorbellen zo groot als een reddingsband – brengt me naar een plastic kleedhokje. Als ik daar ontkleed uitkom, tref ik een dame met een witte jas, rood haar, een roze bril en een rubberen slang aan, waarmee ze een laag smerig zwart slijm onder een bevlekt bruin laken spuit. Ze gebaart dat ik me in het midden van dit alles moet begeven. Mijn eerste verrassing is de warmte van de modder, mijn tweede is dat het zeer kalmerend werkt als het spul overal wordt opgewreven, en de derde is dat het uitermate rustgevend is om erin opgerold te liggen als een lap boeuf en croûte. Alles – de vreselijke stank, de veestal-omstandigheden, het geslurp van nabije lavementen – wordt vergeten in het haast tastbare genot om in warme modder te liggen.

Blakend van gezondheid en enigszins stinkend naar een opslagplaats van zeeproducten maak ik een wandeling over het strand waarvan de therapeutische modder wordt betrokken. Doordat de modder het beste kan worden toegediend op plaatsen waar het het hardst nodig is en doordat de meeste patiënten erg wit zijn, biedt het strand de bizarre aanblik van wat menselijke kruiswoordraadsels schijnen te zijn. Een plaatselijke vrouwelijke dokter schrijdt naar de zee met besmeurde benen, die lijken op dijhoge, zwarte laarzen. 'Als ik een bad heb genomen, laat ik het altijd vijf dagen zitten,' zegt ze enthousiast.

Tijdens de lunch ontmoet ik een plaatselijke historicus. Als we het recente verleden bespreken, blijkt dat ook zonnig Odessa aan de zee niet heeft kunnen ontkomen aan de tragedies die het grootste deel van de westelijke USSR zijn overkomen. De Roemenen hadden in de oorlog Odessa bezet – Hitler had hun leider Antonescu grote delen van de Zwarte-Zeekust beloofd. Zij verbrandden 20.000 inwoners in een arsenaal en hingen er 5000 op aan de bomen rondom de stad om de bevolking angst aan te jagen. Tegenwoordig is de zware industriële vervuiling het grootste probleem. De Zee van Azov, een groot gebied ten oosten van de Krim, is dermate vervuild dat de stranden volledig geëvacueerd zijn.

Later ga ik naar Strand Arkadi, een van de beroemdste stranden in Odessa, waar ik geen enkel onbezet plekje vind en waar, evenals in het water van de Dnepr bij Kiev, veel mensen verkoeling tijdens een zonnige dag belangrijker vinden dan een gezondheidsrisico.

We eten in het Krasnaya Hotel. Gigantische dames met ontblote borsten ondersteunen het balkon en de balustrade boven de deur, terwijl de gehele bleekgroene en witte gevel op een rijk versierde taart lijkt. Binnen bevindt zich een kast van een dinerzaal, met spiegels en kroonluchters, de onvermijdelijke zakushi en een zeer incompetente band die een dikke dame in een gouden jurk begeleidt. Waarschijnlijk dient ze overdag modderlavementen toe, maar 's avonds vermoordt ze Beatles-songs.

Op het balkon van mijn kamer houden we een feestje om te vieren dat we het al zo ver gebracht hebben. Ik ga laat naar bed, en als ik weer opsta zie ik licht waarneembare zwarte sporen op het onderlaken.

DAG 40 – VAN ODESSA NAAR ISTANBUL

De digitale klok in de belangrijkste vertrekhal voor passagiers van de haven van Odessa geeft 12.48 aan. Als mijn herinnering klopt, is dit de eerste openbare klok die ik in de Sovjet-Unie heb gezien die werkt. Na een rustdag zetten de ploeg en ik ons weer in beweging, met bestemming Istanbul. Op het moment bevinden we ons in het voorgeborchte van de hel, de douane- en immigratiedienst, en wachten we tot er iets gebeurt. Men heeft getracht de dorre bureaucratische woestenij waarin we gevangen zitten wat op te fleuren door reisposters op de muren te plakken – ruige bergen, skihellingen, volksdansen en dartelende kinderen op het strand. De genoegens van deze oorden liggen weliswaar ver buiten het bereik van de meeste mensen in de Sovjet-Unie, maar toch vertegenwoordigen zij een van de meer acceptabele kenmerken van dit land: een vaardigheid om te genieten van elke ontsnapping aan de omringende somberheid, telkens wanneer de gelegenheid zich voordoet. We hebben de rijen gezien voor de benzinestations en de lege winkels, de vervallen omgeving en de harde werkelijkheid van de privileges, maar we hebben ook spontane verrukking in de natuur gezien (zoals op de trein naar Kiev), de vrolijke menigten op de stranden en, deze ochtend, vakantiegangers op de Potemkin-trappen die vroegen of ik een familiefoto wilde maken. Je kunt hoogstens zeggen dat de Sovjet-Unie nooit is wat zij schijnt. We hebben oud en smakeloos brood in hotels gegeten, maar hier in Odessa hebben we een achterafwinkeltje gevonden waar verse baguettes werden gebakken. We hebben gezien dat een zak fruit meer dan twintig procent van een weekloon kostte, maar zagen ook boomgaarden die kreunden onder hun vruchten. We hebben in steenharde gezichten gekeken, maar zijn nog nooit zo hartelijk omhelsd.

Als we de douane gepasseerd zijn, kunnen we genieten van onze laatste lunch in de USSR. Het goede nieuws is dat de vertrekhal een openluchtrestaurant heeft – iets waarnaar we de laatste twee weken hebben uitgekeken – het slechte nieuws is dat het zich op een afbrokkelend betonnen terras bevindt, dat eruit ziet of het bevel tot verwoesting halverwege de uitvoering is opgeschort. Het eten is meer dan slecht – onze vierentwintigste zakushi, een kraakbeenachtige hamburger bedekt met een gebakken ei en koffie die in geschilferde koppen met gebroken oortjes wordt geserveerd. Dit soort ervaringen zorgt ervoor dat je zo snel mogelijk naar Istanbul wilt, maar wij hebben een reis van 36 uur voor ons, wat in alle opzichten nog eens anderhalve dag in de Sovjet-Unie betekent. Ons schip is geregistreerd in Odessa en gebouwd in Bulgarije. Het is een 38 jaar oud, 84 meter lang, 1000 ton metend opleidingsschip. Het schip heet *Junost*, wat 'Jeugd' betekent. Het is pas onlangs omgebouwd tot passagiersschip en onderhoudt om de vijf dagen een veerdienst naar Turkije. Er is geen alternatief.

Aan het einde van de middag moeten we vaarwel zeggen tegen ons team van Russische chauffeurs, tolken en klusjesmannen, die onze vrienden zijn geworden. Ze hebben ons met grote vaardigheid door het labyrint van officiële belemmeringen geloodst. Het is aan hen te danken dat we in staat waren te filmen wat we wilden filmen, en te reizen waar en wanneer we wilden reizen. Ik zie ook spijt, niet slechts omdat we gaan, maar ook over het feit dat we zo gemakkelijk kunnen gaan. Bij alle vermoeidheid die ik voel nadat ik de Sovjet-Unie heb doorkruist, maakt de aanblik van hun gezichten, als de *Junost* langzaam wegvaart, me bewust van het feit hoe fortuinlijk ik ben.

Onze boeg draait en wijst voor een moment naar de 192 stenen treden die de Potemkin-treden genoemd worden, nadat daar een dramatische scène was opgenomen voor de film *Pantserkruiser Potemkin* van Eisenstein. De treden stijgen vanaf de haven groots naar de beboomde esplanade. Een trap naar de USSR. Dan draaien we weg van deze warme, pretentieloze stad en varen we langzaam het immense havengebied uit, voorbij de vleugelboten die *Komeet* of *Meteoor* heten en die door de haven scheren, voorbij de grijze slagkruisers en een kolossaal vrachtschip dat wat onwaarschijnlijk *Mister Michael* heet. Als we traag in zuidwestelijke richting langs de lage, schaduwrijke heuvels van de Zwarte-Zeekust varen, onderga ik een van de grote genoegens van reizen: een nieuw schip verkennen. De *Junost* is een allegaartje. De hutten, die gedeeld moeten worden, zijn klein en simpel. De wasruimten zijn onbeschrijflijk smerig en ik bid dat ik ze alleen nodig heb voor vluchtig gebruik, maar het hoofddek is een aangename plek, met een planken vloer en een aantal ruime en hoge dekstoelen, compleet met voetenbankjes. Op de achtersteven is een bouwsel opgericht dat het meest doet denken aan een haastig in elkaar gezette schuur en dat vormgegeven is met verweerd plastic en bruine verf. Binnen is een kleine bar en een ongeregelde partij draaistoelen, die bekleed zijn met rood nylon. Omdat bier en wijn niet geserveerd worden, maar enkel het gevreesde harde-valutatarief voor champagne, wodka en cognac, belichaamt de bar elk brandgevaar dat de mens kent.
Roger beslist dat het sanitair zo slecht is dat we het moeten filmen. De purser, een keurige, kale man met de naam Felix, komt voorbij als we met al onze lichten en apparatuur weer naar buiten komen,

en kijkt ons bevreemd aan. Helaas moeten we opnieuw filmen en weer stuiten we op de weg naar buiten op Felix. Ditmaal kijkt hij duidelijk gealarmeerd, maar tegen etenstijd blijkt het sanitair grondig te zijn schoongemaakt.

Felix is een mooi portret. In zijn onberispelijke witte jas en broek kondigt hij niet alleen het diner aan, maar hij leidt ook potentiële eters met behulp van enige fysieke overredingskracht naar het restaurant. Hoe langer je aarzelt, hoe overredender hij wordt. De laatste gasten worden zo ongeveer naar hun tafeltje gesleept. Aan de muur van de eetzaal zie ik de enige publiek tentoongestelde foto van Gorbatsjov die ik heb gezien. Is hij impopulair, of probeert hij een persoonlijkheidscultus te voorkomen? We zien allemaal dat zijn wijnvlek is verwijderd.

We ronden deze dag af met whisky en water en een sterrenhemel die niet door een stedelijke gloed wordt verdrongen.

DAG 41 – VAN ODESSA NAAR ISTANBUL

Op het dek om kwart voor acht. Ik zie Felix, die tot mijn afgrijzen een toeval schijnt te hebben. Hij is halfnaakt, heeft rollende ogen en zwaait zijn armen woest voor zich uit. Pas na een tijdje realiseer ik me dat hij ochtendgymnastiek aan het doen is. Hij lacht in mijn richting, een groteske grimas die zijn hoofd vrijwel in tweeën splijt. Gelukkig blijkt dit een andere oefening te zijn. Ik begin me af te vragen of dit wel een Sovjet-schip is. Op de publieke radio speelt Peter Gabriel en bij het ontbijt krijgen we pap. Onder de passagiers bevindt zich een achttienjarig meisje uit Ilkley, dat samen met haar broer reist, die een jaar in Moskou heeft gestudeerd. Ze zijn net terug van een trip naar het Baikalmeer in Siberië, het diepste meer ter wereld, dat tot dusverre wonderbaarlijk genoeg nog niet vervuild is. Hun beschrijving van de schoonheid, zuiverheid en rust deed mij watertanden.

De *Junost* heeft 55 bemanningsleden, 10 meer dan er passagiers zijn. De eerste officier, die ons dit vertelde, is innemend openhartig. Als hij het voor het kiezen had, zou hij niet in de Sovjet-Unie blijven. Toen hij eens met Noren samenwerkte, vroegen zij hem wat hij in de USSR verdiende.

'130 dollar, zei ik.'

'Per dag, vroegen ze.'

'Nee, per maand.' Hierop lacht hij bitter. Ik suggereer dat je voor 130 dollar in de Sovjet-Unie een hoop meer kunt kopen dan in Noorwegen. Daar trapt hij niet in.

'Ik zou liever in een duur Noorwegen leven.'

Ik begin te houden van de *Junost*. Het leven aan boord heeft onschuldige en archaïsche eigenschappen. Het lijkt alsof je in een film van Monsieur Hulot bent gestapt. Een man in een zwembroek die beweert dat hij de hoofdofficier voor elektriciteit is, botst op de centrale trap tegen me aan. Hij druipt nog na van een douche, maar wil graag weten of alles naar wens is. Ik vraag hem waarom we slechts een vaart van 9 knopen maken. Hij druipt een beetje en overdenkt de vraag.

'Wel, wie wil er eigenlijk sneller gaan.'

Boven op het dek heeft het meisje uit Ilkley een forse bloedneus, en allerlei voorheen onzichtbare bemanningsleden verschijnen om haar te helpen. Felix, met een ijszak in zijn handen geklemd, stuurt iedereen weg, controleert haar bloeddruk en veegt haar voorhoofd af. Maar de vreemdste ontmoeting is die met de lieflijke Lyuba, de eigenares van de bar. Ik had ontdekt dat de *Junost*, boven in de boeg, een zwembad bezat. Met 2 meter lengte en 1,5 meter breedte is het eigenlijk niet meer dan een grote koffer met een zeildoek om het water tegen te houden. Het diepe en het ondiepe wisselen van plaats bij elke deining van het schip. Het is nauwelijks groot genoeg voor één volgroeide volwassene, zodat ik, wanneer ik Lyuba's mooie doch omvangrijke gestalte naar mij toe zie klauteren, nonchalant Brits achterover ga leunen, alsof het de gewoonste zaak van de wereld is om met een Russische barjuffrouw in een koffer met water te liggen. Maar Lyuba zit in de kist om plezier te hebben, en nadat ze verteld heeft dat haar naam 'Amore... liefde' betekent, spettert ze water over me heen en vraagt ze of ik een vrouw heb.

'Een vrouw... ja,' antwoord ik, alsof de beide woorden nogal onverenigbaar zijn.

'Is ze een ingenieur... technicus?'

Een beeld van Helen met een Black en Dekker verschijnt voor mijn ogen, en terwijl we rondspetteren in ons ingekiste stukje Zwarte Zee, raken we in een vertrouwelijke conversatie over scholen, kinderen en hoezeer we onze gezinnen missen.

DAG 42 – VAN ODESSA NAAR ISTANBUL

Ik slaap bijna 10 uren en word wakker met het gevoel dat we vaart minderen, als dat tenminste mogelijk is. Wanneer ik het gordijn openmaak, zie ik dat we het vasteland tot op enkele honderden meters genaderd zijn. We hebben de Zwarte Zee verlaten en zijn halverwege de Bosporus, een kronkelend 30 kilometer lang kanaal dat leidt naar de Zee van Marmara, de Egeïsche Zee en uiteindelijk de Middellandse Zee. Op het dek denkt Roger na over zijn enkele weken rust, voordat hij zich in Egypte weer bij ons zal voegen. Hij is in een professorale stemming. Wist ik dat Bosporus en Oxford hetzelfde betekenen? Een Griekse legende verhaalt dat Zeus en de priesteres Io elkaar ontmoetten, na het werk zo gezegd, en dat Zeus Io in een koe veranderde om te voorkomen dat zijn vrouw Hera erachter kwam. Hera trapte er niet in en stuurde een horzel achter haar aan, wat Io noodzaakte in de dichtstbijzijnde plas water te springen om verlichting te zoeken. Dit gebeurde ongeveer op de plaats waar we ons nu bevinden en die bekend werd als Bous (Os) Poros (Voorde).

Alles verschilt erg van wat we zojuist achter ons hebben gelaten. Op de groene heuvels staan minaretten en cipressen; er worden huizen gebouwd, waarvan vele gekroond zijn met schotelantennes. Rijen personenauto's banen zich zigzaggend een weg over drukke kustwegen, die aan de ene kant geflankeerd worden door appartementen met balkons en aan de andere kant door witte jachten.

De *Junost* is zoals ze eruitziet, een slecht onderhouden, overbemand en provinciaal scheepje, in verlegenheid gebracht door deze uitbarsting van kapitalistische neofilie. De *Junost* is als de Sovjet-Unie zelf, inefficiënt en slecht uitgerust, maar met veel karakter. Haar tekortkomingen creëren een atmosfeer van nabijheid en warmte onder de gedeelde tegenspoed. Ik kan nauwelijks wachten op enkele materiële genietingen, maar ik weet dat ik juffrouw Lyuba en Felix en de druipende officier zal missen.

Als we het 540 jaar oude Ottomaanse fort Rumeli Hasari passeren, dat in vier maanden gebouwd is, wordt ieder van ons aan de reling opgewonden en onzeker. Het meisje van Ilkley zal vandaag haar eindexamenresultaten te horen krijgen. Twee Afghanen, die vanuit Rusland naar het Westen zijn getrokken om een zaak op te zetten, zullen vandaag voor het eerst het reële kapitalisme ontmoeten. De eerste officier zal vandaag verlangend een glimp van dat kapitalisme opvangen, voordat hij zijn schip omkeert naar een land dat uiteenvalt. Alleen Felix lijkt onaangedaan en maakt met zijn hoofd een reeks van halsbrekende draaiingen, alsof hij wanhopig probeert een volledige rotatie van 360 graden te bereiken.

De gracieuze, verreikende overspanning van de eerste brug die ooit de twee continenten heeft verbonden, zweeft hoog boven ons als het onvergelijkelijke silhouet van Istanbul in zicht komt. Istanbul is gebouwd op landtongen rondom de baai die als de Gouden Hoorn bekend staat, waardoor het een van de mooiste stedelijke landschappen ter wereld vormt. Istanbul heeft moderne gebouwen, maar maakt over het geheel een gracieuze en harmonische indruk door de moskeeën, met hun vele koepels en de begeleidende minaretten als hemelwaarts gerichte verdedigingsraketten, door de uitgestrekte schoonheid van het Topkapi Paleis, dat het oog naar de borstweringen van de oude stadswallen leidt, en door de haven, die krioelt van de overbeladen veerboten.

Het heimelijke, aarzelende en introverte openbare leven van de Sovjet-Unie is vervangen door kreten, gebaren, verwensingen, herrie, bedrijvigheid en haast.

Om klokslag tien over negen komen we aan, op een kade die gerund lijkt te worden door een zeer bezitterige kater, die, omringd door een aftandse harem, kijkt hoe we afmeren en die elke uitstappende passagier besnuffelt.

De douaneformaliteiten worden sympathiek en goedgehumeurd afgehandeld. Onze nieuwe 'klusjesman' Sevim, een formidabele en energieke dame van middelbare leeftijd, geeft iedereen instructies. Als er moeilijkheden zijn met de dragers, die bezwaren tegen het filmen hebben omdat ze hun beste overalls niet aanhebben, verwerpt ze deze kordaat:

'Die complexen... het is een probleem van een derdewereldland...'

Als we de douanehal verlaten, zijn alleen de twee Afghanen nog over. De inhoud van hun koffers, die vooral bestaat uit goedkope souvenirs, lokale kleden en kussens, wordt over de inspectietafel uitgestrooid. Misschien zal Turkije toch niet het beloofde land blijken.

Voor mij zijn doodgewone zaken als cafés aan het water en vers sinaasappelsap, en zelfs een verkeersopstopping, nieuw en wonderbaarlijk. De jongeman uit Ilkley, die terugkeert van een jaar in de Sovjet-Unie, schudt zijn hoofd in ongeloof.

DAG 43 – ISTANBUL

Gewekt door het vervormde geluid van een muezzin op een band-je, die de gelovigen tot gebed oproept. Het is 5.30 uur. Ontbijten met sinaasappelsap, cornflakes en een honingraat – zaken die ik sinds Helsinki, drie weken geleden, niet meer heb gezien. Fraser had een nachtmerrie waarin hij elke minaret in Istanbul van geluidsdraad moest voorzien.

Istanbul is een erg lawaaiige stad, en het meeste geluid wordt geproduceerd door een gigantisch bouwproject. Een metgezel voor de beroemde drukke Galata-brug over de Gouden Hoorn is bijna gereed. Een laatste, massief onderdeel van de zesbaanssnel-weg moet nog in positie getakeld worden. Het steekt omhoog in een rechte hoek, een kolossaal fallussymbool van regeneratie. Sevim vertelt dat de reconstructie met zo'n snelheid wordt aange-pakt dat haar man, toen hij op een maandagochtend naar zijn werk ging, constateerde dat zijn winkel verdwenen was, terwijl hij pas een maand geleden een bericht tot renovatie had ontvangen. Er zijn enkelen die bedenkingen hebben bij de snelheid van de ver-anderingen. Een van hen is Altemur Kilic, een Turkse schrijver en diplomaat en vriend van de president, Turgut Özal. Hij herinnert zich het Istanbul van slechts 30 jaar geleden als een stad van 750.000 inwoners, een toevlucht voor een aantal bloeiende bui-tenlandse gemeenschappen – Grieken, joden, Armeniërs en de gemeenschap die bekend stond als de Levantijnen: Italianen, Engelsen en Fransen die al hun hele leven in Turkije woonden. Hijzelf ging naar de Engelse Istanbul High School for Boys, waar hij de rector, Mr. Peach, toegenegen aansprak met Baba, 'Vader'. De leraren sloegen hem regelmatig met een rietje. Hij lacht geluk-zalig bij deze herinnering. 'Mijn vader stond hun dit toe. Het hielp mijn karakter te vormen.' Tussen de pakken slaag door speelde Altemur cricket, las hij *Boy's Own Paper* en groeide hij op in een Istanbul dat klein genoeg was hem het gevoel te geven 'dat hij iemand voorstelde in een grote stad'. Nu is de stadsbevolking gegroeid tot 8 miljoen, en echte Istanbulisten, zoals hij ze noemt, zijn er niet veel meer.

Als ik uit zijn elegante, bescheiden huis aan een kleine hellende straat in Emirgan stap, zou ik me in Zuid-Frankrijk kunnen wanen. Het blauwe water van de Bosporus dat het zonlicht vangt, de men-sen die een drankje of een kop koffie nemen onder de essen of de mimosabomen en de bijna onafgebroken stroom verkeer.

Beneden aan de Galata-brug, dicht bij de oude specerijenmarkt, is het tempo van het Istanbulse leven het gejaagdst. Veerboten voeren voortdurend een gestage stroom handelswaar af en aan voor de voedselverkopers op de straten. Vissersboten schieten toe, steken hun houtskolen barbecues aan, en verkopen hun gegrilde vangst op het water terwijl de bootjes hevig schommelen op de golfslag van de veerboten. Je zou elke avond op straat kunnen dineren zonder tweemaal hetzelfde menu te hoeven nemen. Naast de vis, opgediend in heerlijke sandwiches van warm vers brood, tomaten en uien, zijn er kebabs, krakelingen, walnoten, pannenkoeken, gevulde mosselen, maïskolven, sappige stukken meloen en zoveel zoete thee als je maar kunt drinken.

Ver weg in Engeland begint nu de eerste dag van het voetbalseizoen en in mijn hotel vertoont de nieuwe BBC World Service Television de vijfde aflevering van *Around the World in 80 Days*.

DAG 44 – ISTANBUL

De filmploeg is vroeg opgestaan om de zonsopgang te filmen vanaf de 600 jaar oude Galata Toren, waar de Genuese christenen in mei 1453 het bestuur van de stad overdroegen aan de Ottomaanse moslims, een keerpunt in de Europese geschiedenis. Tijdens het ontbijt in het Pera Palas Hotel hoor ik het eerste nieuws over een historische gebeurtenis in het heden. Degenen die in het bezit zijn van kortegolfradio's hebben vanuit de Sovjet-Unie gehoord dat Gorbatsjov bij een rechtse coup is afgezet. Niemand weet op dit moment meer. Ik denk aan al de vrienden die we hebben gemaakt – Irena en Volodya en Edward en Sasha de Lenin-imitator, en ik besef dat de zaken er slecht voor hen uitzien als dit nieuws waar is.

In egoïstisch opzicht kunnen we alleen maar dankbaar zijn voor een buitengewoon gelukkige ontsnapping. Als dit drie dagen eerder was gebeurd, zou de *Junost* waarschijnlijk niet uit Odessa vertrokken zijn en zouden we zijn gestrand.

De schaduw van deze grote gebeurtenissen hangt over de dag en geeft aan alles wat we doen een onwerkelijk aspect. Iets van deze onwerkelijkheid is reeds aanwezig, vooral in kamer 411 van het Pera Palas Hotel. In deze kamer schreef Agatha Christie *Murder on the Orient Express*. Het is een kleine en nogal krappe kamer, waar je tegenwoordig weinig geschriften af zou krijgen aangezien ze zojuist een achtbaansweg onder het raam hebben aangelegd. Na haar dood in 1976 wilde Warner Brothers een film maken over het mysterie van de 11 verdwenen dagen uit haar leven. Een Amerikaans medium, Tamara Rand, vertelde dat ze in trance een hotel in Istanbul had gezien en dat ze had gezien dat Agatha Christie in kamer 411 van dat hotel de sleutel van haar dagboek onder de vloerplanken verborg. Op 7 maart 1979 werd de kamer doorzocht en een roestige sleutel gevonden. De directeur van de hotelmaatschappij voelde de interesse van Warner Brothers, maar schatte hun generositeit verkeerd in. Hij plaatste de sleutel in een kluis en vroeg 2 miljoen dollars, plus 15 procent van de opbrengst van de film. Daar is de sleutel gebleven. De ouderdom van de sleutel is vastgesteld, en aangezien Agatha Christie haar bewegingen op reis altijd geheim hield, wordt het als onwaarschijnlijk beschouwd dat het medium van het Pera Palas afwist voordat ze het in haar trance zag.

Dit alles maakt kamer 411 tot een griezelige plaats en ik ben blij als ik me weer buiten in de drukte van Pera-straat bevind – de twee kilometer lange verkeersader door Istanbul. De beste manier om de straat te zien is om er in de eerbiedwaardige rode en room-kleurige trams doorheen te rijden, hoewel ik moet bekennen dat ik naar adem snak als ik het nummer opmerk van de tram waarin we zitten – 411.

Ik koop een panamahoed voor nog geen 20 gulden van een oude-re, Franssprekende Turk, in een winkeltje bij een tramhalte. Ik ben niet dol op hoeden, maar in een klimaat dat met de dag warmer wordt, zie ik de voordelen ervan. Vanwege het klimaat, de geschie-denis en de geografische ligging is Istanbul in wezen een handels-stad. Hier komen Rusland, het Middellandse-Zeegebied, Europa en Azië bij elkaar en hoewel een wandeling door de eindeloze gale-rijen van de oude, overdekte markt een overweldigende indruk van rijkdom en gevarieerdheid geeft, is er geen betere plaats om de handel in zijn puurste vorm te zien dan het plein buiten de poorten van de Beyazit II-moskee en bij de indrukwekkende poort met islamitische bogen van de Universiteit van Istanbul. Hier vindt een buitengewone dans van handelaren plaats. Het zijn steelse mensen op het randje van de wet, die kopen en verkopen in de geest, zo niet de valuta, van deze grootse handelsstad. Er zijn

Azerbajdzjanen, Iraniërs, Polen, Roemenen, Oekraïners en Afghanen. De meesten hebben hun waren in zwarte plastic tassen. Ik zie Marlboro-sigaretten die voor dollars worden verhandeld, plastic treintjes, goedkope Oost-Europese vliegtuigjes, een anorak, wat metalen siervoorwerpen – en dat alles trekt de menigten aan. Aan het einde van deze warme, zware dag is de verkwikking van een echt Turks bad, een hammam, onweerstaanbaar.

Het Cataloglu Hammam, een schitterend warenhuis voor properheid, viert dit jaar dat het 300 jaren in bedrijf is, gedurende welke tijd het onder anderen koning Edward VII, keizer Wilhelm, Florence Nightingale en Tony Curtis heeft gereinigd. Ik kan kiezen uit een 'zelfbedieningbad' – de goedkoopste mogelijkheid, een 'bad met boen-assistentie', een 'Massage à la Turk – u voelt zich jaren jonger na deze krachtige revitaliseringsbehandeling' en 'Het Sultansbad', dat bescheiden belooft dat 'u zich herboren voelt'. 120.000 Turkse lira, ongeveer *f* 50,-, is een koopje voor een wedergeboorte en nadat ik heb ingetekend krijg ik een rood-met-witte lendenhanddoek en word ik naar een kleedhokje verwezen. Door het raampje zie ik een groep masseurs met lange hangsnorren, behaarde borsten, bulkende buiken en een enkele tatoeage. Op dat moment komen een Turkse vader en zoon uit een kleedhokje, van wie het jongetje, dat er niet ouder dan acht of negen jaar uitziet, door een van deze desperado's naar de stoomruimte wordt gedreven, hoewel zachtaardig en met bemoedigende vriendelijkheid.

De stoomruimte, de harahet, bevindt zich aan de zijkant van een gigantische centrale ruimte met muren en een vloer van zilvergrijs marmer en met een koepel die door elegante zuilen en bogen wordt ondersteund. Terwijl ik met behulp van de vloerverwarming een druipende transpiratie veroorzaak, raak ik in gesprek met een medebader, een Italiaan. Hij is van Bologna naar Istanbul gereden en is tamelijk ongedeerd door Joegoslavië heen gekomen, waar zich op het moment een burgeroorlog afspeelt. Het zojuist bevrijde Roemenië vond hij daarentegen een somber en gevaarlijk land. Benzine was haast niet te krijgen. Hij kocht een blik dat later water bleek te bevatten. Ik vroeg hem of er nog nieuws van de USSR was. Hij zei dat hij had gehoord dat Leningrad was afgesloten en dat er tanks op weg waren naar het Kremlin.

Dan is het mijn beurt op de brede, ingelegde marmeren massageplaat, die Gobek Tasi heet. Ik word geboend, uitgerekt en op een gegeven moment zelfs als een paard bestegen. Voordat ik van start heb kunnen gaan, trekt de masseur aan mijn armen, waarna hij mij begint in te zepen. Hij zegt voortdurend 'Goed?' op een toon die geen tegenspraak duldt. Dan trekt hij een sinistere zwarte washand aan met de grootte van een vanghandschoen voor honkballers. (De brochure beschrijft deze als een 'handgeknoopte oriëntaalse washand', maar het voelt aan als een Brillo-sponsje.) Nooit ben ik zo grondig schoongeschrobd. Vuil en huid rollen van me af als de aankleefsels van een sportschoen. Hoe kan ik zo vuil zijn en daar niets van geweten hebben?

Aan de achterkant van de hammam bevindt zich een kleine bar, die uitkijkt op een open tuin. Als ik daar eenmaal zit met een glas raki en een schaal druiven, genietend van het nagloeien van het bad aan het einde van een lange dag, voel ik me zo tevreden als ik maar kan zijn.

Het laatste nieuws van de dag is dat de haven van Tallinn, waar we drie weken geleden binnenvoeren, door een blokkade is afgesloten.

DAG 45 – VAN ISTANBUL NAAR SELÇUK

Om 6 uur op, om bij station Sirkeci een treinkaartje naar Izmir te kopen. Fraser gaat elke dag meer op Cassandra lijken. Deze morgen heeft hij gehoord dat in Istanbul een Britse zakenman is vermoord en dat Britse toeristen wordt geadviseerd op hun hoede te zijn. Helaas heeft niemand ons verteld waarvoor we op onze hoede moeten zijn.

In de hal van dit station aan het uiteinde van Europa, waar de Oriënt-expres eindigde, bevindt zich een groot halfreliëf van het hoofd van Kemal Ataturk, de stichter van het moderne Turkije. Zijn aanwezigheid is even alomtegenwoordig als die van Lenin in de Sovjet-Unie, maar in tegenstelling tot Lenin wordt Ataturk nog steeds zeer geacht en geëerd, 50 jaar na zijn dood. Zelfs de opgewekt cynische Sevim verklaart – nadat ze heeft verteld dat hij aan levercirrose stierf en een buitensporig seksleven had – 'hij was een groot man.'

We vertrekken om 9 uur uit Istanbul met de veerboot M.S. *Bandirma*, die er viereneenhalf uur over doet om over te steken naar de stad Bandirma. Deze ligt aan de noordkust van wat mijn schoolatlas altijd betitelde als Klein-Azië. Het schip vervoert ongeveer duizend passagiers – een mengelmoes van Turkse studenten, zakenlieden met schootcomputers, gesluierde moslimvrouwen en buitenlandse rugzaktoeristen. De bars en cafés zijn al open en de verkopers van dranken en broodjes worstelen zich al door de menigte.

Sevim kijkt minachtend neer op een aantal van de passagiers. Turken zijn nomaden, wil ze ons per se vertellen, ze vestigen zich nooit ergens, ze gebruiken dingen, maken ze kapot en gooien ze weg. Ik raak aan de praat met een Turkse acteur, die naar het zuiden gaat om een aantal nachtvoorstellingen te geven. Hij mist de jaren zestig, toen er een overvloed aan goede schrijvers was. Ik vraag hem of er een Nationaal Theater in Turkije is. 'Oh zeker, ze spelen de klassieken,' lacht hij zuur, 'in een bijzonder klassieke uitvoering.' Ik wens hem het beste en hij geeft me zijn krant, die bol staat van het nieuws over Gorbatsjovs ondergang. Hij staat duidelijk onder arrest in de Krim, maar aan meer informatie is een tekort, zoals aan al het andere in de Sovjet-Unie.

Om half twee landen we op het continent Azië, waar we ons een weg moeten vechten langs verkopers van zonnebrillen, de krakelingboeren en de schoenpoetsers – 'witte schoenen heel slecht meneer', roepen ze terwijl ze naar mijn gymschoenen wijzen. We vinden het station en stappen in de Marmora-expres naar Izmir en het zuiden, een dieseltrein met vier wagons.

Op een van de velden laadt een groep witgesluierde vrouwen bieten, of misschien watermeloenen, in een grote aanhangwagen. Achter hen zien we het eerste grote stuk hoogland sinds we 28 dagen geleden Hammerfest verlieten. Als we Balikesir naderen, verdwijnt de platte vlakte totaal en kronkelen we door hoge, beboste kalkheuvels, die uiteindelijk plaatsmaken voor rotsige ravijnen.

Wanneer de avond valt, bevinden we ons in het land van legenden en het verre verleden. Troje is vlakbij, Smyrna (nu Izmir) strekt zich uit aan de zee en het is nacht als we Selcuk binnenrijden, een paar kilometer van de oude stad Efeze, waar volgens de legende de Maagd Maria op 64-jarige leeftijd gestorven is.

In het pension krijg ik een kleine witgekalkte kamer met een eenvoudige, vurenhouten tafel en een kilim, het enige dat de kamer kleur geeft. Om middernacht vermengt buiten mijn raam de straatconversatie zich met het onophoudelijk geklepper van de sandalen op de weg.

Spitsbergen – het oversteken
van de gletsjer.

In en rond Tromsø – de man van het jaar 1991 (?), Amundsen, man van het
jaar 1911 (!) en supporters van Sheffield Wednesday.

Op de thee in een laavu.

Hond eet BBC-medewerker.

Finland – vier mannen op het station, drie mannen aan het meer.

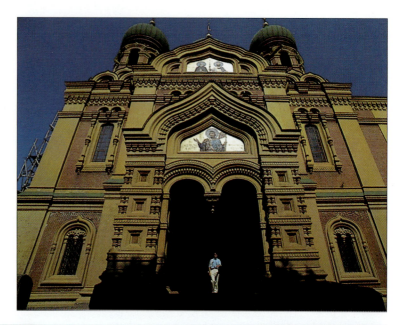

Tallinn – kathedralen en kinderkopjes.

De laatste dagen in Leningrad
– op pad met Lenin.

De Russische kussendans, niet aan te bevelen na rivierkreeft en wodka.

De trein naar Kiev – met Vadim (dichtst bij het raam) en een vriend in de restauratiewagon, en een twee uur durend oponthoud in Russische stijl.

Zuidwaarts over de machtige Dnepr op de *Katun*.

In Russische stijl de Potemkin-trappen in Odessa af.

Het wonder van de modder,
aanbevolen door artsen.

Strand Arkadi (moddervrij).

Luie dagen op de Zwarte Zee – ontspannen bij het zwembad; Felix warmt zich op voor Istanbul.

Het eiland Rhodos –
de gastvrijheid van Yorkshire in
Lindos en een wandelingetje
met Vangelis door de straten
van Rhodos-stad.

In Afrika – Port Said verwelkomt de Britse toeristen, en het statief, verloren
en teruggevonden.

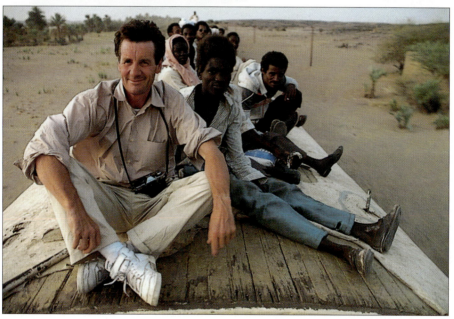

De Nile Valley Expres: reizen per dak-klasse.

<<
Karnak – het verleden aan het hof van Amenhotep III:
Tadorus 83 jaren, Palin 48 jaren, zuil 3500 jaren.

Boven: gezicht van Soedan.
Onder: het begin van een nieuwe feloek.

DAG 46 – VAN SELÇUK NAAR EFEZE EN MARMARIS

Om 9 uur bij de ingang naar de ruïnes van Efeze om de drukte te vermijden. Voordat we de poorten bereiken, moeten we spitsroeden lopen langs de vele stalletjes. Behalve de gebruikelijke hoeveelheid reisgidsen, fezzen, zonnehoeden, pijpen en kleren is er ook een klein leger van poppetjes met enorme fallussen. Het zijn reproducties van beeldjes die teruggaan naar de zeer vroege, voorchristelijke periode van Efeze, toen het het centrum was van de vruchtbaarheidscultus rond de godin Cybele. Heden ten dage zijn ze verkrijgbaar als oorbellen. Basil koopt er enkele als kerstcadeautje.

Ik ben geen liefhebber van ruïnes. In het algemeen vereisen ze een enorme inspanning van de verbeelding en het geduld voor een relatief karige beloning, maar het terrein van Efeze is een uitzondering. Ik kan op 2000 jaar oude stapstenen lopen met aan weerszijden herkenbare gebouwen – fonteinen, bibliotheken en tempels, die door de rijken van Efeze geschonken werden om hun invloed te vergroten en de mensen in het algemeen onder de indruk te brengen. Veel gedecoreerde zuilen en friezen staan nog overeind, terwijl andere gebroken en verspreid over de grond liggen. Beneden aan de heuvel dwaal ik langs de geschiedenis, voorbij de overblijfselen van een voorchristelijk bordeel en een openbare latrine, naar de gracieuze voorkant van de Bibliotheek van Celsus, die omstreeks 135 na Christus gebouwd werd en 12.000 rollen bevatte – alle vernietigd bij de plundering van de stad door de Goten in 262.

De meest recente invasie van Efeze komt halverwege de ochtend aardig op gang, als de menigte rondom de grootste klassieke ruïne op Pompeii na toestroomt en het reduceert tot weer een andere aanblik en het zo berooft van magie en sfeer. De zon blikkert tegen de stenen, brandt van boven en van beneden, zodat ik blij ben als het filmen klaar is en we naar Marmaris en de zee kunnen vertrekken.

Het is de eerste onmiskenbaar hete dag van onze reis. De bus rijdt door droge en zinderende heuvels die bedekt zijn met verspreid struikgewas, lage pijnbomen en een enkel door cipressen omringd kerkhof. Een trillend waas stijgt vanaf de bermen op, waar pepers in de verschroeiende zon liggen te drogen.

Mijn thermometer wijst 36 graden aan als we in Cine aankomen, waar we een uitstekende lunch in een verder leeg wegrestaurant gebruiken. Boven onze hoofden toont een wazig televisiescherm legervoertuigen en flitsende lampen in Moskou. De ober kijkt op en schudt zijn hoofd. Het wordt ernst. Mensen zijn onder tanks verpletterd. Maar de hitte wikkelt alles in een deken waaronder de tijd en de buitenwereld ophouden te bestaan.

Dan, 100 kilometer verder, een buitengewone gebeurtenis. We zijn in het pijnwoud boven Marmaris gestopt om te filmen dat mijn bus naar de stad afdaalt. Een auto met enkele slaperige picknickers staat met open deuren in de schaduw van een boom geparkeerd. Een Turkse stem prevelt vanuit de autoradio. Sevim blijft plotseling staan en luistert, met een geconcentreerde blik die langzaam ontspant in een uitdrukking van ongeloof. Terwijl ze luistert, praat ze tegen ons: 'Het nieuws uit Moskou is dat de coup beëindigd is... enkele generaals zijn dood...' Ze luistert opnieuw, 'Gorbatsjov keert terug naar Moskou.'

Op deze lusteloze, luie namiddag in het zuiden van Turkije lijkt dit ongelooflijk. De geschiedenis kan niet zó snel gaan.

Enkele minuten later bereiken we de stranden van de Egeïsche Zee, ofschoon de stad Marmaris vrijwel van de open zee is gescheiden door twee grote landtongen, die als twee grote kreeftenscharen een schitterende, blauwgroene baai omsluiten. Men noemt dit de Turkooizen Kust. Het uitzicht vanuit de haven is wonderschoon, maar de haven zelf is omzoomd door restaurants met toeristenmenu's en luxueuze jachten, waarvan het grootste de Britse vlag voert. Het gerucht gaat dat prinses Margaret aan boord is.

DAG 47 – VAN MARMARIS NAAR RHODOS

Als we ons hotel verlaten, bakenen sommige toeristen hun plekje strand al af, en eerlijk gezegd wilde ik dat ik me bij hen kon voegen. Onze reis rond de Middellandse Zee lijkt nu een vermoeiende krachttoer. Er is geen directe zeeverbinding tussen Turkije en Egypte, maar als we Limassol op Cyprus kunnen bereiken, is er vandaar een verbinding met Port Said. Maar de Grieks-Cyprioten, die nog steeds verbitterd zijn over de Turkse invasie van Cyprus in 1974, laten geen in Turkije geregistreerde schepen toe in hun havens. Onze enige kans is dat we eerst naar Griekenland reizen en daar een schip naar Limassol oppikken. Dit is een verzwaring van ons schema en onze werkdruk, wel het laatste wat we kunnen gebruiken met geheel Afrika nog voor ons.

We sluiten ons aan in de rij voor kaartjes voor het veer naar Rhodos, het dichtstbijzijnde van de Griekse eilanden – 80 kilometer naar het zuiden. Het feit dat we de apparatuur en bagage voor een wereldreis met ons meevoeren, maakt de zaken er niet eenvoudiger op. Van deze kleine schepen wordt al het uiterste gevergd om 200 mensen aan boord te krijgen. Maar Clem en Angela gebruiken al hun overredings- en overtuigingskracht, zodat we onze plaats naast de rugzaktoeristen en de Italiaanse motorrijders kunnen zoeken. Mijn laatste herinnering aan Marmaris is het uithangbord van een havenwinkeltje, waarop de diensten worden aangeboden van 'Doctor Satan, gynaecoloog'.

De oversteek naar Rhodos begint idyllisch. We varen door de nauwe opening van de baai en passeren het schiereiland Bozburun, in wat ontegenzeglijk een turkooizen zee is. Maar achter het eiland loert een straffe westenwind, die ons aan stuurboord vol raakt. De Italianen snellen naar het achterschip om hun BMW's vast te sjorren, en één flinke golf over het bovendek is voldoende om een exodus van ontstelde zonnebaders te veroorzaken, met het doorweekte pocketboek in de hand geklemd.

Omstreeks lunchtijd landen we onder de goed bewaard gebleven middeleeuwse versterkingen van de stad Rhodos. Deze zijn gebouwd door de johannieter-ridders toen ze in 1309 het eiland overnamen. Later heersten gedurende bijna 400 jaar de Turken, tot de Italianen hen in 1912 verdreven. Rhodos maakt pas sinds 1945 deel uit van Griekenland. We boeken een minuscuul, karaktervol pension, dat Cava d'Oro heet, in de stadsmuren is ingebouwd en het jaartal 1281 draagt. De accommodatie is eenvoudig en krap en lijkt hoog beladen rugzaktoeristen aan te trekken, die in de deurpost beklemd raken.

Een mede-inwoner van Yorkshire – de astroloog Patric Walker – heeft ons op de thee uitgenodigd in zijn huis in Lindos, zo'n 25 kilometer verderop. Lindos is een klein, besloten stadje, waarvan de keurige, schone en scherp afgetekende vlakken van de witgekalkte huisjes glanzen in het zonlicht, dat deze namiddag heet, scherp en vernietigend is. De distels in de bermen hebben een gebleekt gele kleur en de wilde bloemen – die naar men zegt gedurende tweeëneenhalve week hun pracht vertonen – zijn reeds lang

verschrompeld. Op de bekiezelde binnenplaats van een aantrek-
kelijk hoekhuis, naast sinaasappel-, citroen- en mandarijnbomen,
serveert Patric Walker ons een grootse Engelse tea-party (hij heeft
zelfs elke cake versierd met een kaart van onze reis) en waarschuwt hij ons dat Mercurius zich in retrograde bevindt. 'Als de pla-
neet Mercurius zich achterwaarts in het hemelruim lijkt te bewegen
– dat is niet zo, maar dat lijkt zo te zijn... ontstaat een periode waarin alle vormen van communicatie en reisplannen dreigen mis te
lopen.' Blijkbaar gebeurt dit driemaal per jaar, en het verrast me
niet dat Mercurius op het moment in retrograde is en dat de
komende weken zal blijven. Aangezien de laatste dagen van elke
periode 'veelal de lastigste neigen te zijn', kunnen we tussen deze
plaats en Egypte grote problemen tegemoet zien. Hij raadpleegt
zijn boek over de bewegingen der planeten en brengt ons de
opwekkende boodschap dat november opnieuw zo'n periode is –
wanneer we hopen vanuit Zuid-Afrika naar de Zuidpool te reizen.
Ik geloof niet dat Patric graag de voorbode van slecht nieuws is.
Als hij onze terneergeslagen gezichten ziet, tracht hij ons gerust te
stellen. 'Astrologie', zo zegt hij, 'is een kunst en geen wetenschap.
... Iedereen verwacht dat de astroloog onfeilbaar is, maar dat is hij
niet. Ik kan er even ver naast zitten als ieder ander, vooral over...
weet je, mijn eigen leven.'
Zijn eigen leven lijkt me erg aangenaam. Vooral over de rand van
het glas champagne dat hij ons aanbiedt, en kijkend over de zee,
voorbij de daken van de huizen die door de kruisvaarders
gebouwd zijn, terwijl de zon langzaam ondergaat. Voor de tweede
keer vandaag voel ik de bedrieglijke aantrekkingskracht van een
honkvast bestaan.

DAG 48 – RHODOS

Word om twee uur in de nacht wakker uit een terugkerende droom
over tanks in Moskou, om me in de veel ergere kakofonie van de
weg beneden me te bevinden. Motorrijders slippen in bochten,
muziek en luide argumenten stijgen op. Had het kunnen weten: de
dag is voor Tv-ploegen en de nacht is voor de plaatselijke bewoners. Sluit m'n balkondeuren en word een uur later druipend van
het zweet wakker. Open de deuren en lig daar stijf van slapeloos-
heid, terwijl honden de straat overnemen. Probeer de deuren half

open te stutten en breek bijna de ruit, maar val tenminste door de inspanning in slaap. Maar niet voor lang. Om half zeven dendert als laatste een tergend langzame straatveegmachine voorbij. Een half uur later zijn Clem en de filmploeg klaar om te vertrekken.

'Waarom zo vroeg?'

'Dat is de beste tijd. Voordat de wegen druk worden.'

Vangelis Pavlides, een politiek tekenaar en een plaatselijke historicus, heeft erin toegestemd mijn gids op Rhodos te zijn. Hij verschijnt op zijn klassieke BMW-motor, waarna we bij een plaatselijke bakker wat vers brood bemachtigen voordat we een wandeling door de oude stad maken. Vangelis is goed gezelschap. Hij houdt van de stad, maar niet kritiekloos. Naar zijn mening was het rioleringssysteem 400 jaar voor Christus beter dan nu. De stad had bovendien een bevolking van 300.000, die inmiddels tot 80.000 is geslonken.

Een van de mooiste hoofdwegen op Rhodos is de Straat van de Ridders. Men zegt dat deze de oudste straat van Griekenland is en een pad uit de 5de eeuw voor Christus volgt. Een verzameling prachtige middeleeuwse stenen façades rijst omhoog tegen de heuvel, een getuigenis van de grote rijkdom die door de mysterieuze orde van de johanniter-ridders verzameld werd, ondanks hun gelofte van armoede en kuisheid. Het verhaal, dat door Vangelis met graagte verteld wordt, gaat dat zij vermomd als schapen het eiland binnendrongen. Hoewel er nooit meer dan 400 ridders waren (als ze soldaten nodig hadden, gebruikten ze huurlingen), beheersten ze het eiland tot 1522. De orde nam toen de wijk naar Malta en bestaat tot op de huidige dag. Ze heeft nauwe banden met het Vaticaan en bezit eigendommen aan de oudste straten van Griekenland.

Als we terug zijn in zijn woning, die bedekt is met leisten uit Noord-Griekenland, schopt Vangelis zijn schoenen uit en toont hij me enkele van zijn tekeningen voor zijn geschiedenis van het middeleeuwse Rhodos. Het werk bevat veel humor – een zwaar gepantserde ridder bevrijdt zich uit een grote waterpomp voor huishoudelijk gebruik. In Vangelis' woning valt veel te genieten, waaronder een zeer oude box-camera die hij van zijn vader heeft geërfd, een man die het Onze Vader opzei om de belichtingstijd vast te stellen. Als lunch eten we een pizza op zijn balkon, dat uitkijkt op een strand dat bezaaid is met vakantiegangers. Een goede duizend roze lichamen trappen op duizend waterfietsen door de baai. Vangelis vertelt dat veel van zijn oude vrienden uit de buurt door de meedogenloos groeiende menigte bezoekers zijn verjaagd en dat hij morgen naar Kreta vertrekt om van twee weken rust op een zeilboot te genieten.

Wij zijn zelfs nog sneller weg. Ik heb nog net tijd om mijn dochter op te bellen en naar haar CGSE-resultaten te vragen (ik vermoed dat dit de ware reden was dat ik vannacht niet kon slapen). Ze zijn goed, wat ik zou willen vieren, maar we hebben enkel tijd om naar de haven te gaan en ons op de *Silver Paloma* in te schepen – een cruiseschip dat Limassol aandoet. De uiteindelijke bestemming is Haifa, en de meerderheid van de passagiers bestaat uit Israëlische families die van hun vakantie op het Griekse vasteland terugkeren. De veiligheidsmaatregelen worden ons tot op zekere hoogte uitgelegd en ons wordt verzocht alle mogelijke voorzorgsmaatregelen te nemen en onbekende voorwerpen te melden. Het grootste gedeelte van onze uitrusting is veilig in het benedenruim gestouwd, wat Basil aan het diner een prachtopmerking ontlokt. Als Clem naar een van zijn sauzen vraagt om een smakeloze wortelsoep te kruiden, roept Basil luid en geërgerd uit: 'O, nee! De Bom ligt nog in het ruim.' (Lezers die dit onbekend voorkomt, worden verwezen naar Novgorod.)

DAG 49 – VAN RHODOS NAAR LIMASSOL

Alles op de *Silver Paloma* is deprimerend. Het ontbijt is het eerste eten van de hele reis dat ik laat staan. De lucht van verschraalde sigarettenrook hangt in de gangen en kleeft aan de muren. De dekken zijn leeg maar de fruitautomaten drukbezocht. Families kibbelen en ruziën. Er is weinig vreugde in dit alles.

De aankomst in Limassol duurt eindeloos. We zitten in een van de lounges van het schip, die is ingericht met een vreugdeloze combinatie van vinyl, chroom en plastic, en we wachten meer dan een uur, totdat de rij passagiers van boord is gegaan. Dit wordt gevolgd door nogmaals een halfuur oponthoud op de kade, in een benauwde, drukkende hitte, totdat we toestemming krijgen onze apparatuur uit te laden.

Momenten als deze vormen de dieptepunten in onze reis. Niemand van ons is erg fris na een nacht op de boot en na 32 dagen filmen in de afgelopen 5 weken en het oversteken van vier landsgrenzen in alleen al de afgelopen 7 dagen verbruikt ieder van ons zijn energie veel sneller dan hij deze kan vervangen.

Vanuit Limassol rijden we in westelijke richting, langs plantages waar sinaasappels, citroenen, avocado's en kiwi's in lange, ordelijke rijen worden gekweekt en beschermd worden door avenues van eucalyptus- en sparrenbomen. Dan komen we in hoger gebied, waar geen bescherming tegen de zon is en de druiven aan de wijnranken door de zon worden bruingebrand. Een mooie Corinthische boog staat verloren tussen doornstruiken en geeft uitzicht op een amfitheater dat nog steeds voor voorstellingen wordt gebruikt, terwijl de resten van de Romeinse stad Curium vlak bij de 99 vierkante mijl van het Britse Kroongebied met zijn bobby's en brievenbussen liggen. (Men stond de Britten slechts 99 mijl toe, omdat 100 mijl een bezetting zou hebben betekend.) Vijf mijl lang is de weg van Limassol naar het westen in feite Brits gebied, zodat ik aanneem dat we dit ons achtste land mogen noemen.

We gaan naar een dorpje in de buurt van Paphos, waar Ariadne Kyriacu vandaag met Polycarpus Polycarpu trouwt. We zijn op deze bruiloft uitgenodigd, wat geen echte eer is aangezien er meer dan 3000 gasten zullen zijn. Een Cypriotische bruiloft betreft niet alleen de familieleden, maar de hele gemeenschap. Het is niet ongebruikelijk wanneer een aanstaand paar in de krant om gasten adverteert. Men ziet dit als goed voor de zaken.

De bruiloft is nogal een gebeurtenis, vooral als het zoals vandaag een traditionele betreft. De voorstelling gaat omstreeks drie uur van start, als de bruidegom in het openbaar wordt geschoren. Polycarpus is een moderne Cyprioot, student in Duitsland, die bijzonder veel verschilt van zijn stralende, blozende vader, die op het moment het dorpshoofd is. Hij zit in het geraamte van het huis dat voor hem en zijn vrouw gebouwd wordt, en onderwerpt zich met een dappere glimlach aan de zorgen van een oude kapper, die de verontrustende gewoonte heeft om vliegen weg te slaan met zijn moorddadige scheermes.

Na de langste scheersessie die ik ooit heb mogen aanschouwen, lopen we met z'n allen door het dorp in de richting van de kerk. Ik raak aan de praat met de vrouw van de ceremoniemeester, die uit Kent blijkt te komen. Zij trouwde met haar Cypriotische man na een vakantieromance. Ze hadden duizend gasten, '... maar ik wilde ook geen grote bruiloft,' legt ze uit.

Bij de kerk arriveert Polycarpus' bruid, in een indrukwekkende combinatie van witte kleren en diepzwart haar, dat gevat is in een bloemenkrans en uitstroomt in een massa van zorgvuldig wanordelijke krullen. Ze ziet er adembenemend uit, als een Edwardiaanse actrice – lang, zeer slank, met een krachtig gezicht en een lange, rechte neus. Dan beginnen drie priesters, zonder bepaald haast te maken, met een lange recitatie van de liturgie. Er wordt een professionele video-opname gemaakt, en de regisseur, een man met een geel colbertje dat volledig detoneert, snelt tussen de priesters door, verplaatst heilige voorwerpen en loopt in het algemeen iedereen in de weg. De kerk is veel te klein voor alle gasten en mensen komen en gaan naar eigen goeddunken. Alleen de oude weduwen – die men 'merels' noemt – volgen de dienst aandachtig en bewegen hun lippen bij de woorden van de priesters. Tijdens deze merkwaardige vermenging van het spirituele en het seculiere blijven Polycarpus en Ariadne heroïsch staan, totdat het grote moment aanbreekt en zij met een wit lint verbonden worden, de communie ontvangen en als in processie rond een bijbel gaan. Maar hun arbeid is nauwelijks begonnen. Tijdens het bruiloftsfeest, dat gehouden wordt op de reusachtige binnenplaats van wat eens een klooster was, ontvangen ze gedurende een drie uur durende zitting de gasten. Men vertelt mij dat het de gewoonte is het gelukkige paar bij de verwelkoming een kleine financiële gift toe te stoppen. Als ik eindelijk bij hen ben aangeland, bulken Polycarpus' zakken van de bankbiljetten, waarvan hij af en toe door een van de familieleden wordt ontlast.

We zitten aan lange tafels en smullen van lamskoteletten, moussaka en To Rezi, een dik maar smakelijk mengsel van havermeel waarvan de bereiding twee dagen in beslag neemt, en het eten ervan bijna even lang. Er is muziek en dans, inclusief een dans waarin het huwelijksbed wordt gezegend en waarbij vier mannen een bijzonder lastige pantoffeldans moeten uitvoeren terwijl ze een matras op hun schouders houden. Polycarpus en Ariadne kennen geen rust. Ze worden het toneel opgevoerd om de bruiloftstaart aan te snijden, wat uitstekend verloopt totdat de ceremoniemeester al te ijverig een fles champagne opent en met een straal schuim het bruidspaar besproeit. Terwijl de champagne van zijn voorhoofd druipt, zie ik Polycarpus' glimlach voor een fractie van een seconde verdwijnen, voordat hij weer de centrale figuur is en de snel afgedroogde Ariadne voorgaat in een langzame, nogal onelegante dans, die de Lentepijn genoemd zou kunnen worden. De dans is zo langzaam om familie en vrienden de gelegenheid te geven geld op het paar te prikken. Polycarpus is zelfs op z'n best geen Fred Astaire, en het feit dat hij bij het rondhopsen met slingers valuta wordt versierd, maakt het er niet beter op. Omstreeks middernacht moeten ze elk zo'n drieduizend gulden dragen, zodat ik nu degenen begrijp die stellen dat deze bruiloften, behalve goede publiciteit, zelfs winst kunnen opleveren. Dit geeft echter weinig steun aan Polycarpus, die behoorlijk lusteloos aan het worden is, terwijl de nacht nog jong is. Maar zijn vrouw is mooi en de 3000 gasten hebben de tijd van hun leven en het is bijna volle maan in een wolkenloze hemel.

DAG 50 – LIMASSOL EN AKROTIRI

Als ik de families rondom het zwembad van ons hotel zie, word ik herinnerd aan de zomervakanties die ik met mijn eigen familie heb doorgebracht en aan de vakantie die ik op het moment mis. Basil, die een vleugje heimwee bespeurt, vrolijkt me op met een verslag van een plaatselijk festival dat hij gisteravond bezocht, waar hij de kroning van Miss Druif 1992 aanschouwde. Haar prijs was 45 gulden aan kip en grote vissen.

Er ligt een exemplaar van de *Sunday Times* in het hotel – de eerste actuele Engelse krant die ik sinds twee maanden heb gezien. Gorbatsjov moet de Communistische Partij ontbinden. De Oekraïne en Estland hebben zich onafhankelijk verklaard. Ik moet het opnieuw lezen voordat ik het kan geloven. Pas 10 dagen geleden bevonden we ons in de Oekraïne, waar zelfs optimisten dachten dat ze de onafhankelijkheid pas over 30 of 40 jaar konden begroeten, en bevonden we ons in een Sovjet-Unie waarvan het bestaan onafscheidelijk verbonden was met het communisme. Pas 5 dagen geleden werd het land geleid door een groep generaals die voorstander waren van een harde-lijnpolitiek. De USSR is op een spectaculaire manier opgeblazen.

We brengen de middag door bij de Britse strijdkrachten op een RAF-basis in Akrotiri. Daar is naar het schijnt weinig veranderd. Er is een tekort aan water, wat betekent dat de sportterreinen met 'behandeld afvoerwater', dat wil zeggen rioolwater, bevloeid moeten worden, maar er is nog steeds polo en cricket en cream tea en een fanfarekorps.

In werkelijkheid is er behoorlijk wat veranderd. Het garnizoen in Akropiri is van de – maximale – bezetting van 5000 gereduceerd tot 1500. Men is bezorgd dat de Griekse Cyprioten en de Turken hun geschil zullen bijleggen en dat de drie bases die de Britten op het eiland hebben, de eerste slachtoffers van de toenaderingen zullen zijn.

Als onze papieren gecontroleerd zijn, worden we naar de basis geëscorteerd en passeren we een bord met weersvoorspellingen, waarop met krijt de boodschap staat gekrabbeld: 'Op Cyprus heeft men verplicht vrij op de eerste dag met regen'. Tussen een Jeugd XI en een Veteranen IX is een cricketmatch aan de gang, maar hoe ze bij deze hitte en op een grasveld besproeid met rioolwater kunnen spelen, valt buiten mijn bevattingsvermogen. Er is hier geen verkoelend briesje, enkel een lucht van zo'n vochtigheid dat ze bijna borrelt. Maar een rechtgeaarde Brit laat zich hierdoor niet hinderen, en tijdens de pauze smullen de beide teams van roombroodjes en koppen hete thee alsof het een lentedag in Hove is. Ik vraag een van de veteranen of hij vandaag veel gewicht verloren heeft.

'Och, ongeveer zeven flesjes Carlsberg.'

Men praat meer over sport dan over vechten, ofschoon de basis tijdens de Golfoorlog vijf maanden eerder volledig gevechtsklaar was, toen een extra medische eenheid van 400 mensen werd gedetacheerd om de verwachte slachtoffers te verzorgen. De mannen met wie ik spreek, zien Cyprus als een prima standplaats, maar sommige van hun vrouwen zijn minder enthousiast. Doordat veel van de niet-militaire banen openstaan voor de Cyprioten, is het voor de vrouwen erg moeilijk om werk te vinden, en na een aanvankelijke euforie over de zon, het zand en de zee kan het leven erg eentonig worden. Zoals een van hen veelbetekenend zei: 'Al wat je hier kunt doen, is baby's krijgen.'

De fanfare van het derde bataljon van het Queens' Regiment brengt 'Sussex by the Sea' tot een bewogen einde, de teams begeven zich weer op het cricketveld en ik word hoog in een Wessex-helikopter gehesen om een borreltje te gaan drinken met de commandant van de Britse strijdkrachten op Cyprus, vice-luchtmaarschalk Sandy Hunter, en zijn vrouw Wilma. Ze wonen in een langwerpig, comfortabel huis op de top van een versterkte heuvelrug en beschikken over een eigen helikopterveld. Onze drankjes worden geserveerd door een Soedanese butler met de naam Ahmed, een indrukwekkende man met een grote ernst, die al 35 jaar voor de Britten werkt. Zijn familie woont ten noorden van Khartoum, 'naast station Nummer 6'. Als hij hoort dat dit op onze route ligt, dringt hij erop aan dat ik hun dorp aan de rivier bezoek.

'We hebben eiland en huis daar, meneer. Eiland heel mooi, we zorgen voor een fijne dag, meneer.'

We rijden op een heuvelrug van het huis van Sandy en Wilma weg, vanwaar we een schitterende zonsondergang kunnen bewonderen. Aan een kant strekt zich een lange en brede, paarse lucht zich uit, terwijl aan de andere kant een volle maan opkomt.

Om middernacht loop ik over het strand van het hotel. Een kilometer of 3 verderop bevindt zich Afrodites Rots. De legende zegt dat als iemand daar in een nacht met volle maan driemaal omheen zwemt, hij het eeuwige leven heeft. Maar, om de hoofdofficier voor elektriciteit op de *Junost* te parafraseren: 'Wie wil er nu het eeuwige leven hebben.' Ik loop terug naar het hotel.

DAG 51 – VAN LIMASSOL NAAR PORT SAID

Vandaag schepen we ons, voor de laatste etappe van onze zigzagreis door het Middellandse-Zeegebied, in op de *Princesa Marissa,* een in Cyprus geregistreerd schip van 9500 ton, dat in Finland gebouwd is en dat nu een twee dagen durende cruise 'vol plezier' van 'Het eiland van Afrodite' naar 'Het land van de farao's' verzorgt. Aangezien de cruise vol plezier alles inbegrepen slechts ƒ 300,- kost, zijn er veel boekingen, hoofdzakelijk door Britten, die 600 van de 750 passagiers aan boord uitmaken.

Het feest begint al als we aan boord gaan en een brochure met het programma krijgen... 'Geniet van de dromerige muziek van het Duo Zorba op Dek 7'... 'Ontspan op de tonen van Rainbow in de Ledra Lounge'.

De constante dreun van de discomuziek boven- en benedendeks wordt alleen onderbroken door de aankondigingen via de luidspreker, die alle lijken te beginnen met de zin: 'Dek Sexy'. Dit blijkt Grieks voor Dek 6 te zijn. Een omvangrijke Filippijnse steward leidt me naar mijn ruime hut met bad. 'Voor alles wat je maar wil, vraag naar Johnny,' blijft hij herhalen. Ik zie hem niet meer terug.

De reis naar Port Said beslaat 203 zeemijlen en zal vijftieneneenhalf uur in beslag nemen. Ergens op zee zullen we de 30ste lengtegraad kruisen, waarna we verder kronkelen tot Port Said, dat op 31.17 graden oosterlengte ligt. Ik dood enige tijd met de Gala Show, die wordt uitgevoerd door de indrukwekkend hard werkende Melody Dancers, een groep showgirls die – ondersteund door een Pools orkest – hun act bekronen met een cancan van een buitengewoon atletisch en energiek karakter.

DAG 52 – PORT SAID

Mijn wekker gaat af om 4.30 uur. Om vijf uur ben ik bepakt, geschoren, gedoucht en naar de brug gegaan om een eerste glimp van Afrika op te vangen. Mijn horlogebandje breekt en ik bid dat het geen dag van 13 ongelukken wordt.

De maan is nog het enige licht aan de hemel, maar ver weg aan stuurboordzijde zie ik een grote, flitsende vuurtoren en een lange rij oranje en witte lichten: waarschijnlijk Port Said. Beneden ons geeft een rij van rood en groen flitsende markeringsboeien de monding van het Suezkanaal aan. Als we een ander cruiseschip passeren – de *Romantica*, eveneens uit Limassol – maakt een van zijn sleepboten zich los om ons iets voorbij de met palmen omzoomde waterkant in positie te manoeuvreren.

Het eerste licht van de dag verschijnt in de lucht achter ons. Het is alsof een sluier van de stad wordt gelicht. De donkere, vreemde omtrekken veranderen in mooie, oud-koloniale huizen, met grote deuropeningen met jaloezieën die toegang geven tot smeedijzeren balkons; in een elegant Kanaalhuis voorzien van galerijen en een met mozaïeken bedekte koepel; en in een mooie vuurtoren van gele baksteen.

Port Said is geen grote toegangshaven voor passagiersschepen; die doen meestal Alexandrië aan. Dat zou gedeeltelijk kunnen verklaren hoe Louis Lines, die de *Princesa Marissa* exploiteert, zijn kosten laag houdt en waarom er geen mogelijkheid schijnt te zijn om van de boot naar het strand te komen.

Dan, langzaam, wordt een bruine en roestige ponton ontrold door mannen in bootjes die allen naar elkaar schreeuwen. Als deze stalen slang uiteindelijk het schip bereikt, rent een menigte van verkopers erover en gaat bij de deuren staan, waardoor het voor iedereen vrijwel onmogelijk wordt van boord te gaan zonder te struikelen over een bronzen dienblad, een waterpijp, een koperen gong of een stapel afgeprijsde Lacoste T-shirts.

Als de dagtoeristen naar Caïro eenmaal zijn vertrokken, willen we ons met enige opluchting aan het ontbijt zetten, maar dat is er niet. Het ergste moet nog komen. Als de dragers onze apparatuur uitladen, rolt een camerastatief onopgemerkt in de Middellandse Zee. Zou dat Mercurius in retrograde zijn? Hadden we andere plannen moeten maken? Ik denk dat het Egypte is, waar de verwarring een essentieel deel uitmaakt van het alledaagse leven. Men heeft hier niet het gevoel dat het leven uit een reeks van problemen bestaat die opgelost moeten worden, maar eerder dat de gewone menselijke staat chaos is en dat rust, kalmte en orde de hemelse staat is, Inshallah, die, wij ongelukkige stedelingen wellicht op een dag mogen bereiken. Intussen staren zes mannen in de duistere diepten van de Middellandse Zee alsof een Egyptische 'Dame van het Meer' het statief plotseling naar boven zou kunnen hijsen, terwijl zes anderen iets improviseren met een vishaak aan het eind van een stuk touw.

Romany Helmy, onze goede vriend die tijdens *Around the World in 80 Days* voor ons zorgde, stelt voor dat wij alvast naar de douane gaan en de formaliteiten afhandelen, terwijl hij het ophijsen van het statief dirigeert.

Het statief wordt een halfuur later opgevist door een duiker die door Romany uit bed is gehaald, maar het duurt nog eens zeven uren voordat Nigel, Fraser, Patti en Basil door de douane zijn ingeklaard. Elk onderdeel van hun lijst wordt gecontroleerd, nog eens gecontroleerd en in sommige gevallen ten derden male gecontroleerd, en tijdens deze controle is het hun niet toegestaan zich buiten de havenuitgang te begeven. Er zijn verscheidene problemen. De douane-autoriteiten hebben nog niet eerder met een filmploeg te maken gehad. Port Said is een belastingvrije zone, waardoor ze niet kunnen geloven dat we niet hier zijn om ons voordeel te doen. Maar wat hen volledig verbijstert, wat ze eenvoudigweg niet kunnen begrijpen, is dat we Egypte, over land, via Soedan willen verlaten. Ze kunnen niet geloven dat iemand zoiets zou willen doen. Degenen van ons die niet direct verantwoordelijk voor onze uitrusting zijn, kunnen alleen maar schuldbewust wachten in het Helnan Port Said Hotel, dat ironisch genoeg door een Scandinavische maatschappij wordt beheerd.

Op het terrein van het hotel en aan de Middellandse-Zeekust zijn Egyptische vakantiegangers gewikkeld in uitzinnige fysieke activiteiten: hardlopen, judo, voetbal en iets dat lijkt op aerobics. Het geschreeuw van kinderen die in het zwembad spelen, vermengt zich op een vreemde manier met de klagende oproep tot gebed.

De ploeg kon vandaag al niet filmen door het lange wachten bij de douane, maar de druppel die de emmer doet overlopen, is dat alle restaurants in Port Said zijn drooggelegd, het werk van een vurig islamitische burgemeester.

Er zijn verder gemengde gevoelens over de veiligheid van het eten. Kunnen we de overheerlijk uitziende salade wel eten, aangezien mijn medische bijbel – Richard Dawoods *How to Stay Healthy Abroad* – het eten van salade in Afrika niet aanbeveelt? Of de rivier-kreeft uit de Middellandse Zee? Uiteindelijk eet ik van beide, want ik heb een verschrikkelijke honger.

DAG 53 – VAN PORT SAID NAAR CAÏRO

Opgefrist door achteneenhalf uur slaap, en verleid door de och-tendkoelte, ga ik samen met Patti hardlopen op het strand. De vis-sers bekijken hun vangst, die ze in lange netten hebben opgehaald. Een man met een kind roept naar me als ik hem passeer. Mijn wes-terse reflex zegt dat ik op moet passen, maar het blijkt dat hij alleen wil vragen waar ik vandaan kom en me welkom wil heten.

Port Said is geen aanlegplaats voor de westerse, georganiseerde reizen, zodat de kustlijn gelukkig typisch Egyptisch blijft, compleet met een damesstrand waar Arabische vrouwen geheel gekleed baden. Ofschoon baden wellicht een te grote naam is voor iets wat voornamelijk bestaat uit naar de golven waden en daar blijven staan.

De nachtmerrie bij de douane zou vandaag nog wel eens herhaald kunnen worden, aangezien we door een andere controle moeten als we de vrijhaven verlaten en de rest van Egypte binnengaan. We besluiten daarom ons vertrek naar Caïro niet langer uit te stellen. We rijden door de Palestinastraat, waar we gisteren aan land kwa-men, over pleinen met belastingvrije winkels op de begane grond en rijen wasgoed en een enkele matras daarboven. In de cafés spe-len mannen – vrouwen heb ik er niet opgemerkt – backgammon, en af en toe worden we herinnerd aan de nabijheid van het Suezkanaal door een imposant gezicht op een 50.000 ton tanker, die boven het einde van een zijstraat glijdt.

Aan de rand van de stad zien we een opwekkend bord boven de weg: 'Een goede reis gewenst'. Op dit punt nemen onze moeilijkheden een aanvang.

Bij de douaneslagboom worden we teruggestuurd en via een stoffige asfaltweg naar een adres in de voorsteden van Port Said gezonden. Dit blijkt een ander douanegebied te zijn, alleen voor bussen. Zodra onze bus het terrein op rijdt, worden we omringd door verkopers die zwaaien met chocolade, zonnebrillen, koffiekopjes, scheermesjes, make-up, horloges en zelfs plastic rammelaars. De temperatuur stijgt tot 38 graden. Uiteindelijk mogen we een binnenplaats oprijden en na enig overleg vraagt men ons alle bagage uit te laden. Romany tracht uit alle macht de officier van de dag over te halen door hem te vertellen dat we dit alles gisteren ook al ondergaan hebben, wat hij met papierwerk kan bewijzen. Na een uur staat hij ons toe de bus weer in te pakken en te vertrekken. Als de hooghartige officier zijn bevelen naar de soldaten blaft die bij de poort rondhangen, zie ik dat zijn rechterhand met een kralenketting speelt. We draaien de weg op. Een man die zichzelf met een kruk ondersteunt, zwoegt voorbij. Hij heeft een kind op zijn rug.

Egypte kent geen geleidelijke overgang naar Afrika, geen comfortabele culturele assimilatie. De vreemdheid van alles begint aan de kust en houdt niet meer op.

Een tijdlang vermijden we de drukke Ismailia-snelweg en nemen we een zijweg langs het Kanaal. Het is daar stil en rustgevend. Er is een station waarlangs geen treinen lijken te komen en er is een smal kanaal dat Zoetwater heet en waar ijsvogels neerduiken, vlinders door het riet fladderen en de wind de lisdodden laat ritselen en fluisteren. Zelfs als een konvooi naar het noorden het kanaal opvaart, passeren de enorme schepen, met een tonnage van honderdduizenden tonnen, vrijwel geluidloos.

Terwijl het daglicht vervaagt, rijden we verder naar het zuiden en komen we door dorpjes aan het Kanaal, langs kleine kinderen die ezels geleiden, geïmproviseerde veerboten die gehuld in modder over de waterwegen pendelen, sinaasappelverkopers in de berm. Bij Ismailia draaien we naar het westen, om gedurende 120 kilometer door de Oostelijke Woestijn naar Caïro te rijden. Nu we ons uit Port Said bevrijd hebben, is het moreel verbeterd, en er is nog een bonus in de vorm van een adembenemende zonsondergang in de woestijn. Nadat de zon is ondergegaan, blijft er een perzikkleurige gloed achter, die, terwijl hij uitsterft, intensiveert tot een rauw roodgoud, als de sintels van een dovend vuur.

Caïro lijkt reusachtiger en maniakaler dan ooit. Het is half tien in de avond, maar elke straat en zijstraat wemelt van het verkeer, dat vaak volledig vastzit. De Egyptische theorie over het verkeer is eenvoudig – alle andere weggebruikers staan in de weg. Er rest je niets anders dan een beroep te doen op de God die je het naast staat, en stug vol te houden.

DAG 55 – VAN CAÏRO NAAR LUXOR

Caïro, op bijna 31 graden oosterlengte, is het enige punt waarop *Van pool tot pool* samenvalt met mijn route van *80 Dagen*. Deze keer blijven we slechts anderhalve dag, lang genoeg om uit te rusten en te herstellen. Niet dat ook maar één plek buiten mijn hotelkamer als een plaats van rust beschreven kan worden, maar als je het veeleisende tempo van Caïro kunt verdragen, is het een stad met velerlei soorten van verborgen genoegens. Voordat we naar het station vertrekken, maak ik een wandeling over de Nijlbrug en kijk ik lang naar de rivier waarmee ons lot is verbonden gedurende de weken die voor ons liggen.

Laat in de middag zitten we, op de weg naar het Ramses Station, vast in het verkeer. Op drukke kruisingen rijdt iedereen door rood totdat hij wel moet stoppen, wat meestal gebeurt als het licht op groen springt. Niemand kan dan verder, tot het licht weer op rood springt.

Op het station zijn alle teksten in het Arabisch, zodat ik een drager naar het perron voor Luxor moet vragen.

'Negen,' zegt hij me beslist.

'Nee, nee,' roept een andere man even beslist, 'acht.'

Ik doe een beroep op een verstandig uitziende man met een bril: 'Is Luxor perron acht of negen?'

'Luxor?... Elf.'

Doordat voorbijgangers behulpzaam nummers in mijn richting gaan schreeuwen, begint de toestand op een bingoavondje te lijken. Gelukkig is er één doorgang gemerkt met '8, 9, 10, 11'. Ik neem deze en word aan de andere kant ontvangen door een bijzonder behulpzame en hoffelijke spoorwegbeambte: 'Jazeker, het is nummer acht, mijnheer.'

De trein naar Luxor vertrekt om half acht, vanaf perron tien.

De slaapcoupés op de trein worden beheerd door Wagons-Lits en zijn modern en goed uitgerust, met airconditioning, vloerkleden, handdoeken, klerenhangers en zonneblinden. Ik krijg een vliegtuigmaaltijd op een dienbord en terwijl Joseph, de steward, het bed opmaakt, slenter ik naar de bar. Ik had gehoord dat de Golfoorlog het toerisme in Egypte geschaad had, en het gezicht van een eenzame barman doet inderdaad het ergste vrezen. Andy en Bridget, een Engels paar op huwelijksreis, zijn de enige anderen die binnenkomen. Ze konden Caïro niet meer verdragen. Afgezien van een kakkerlak 'zo groot als een kat' die ze op haar bed vond, verklaart Bridget dat ze gedesillusioneerd raakte doordat vriendschappen nooit onschuldig waren: 'Het liep altijd uit op een winkel.'

Nadat we samen iets gedronken hebben, wens ik hun *bon voyage* en vragen zij aan mij of ik na Luxor nog verder reis.

Ik knik en probeer zo nonchalant mogelijk te zeggen: 'De Zuidpool.' Niet voor het eerst merk ik hoeveel succes ik met deze opmerking oogst.

DAG 56 – LUXOR

Mijn couchette is comfortabel maar de rit is woest. Tijdens de laatste twee uren voor Luxor lijkt de trein wel bezeten, zodat Joseph echt niet zo hard op mijn deur hoeft te kloppen. Ik ben wakker en tracht het vege lijf te redden.

'Het is 4.45,' kondigt hij aan en hij zet een dienblad met niet te identificeren, aan elkaar gekleefde dingen naast me, '... goed ontbijt, mijnheer.'

Om 5.35 uur 's ochtends rijdt de trein Luxor binnen, dat bij de Grieken bekend staat als Thebe en dat 675 kilometer ten zuiden van Caïro ligt, in Opper-Egypte. Ik kan mijn opwinding dat ik hier voor het eerst van mijn leven ben, niet verbergen. Basil, die zelfs nog nooit in Afrika geweest is, vindt alles onbeschrijflijk: 'Dit is één grote picknick,' draaft hij door, '... Dit is de Moeder van alle Picknicks.'

Station Luxor is smaakvol en monumentaal ingericht, met hoge zuilen, vergulde details op de deuren, adelaarskoppen en decoratieve hiërogliefen, die op een bepaalde manier de elektriciteitscen-

trale, het spoorwegstation en de antieke geschiedenis incorpore-
ren.

Tegenover deze grootse façade staat een fiets tegen een muur en
in het stof tussen de fiets en de muur ligt de eigenaar, die minder
vroeg dan wij hoefde op te staan. Gestalten worden werkelijkheid
in de ochtendschemering en bieden ons taxiritten aan. In Egypte
ben je nooit voor lang op jezelf aangewezen. Voor het volgende
deel van onze reis zullen we ons bij een Nijl-cruise voegen. Als we
langs de rivier rijden om onze boot – de *Isis* – te vinden, zie ik vele
gedrongen scheepjes van vier verdiepingen langs de rivieroever,
misschien wel honderd, die in gesloten gelid wachten op de dag
dat de toeristen terugkeren. Mijn gids naar Luxor is een lange, rechte, broodmagere aristocraat uit het zakenleven wiens naam
Tadorus is, maar die me vraagt hem Peter te noemen... 'Dat is
gemakkelijker.' Ik zou hem liever Tadorus noemen, maar hij is
geen man met wie je in discussie gaat. Hij draagt een witte djellaba met kap en heeft een Chaplin-achtige wandelstok bij zich, die
hij vaak op zijn schouders laat rusten. Een reusachtige Esprit-zon-
nebril verduistert bijna geheel zijn opvallende maar uitgemergelde
gezicht, en als hij de zonnebril afneemt, onthult deze een paar
vochtige, trieste ogen. Hij is 83 jaar en was er als jongen bij toen de
archeoloog Howard Carter voor het eerst de deur van
Toetanchamons graftombe opende.

Peter neemt me mee op een pont over de Nijl, naar een groep modderige gebouwen op de Westoever tegenover de stad. We rijden
door velden met suikerriet en langs een irrigatiekanaal, dat in 1960
door de Russen gefinancierd is. Het groen eindigt abrupt als we op
een kronkelende weg naar een dorre steenslagwoestijn klimmen.
We komen langs een opzichtig moderne cafetaria. 'De Tempel van
Coca-Cola,' verklaart Peter en staat zichzelf een minzame glimlach
toe. Dan komen we in het Dal der Koningen, dat op een gigantische steengroeve lijkt, bezaaid met rotspuin dat door de zon is
gebleekt. We verlaten de bus en lopen naar de graftomben in een
droge en verzengende hitte. Peter schat de temperatuur op 40 graden. Ik vraag hem of dit normaal is.

'Nee... nee...,' hij schudt zijn hoofd ontkennend, 'de vorige maand
was heet!'

Deze kolossale necropolis bevat de overblijfselen van 62 farao's
van het Nieuwe Rijk, dat 3000 tot 3500 jaar geleden in Thebe gevestigd was. Het werd ontdekt – 'herontdekt,' zoals Peter me corrigeert

– in 1892. Slechts 40 van de tomben zijn gevonden, en alle op één na waren door rovers leeggehaald. Daarom heeft de ontdekking van Howard Carter van Toetanchamons graftombe zo'n grote betekenis. Doordat deze onder een andere tombe was gebouwd (die van Ramses VI), had het rotspuin dat door de rovers was achtergelaten de ingang verborgen. Wat Peter, samen met Carter, op die dag in 1922 zag, was de schat van Toetanchamon zoals die 3300 jaar eerder exact in de graftombe was afgesloten. Ik vraag hem wat hij zich nog kan herinneren over het moment van de ontdekking.

'We vonden al de bedden en de stoelen en de beelden... op elkaar gestapeld tot aan het plafond.'

'Wat was de reactie van Howard Carter?'

'Hij werd helemaal gek... toen hij de staatsiesarcofaag bekeek, die van massief goud gemaakt is, dat pure goud, niet als ons goud, 24-karaats goud, werd hij gek, weet je... een vondst als deze.' Hierbij slaat Peter met zijn lange, benige handen tegen zijn gezicht, in een verdienstelijke imitatie van iemand die de jackpot wint: 'Niet te geloven, niet te geloven.'

Ik vraag hem over de vloek, waarvan men zegt dat iedereen die de tombe opent erdoor getroffen wordt.

'Geen vloek... er is helemaal geen vloek.'

'Men zegt dat er een muskiet uit de tombe vloog toen deze werd geopend.'

'Geen muskiet. Ze zeggen dat er een muskiet uit de tombe vloog en hem beet zodat hij stierf... hij ontdekte de tombe in 1922, hij onderzocht de tombe tot 1927... hij stierf in 1939, hij stierf als een oude man. En blijkbaar niet door een muskietsteek.'

We lopen de tombe van Ramses III binnen. De muren zijn overvloedig bedekt met schilderingen en ingewikkelde inscripties illustreren de gang van de farao op zijn reis door de onderwereld, belaagd door kwaadaardige slangen, krokodillen en andere wezens die wachten om hem te verscheuren. Door de droge woestijnlucht zijn ze goed bewaard gebleven, een buitengewoon historisch document.

Als we met de pont terugkeren, gaat de zon achter de Vallei van de Koningen onder. Op dit onbeschrijflijk mooie moment van de dag, wanneer het overvloedige goudbruin aan de horizon het oppervlak van de Nijl overstroomt en dit een intense amberkleur geeft, en de palmbomen aan de oever voor enkele kostbare minuten in de weerkaatsing gloeien, is het niet moeilijk je de macht en het spektakel van de begrafenisprocessie voor te stellen, die drieën-eenhalfduizend jaar geleden het lichaam van de koning over deze zelfde rivier bracht, het begin van zijn laatste reis.

DAG 57 – LUXOR

Een vroege start om de zonsopgang boven de ruïnes van de tempel in Karnak te zien. De naam is afkomstig van de stad Carnac in Bretagne en brengt in herinnering dat het de Fransen waren die, in 1798, deze tempel herontdekten onder een laag van 10 meter zand. We hebben een plaatselijke Egyptoloog bij ons, die voor ons toestemming heeft verkregen om op een van de pylonen te klimmen – de massieve, 45 meter hoge torens die de ingang van de tempel flankeren. Dit betekent een klauterpartij in een nauwe corridor, ingeklemd tussen de tombe van Seti III en de muur van de pyloon. We moeten een kolonie vleermuizen hebben verstoord, want de donkere gang is plotseling gevuld met fladderende wezens die een weg naar buiten zoeken. Mijn hoed wordt afgeslagen als ze rakelings langs mijn gezicht gaan. Aan de top is het uitzicht schitterend, maar de zonsopgang niet, en de filmploeg keert terug naar de boot om te ontbijten. Ik besluit in de tempel te blijven om te genieten van enige pre-toeristische eenzaamheid.

De gebouwen en monumenten hier behoren tot de indrukwekkendste door mensen gemaakte dingen die ik in de wereld gezien heb. Ze werden gemaakt om de macht en kracht van de farao's – en de goden die zij vertegenwoordigden – te verheerlijken en het is niet mogelijk om tussen de zuilen en naast de obelisken te lopen zonder de aanwezigheid van hun macht te voelen. In het Hof van Amenhotep III, waar 134 zuilen oprijzen in een symbolisch woud van 18 meter hoog, met een basis waarvan de omtrek omvat zou kunnen worden door een ring van 12 mensen met uitgestrekte armen, ervaar ik een gevoel van ontzag en verwondering dat ik nooit eerder heb meegemaakt, en dat ontstaat door mijn besef dat mensen hier duizenden jaren geleden dezelfde gevoelens moeten hebben ervaren.

Ik beland weer met beide voeten op de grond als de eerste golven toeristen verschijnen, die camera's afstellen, klagen over de maaltijd van gisteravond en ruziën over het feit wie de vliegtuigtickets heeft. Dan vang ik een glimp van Tadorus op – een witte geest tussen de massieve pilaren, met zijn stok boven zijn achterhoofd. Ik moet eraan denken hem Peter te noemen. Als je het vermogen om je te verwonderen hebt verloren, is Peter je man. Ondanks de 80 jaren die hij, vergezeld door geleerden en archeologen, in deze gebouwen heeft doorgebracht, vindt hij sommige zaken onverklaarbaar. Een beeld van Ramses II, 29,5 meter hoog en gemaakt uit één stuk graniet, weegt 1000 ton. Moderne kranen kunnen slechts 200 ton optillen, en toch werd dit enorme beeld over land van Aswan naar Luxor gebracht, 3000 jaren geleden. Peter neemt een theatrale houding aan: 'Hoe kan het, Tadorus, vragen ze?' Hij pauzeert en zijn grote, ronde en droevige ogen glanzen traag, 'Mijn antwoord is: magie.'

Hij vertelt me dat de tempel van Abu Simbel, verder zuidwaarts, door de oude Egyptenaren zodanig werd gericht dat de zon tweemaal per jaar op het gezicht van Ramses II scheen – eenmaal op zijn geboortedag en eenmaal op zijn kroningsdag. Toen Abu Simbel werd verplaatst, een operatie van 40 miljoen dollar om het tegen het stijgende water van het Nassermeer te beschermen, konden alle berekeningen van wereldberoemde experts slechts bewerkstelligen dat de zon eenmaal per jaar op Ramses' gezicht scheen.

Peter schudt bezorgd het hoofd: 'Niets is beter,' verzucht hij, 'Niets is beter.'

Dit is zeker een man die 3000 jaar te laat geboren is. Het maakt me droevig hem te moeten verlaten.

Het is nu al september en er zijn enkele zaken die een reiziger geneigd is te vergeten, bijvoorbeeld zijn haren. Ik neem mijn toevlucht tot een kapperszaak in een achterafstraat in Luxor. Mijn kapper heet Allah Gmal Idil. Hij is zeer trots op zijn zaak en op zijn twee zonen die de hele procedure staan te bekijken. Ik vrees het ergste, maar ontvang het beste van Allah: een uitstekend model, een halsbrekende scheeroperatie, een likje geurige pommade, het kortwieken van mijn wenkbrauwen en zelfs een aanval op mijn neusharen.

's Avonds, terug op de *Isis*, zit ik op het dek, kijk ik naar weer een zonsondergang op de Nijl en verzink ik in het verleden, als het heden zich plotseling ruw doet gelden.

'Je raadt nooit wat Sheffield Wednesday gisteravond gedaan heeft.' Pat en Gerald Flinders, twee van onze medepassagiers op de cruise naar Aswan, zijn afkomstig uit mijn geboorteplaats. Gerald heeft in de avonduren Egyptologie gestudeerd.

'Hij kan National Westminster Bank in hiërogliefen schrijven,' zegt Pat trots. 'Waarom zou hij zoiets willen doen?' vraagt Roger.

Pat lijkt door deze vraag verrast. 'Omdat hij daar werkt.'

Ze voegen zich bij de twintig anderen die we deze avond ontmoeten, van wie er een door een buitengewoon toeval werkt voor de gemeentelijke afdeling die verantwoordelijk is voor de zusterstad-regelingen met Novgorod. Er zijn drie Deense dames van middelbare leeftijd op een vakantie-alleen-voor-vrouwen, een Frans echtpaar, twee knappe Italianen, twee Canadezen uit Montréal en een verscheidenheid van Engelsen en Amerikanen. Er is een inheemse archeoloog die Abdul heet – een grote man met een geschoren hoofd. We zullen morgenochtend vroeg naar Aswan afvaren, dat een kleine 200 kilometer stroomopwaarts ligt. We zullen er drie kalme dagen over doen.

DAG 58 – VAN LUXOR NAAR ASWAN

Ik ben om 7 uur 's ochtends op het dek. Het licht is zacht en vriendelijk, de lucht is droog en warm. De *Isis* glijdt met ononderbroken gemak over het zacht rimpelende water van de Nijl. Aan beide oevers komt rook uit hutten van modder en stro. Een rij mensen die zojuist uit een feloek zijn gestapt – de traditionele eenmastzeilboot op de Nijl – kronkelt op de smalle, steile, hardgebakken modderoever omhoog, in de schaduw van acacia's en palmbomen. Twee jongens in een roeiboot die in het groen van de Islam geverfd is, meren aan bij een visnet. Een van de jongens slaat met een lange stok op het water, terwijl de andere met een blik knalt om de vissen te lokken. Een buffel graast, ezels wachten in de velden. Er zijn geen wegen of auto's of spoorbanen, er is geen beton of neonlicht. Het is een tijdloos tafereel dat, bijna onveranderd, alle elementen der natuur bevat die de muren van graftomben en tempels bedekken.

Omstreeks 9 uur is de omgeving aanzienlijk veranderd. We hebben de sluis bij Esna bereikt, 50 kilometer van Luxor, die een knelpunt van serieuze afmetingen vormt, waarover men in de brochures een stilzwijgen bewaart. De sluis werd door de Britten in 1908 gebouwd en heeft slechts ruimte voor één schip tegelijk. De doorgang kost per schip 35 minuten en, aangezien ze wisselen tussen de noord- en de zuidwaartse schepen, kan dit een wachttijd van 70 minuten inhouden, als je geluk hebt. Maar de sluis bevat ook nog een ophaalbrug voor een weg en wordt derhalve om het uur gesloten. Er zijn vier schepen voor ons, en Wahid, onze cruiseleider, schat dat we er pas laat in de middag doorheen kunnen. 'En het is nu geen drukke tijd,' voegt hij er somber aan toe, 'vanaf einde september tot... laten we zeggen oudejaarsavond, liggen er soms tot 24 schepen aan elke kant.'

Hij herinnert zich dat hij eens 48 uur oponthoud had.

Dus laten we het anker vallen naast de lawaaiige bouwplaats van de nieuwe sluis met twee ligplaatsen, die niet voor 1993 klaar zal zijn. Het is zonder meer de minst mooie plek aan de Nijl, en we hebben 7 uren om ervan te genieten.

Terwijl we toekijken hoe een van de cruiseschepen de sluis neemt, als een dikke vrouw die door een tourniquet tracht te manoeuvreren, zit onze Egyptische stuurman – Mohammed Ali Abu el Makeran geheten – aan het stuurwiel, met één been onder zijn gestreepte djellaba gekruist. Hij werkt bij Hilton Cruises sinds ze in 1963 begonnen zijn, en heeft de rustige glimlach van iemand voor wie geduld geen deugd, maar een manier van leven is. Hij heeft 14 kinderen, zegt hij, die allen bij hem in huis wonen. Hij vertelt me hun namen, maar verontschuldigt zich voor het feit dat hij zich de namen van de laatste vijf niet kan herinneren.

Om de tijd door te komen besluiten Wahid en Abdul de archeoloog een expeditie te ondernemen naar de tempel van Edfu. Als de *Isis* voor dat doel naast de rivieroever aanlegt, worden we onmiddellijk omsingeld door handelaars. Ze weten overduidelijk waar cruisetoeristen aan de Nijl van houden en het is onthullend dat het meeste van hun koopwaar voor vrouwen is en hoofdzakelijk bestaat uit modieus met lovertjes versierde kleren – waarschijnlijk goed geschikt voor een avondje op de Nijl maar een tikje gênant als je terug in Widnes bent. Als iemand aan boord ook maar een zweempje interesse toont, proppen ze het ding in een plastic zak en schreeuwen ze: 'Kijken voor een pond! Kijken voor een pond!' Eén zak belandt met een zachte plof in het zwembad. Niemand betaalt het pond, maar de aanhouder wint. Een van de Deense dames heeft een nauwsluitend zwart exemplaar met 'Egypte' in goudopdruk gekocht en Pat uit Sheffield heeft zojuist iets in blauw gezien.

'Vrouwen kunnen het winkelen niet laten,' zegt ze, en terwijl ze over de rand leunt, schreeuwt ze een prijs naar beneden. Ze luistert geamuseerd naar het verontwaardigde antwoord.
'Ik ben dol op afdingen!'
Het geluid van gesjacher in het Yorkshires en Arabisch drijft over de Nijl. Pats echtgenoot is geïnteresseerder in onze wederzijdse band met Sheffield dan in gesjacher. Wist ik dat de British Open Barber's Shop Quartet Champions uit Sheffield afkomstig waren?
Ikzelf ben meer bezorgd over het verkleedpartijtje van vanavond, waarbij van iedereen een uitdossing verwacht wordt, en ik gebruik de rust die ontstaat als de anderen naar Edfu zijn vertrokken om het gedicht *Ozymandias* te leren:

I met a traveller from an antique land,
Who said two vast and trunkles legs of stone
Stand in the desert...

Twee krulharige plaatselijke jongetjes naderen de sluiswand en maken op hun handpalm het teken voor een aalmoes. In plaats daarvan geef ik hun *Ozymandias*, op volle geluidssterkte en met begeleidend mimespel. Als ik aan het einde kom, applaudisseren ze zo enthousiast als alleen een paar natuurlijke acteurs zou kunnen.
Na een oriëntaals buffet gaat de verkleedpartij van start, die door Abdul enthousiast gepresenteerd wordt. Ik heb een geïmproviseerde Romeinse centurion-uitrusting weten te bemachtigen, die bepaald niet lang genoeg is om een strook onderbroek van Marks and Spencer te bedekken. Mirabel en Patti hebben er sportief in toegestemd mijn concubines te zijn en zullen het publiek laten meedoen door de woorden van *Ozymandias* in de lucht te steken. Op het laatste moment vind ik het wat seksistisch om hen concubines te laten noemen en stel ik Abdul voor dat hij ze als dienstmaagden aankondigt.
'O nee,' zegt hij beslist, 'concubines is *veel* beter.'
De bekoorlijke Italianen komen als Pinocchio en Pat en Gerald als een paar variété-artiesten. Roger gaat moedig in travestie als Mrs. Mills en zingt 'The Mighty Dnieper', en de mensen uit Watford gaan als de burgemeester van Edfu met zijn familie en winnen, ofschoon ze afschuwelijk onbeleefd ten opzichte van de Egyptenaren zijn, de eerste prijs – hoofdzakelijk als resultaat van een virtuoze buikdans

van hun dochter. Maar voor mij was het onbetwiste hoogtepunt van de avond Nigel, die verkleed als farao de camera bediende. Dit was duidelijk de historische periode waarvoor zijn lichaam was geschapen.

DAG 59 – VAN LUXOR NAAR ASWAN

Vroeg aan dek om de zonsopgang te bekijken. Het is Nigels verjaardag, maar die is al druk in de weer en probeert een opstelling voor zijn camera uit, ondertussen onduidelijk mompelend over de vibratie van de machines. Het is koud genoeg om een sweater aan te trekken, als ik me voor de voorstelling installeer. Omstreeks 6 uur zie ik het eerste licht van de zonsopgang in het water reflecteren. De concentratie aan licht groeit langzaam, breidt zich uit en opent tenslotte in een uitspansel van roze licht, dat de sterren uitdooft. Een half uur later schuift de rand van de zon een wit wordende, wolkenloze hemel binnen en in enkele seconden is ze los van de bergen, groeit in kracht en helderheid, totdat ze een bal gesmolten goud lijkt. Op dat punt, als geactiveerd door het zonlicht, komt de boordmuzak tot leven...'Raindrops keep falling on my 'ead'. Ik vraag me af of ze hier wel weten wat een regendruppel is.

Na het ontbijt varen we Kom Ombo binnen, 40 kilometer voor Aswan, om de tempel van Sobek – de heilige krokodil – te bezoeken. Pat wordt overgehaald om mee te gaan, ondanks haar bewering dat ze aan 'tempelmoeheid' lijdt en ondanks een fikse wind die voortdurend haar strooien hoed afblaast.

'Deze hoed is geen onverdeeld genoegen,' hoor ik haar mompelen, terwijl ze het ding in de Zuilenhal achterna rent.

Abdul, met een gebreide witte kap om zijn haarloze schedel te beschermen, is een bekwame maar intimiderende gids. Hij ratelt een reeks feiten, cijfers, details en verklaringen af met onbetwiste autoriteit, waarna hij ons met een doordringende blik fixeert:

'Nog vragen?'

Aangezien we in de laatste 30 seconden hebben geleerd dat de kikker een symbool van het leven is, dat deze tempel zowel aan de sperwer als aan de krokodil is gewijd, dat vrouwen in het antieke Egypte hun kinderen in zittende positie baarden en dat tijdens het mummificatieproces de hersenen via de neusgaten werden verwijderd, weet niemand precies waar hij moet beginnen. Om kwart over twee in de middag bereiken we Aswan, de hoofdstad van Opper-Egypte, die op 880 kilometer van Caïro ligt. De Nijl begint zich vanaf Aswan te vertakken en zal gedurende verscheidene honderden kilometers niet meer de rivier zijn die we hebben leren kennen en waarvan we houden. Zij wordt in tweeën gesplitst door de welving van het Olifantseiland en vervolgens gebroken door een reeks stroomversnellingen en twee dammen.

Ik heb mijn thermometer twee minuten in de zon gelegd en meet 50 graden Celsius. De rivier lijkt drukker hier. Misschien doordat de stad zelf groter is en moderne hoogbouw en een vierbaans kustweg – de Corniche – bezit, of wellicht dat de vernauwing van de rivier rondom de eilanden het verkeer concentreert. Feloeken met merkwaardig foutief gespelde Engelse namen, zoals de *Hapey Tripe*, drijven voorbij, op de uitkijk naar toeristen.

We nemen afscheid van Wahid en Abdul en Gerald en Pat en zoeken het Old Cataract Hotel. We proberen een van de koetsen die hoopvol in een rij aan de Corniche staan. Mijn koetsier heet Shehan en hij is erg trots op Abla, zijn zwarte paard met witkoperen oogkleppen en de hand van Fatima op het zadel. Shehan zegt dat de Golfcrisis erg slecht voor de zaken is geweest: 'Een heel jaar niemand komen.'

Ik vraag hem wat hij gedurende die tijd gedaan heeft.

'Slapen,' antwoordt hij nuchter. 'Mijn paard slapen bij mijn huis. Ik slapen in de wagen.'

In het Cataract Hotel is het buikdansnacht. Het publiek bestaat vrijwel alleen uit reisgezelschappen, maar Romany verzekert me dat een buikdanseres iets speciaals is. Af en toe haalt ze een slachtoffer van een van de tafels, dat met haar moet dansen. Dit toont slechts aan dat het na een paar biertjes niet goed buikdansen is. Een grijsharige man wordt door de ontmoeting zo in verwarring gebracht dat hij daas door de zaal zwerft, niet in staat zijn zitplaats terug te vinden. Romany, die Nigel al een djellaba voor zijn verjaardag heeft gegeven, begeeft zich naar de dansvloer om de danseres aan te spreken, waarbij hij enkele keren in onze richting kijkt. Nigel verdwijnt als de gesmeerde bliksem en wordt niet weer gezien tot zijn verjaardag voorbij is.

DAG 60 – ASWAN

Buiten mijn kamer in het Old Cataract Hotel bevindt zich een breed houten balkon, waarop een buitengewoon veelzijdig uitzicht te bewonderen is. Het is een mengsel van het aangrijpende en het alledaagse. Direct beneden me zijn de terrassen en tuinen van het hotel, waar rijen tafels, stoelen en parasols staan opgesteld. Daar beneden, aan de waterkant, zijn de feloeken, waarvan de lange masten en de zeilbomen omhoog rijzen boven de groepjes palmbomen. Olifantseiland doemt op in het midden van de stroom, met de gladde granieten rotsen die op olifanten lijken boven de waterspiegel. En daarboven bevindt zich een verzameling van ruïnes die helemaal tot aan de 3de dynastie teruggaan – 4000 jaar geleden – toen Olifantseiland het centrum was van de verering van de God Khnum, die, onder andere, de mensheid schiep. Voorbij het eiland begint de woestijn. Lage, dorre en stoffige heuvels, in het midden waarvan, eenzaam en onbeschut, het gewelfde mausoleum van Aga Khan III staat, de geestelijke leider van de Ismaili-moslims, die in 1957 stierf. Het verhaal gaat dat hij aan een ernstige vorm van reuma leed en dat hem verteld werd om ter genezing zijn voet in het woestijnzand te laten rusten. Hij kwam naar Aswan, stak zijn voet in het zand, werd prompt genezen en beval dat hij op die plaats begraven moest worden.

Ik ontspan me een deel van de dag in een feloek, die met een kalme vaart bestuurd wordt door kapitein Peckry, een 21-jarige Nubiër. Terwijl een sigaret tussen zijn lippen bungelt, bestuurt hij met zekere vaardigheid de zware boot met één zeil, maar lijkt behoorlijk verveeld door de hele procedure en komt pas tot leven als we terugkeren naar het strand. Plotseling vraagt hij me of ik het leuk zou vinden om vanavond naar een Nubische bruiloft te komen. 'Is er iets te drinken?' vraag ik, bekend met de moslim-opinies daarover.

'Bier, whisky... hasj,' antwoordt Peckry vrolijk. Ik vind het nogal treurig om te zeggen dat ik kom als ik zeker weet dat ik niet zal gaan, maar hij heeft een feloek waarin hij de volgende dag kan herstellen, terwijl wij morgen een lange weg hebben te gaan.

DAG 61 – ASWAN

Eindelijk verlaten we Egypte. Vanaf morgen zullen we voor enige tijd geen toeristen meer zijn, maar reizigers. Spoedig zullen we de verwennerij in Cataract Hotels en Hilton Cruises verruilen voor de onzekerheid van een openbaar veer naar een land dat mijn reisgids beschrijft als: 'Vol van politieke verwarring, burgeroorlog, droogte, hongersnood, ziekten en een vluchtelingencrisis...'
We reizen eerder op hoop van zegen dan in zekerheid, aangezien we mensen ontmoet hebben die meer dan zes weken op het veer naar Soedan hebben gewacht. Voor de laatste keer rijden we op de Corniche, langs acacia's in bloei, de Politie Roeiclub en het intrigerende uithangbord 'Pedalen te huur'. Buiten de stad komen we langs de eerste dam die ooit in de Nijl is gebouwd, door de Britten in 1902.
De Britse dam lijkt nu wel speelgoed, vergeleken met het door de Sovjets gebouwde monster dat vijfeneenhalve kilometer stroomopwaarts de Britse dam vervangt. De Sovjet-dam heeft het Nassermeer gevormd, dat zich over een afstand van 500 kilometer uitstrekt, tot in Soedan. Je nadert de Hoge Dam onder een web van hoogspanningsleidingen, langs zich hoog verheffende monumenten voor de Sovjet-Egyptische samenwerking en langs al het uiterlijk vertoon van de moderne militaire beveiliging – radar, luchtafweergeschut, gecamoufleerde helikopters, silo's, loopgraven, bunkers en waarschuwingssystemen. Dit zou als een overdreven vernietigingspotentieel beschreven kunnen worden, maar zoals iemand huiveringwekkend beschreef – de dam bij Aswan ligt 200 meter hoger dan Caïro en Alexandrië, zodat Egypte letterlijk wordt weggevaagd als de dam breekt.
Het complex vormt het centrale zenuwstelsel van Egypte. Het levert de helft van Egyptes elektrische vermogen en 99 procent van zijn watervoorziening. Het belang van de dam is kolossaal, maar dat zijn ook de investeringen om hem gaande te houden. Hamdy Eltahez, de voorzitter van de Hoge Dam Directie, die me rondleidde, zei botweg dat ze niet zonder buitenlandse hulp konden. Op het moment wordt gewerkt aan een groots programma om alle 12 Russische turbines te vervangen door Amerikaanse. Maar er is een nieuw probleem opgedoken. Het meer achter de dam is in een hoog tempo aan het dichtslibben. Sinds 1964 heeft zich een afzetting van 25 meter gevormd aan de Soedanese zijde van het meer.

In dit tempo zal de waterstroom sterk gereduceerd en in sommige gevallen zelfs volledig afgesloten worden. Eltahez en Egypte zijn op zoek naar een nieuwe internationale redder, iemand die wil investeren in de reusachtige kosten die het graven van een kanaal rondom het dichtgeslibde gebied met zich brengt. Een investering in niets minder dan het omleggen van de Nijl.

Sommige mensen vragen zich af of het aanleggen van de dam geen onverstandig besluit was en wijzen erop dat de jaarlijkse overstroming van de Nijl een vitale vruchtbaarheid verschafte, die nu kunstmatig moet worden aangebracht, wat kostbaar en destructief is. De Nubiërs vragen zich af waarom ze 75 dorpen moesten verliezen en duizenden van hun volk zich opnieuw moesten vestigen om plaats te maken voor het meer. Maar Eltahez is onbuigzaam. De Aswan Dam heeft Egypte tijdens de negen jaren droogte, tussen 1979 en 1988, voor een ramp behoed.

En hoe je er ook tegen aankijkt, het is een buitengewone onderneming, het enige project in modern Egypte dat de werken van de farao's evenaart.

DAG 62 – VAN ASWAN NAAR WADI HALFA

Bij de poorten van de Oostelijke Haven, onder een indrukwekkend bord dat het district van de 'Aswan Governate, High Dam Ports Authority' aankondigt, tracht een beambte met een 'Havenpolitie'-armband de wereld in bedwang te houden, met behulp van een rode megafoon. Auto's en vrachtwagens, beladen met kratten en dozen, toeteren zich langs mannen en vrouwen die beladen zijn met koelkasten, meubilair en volgepropte dichtgebonden zakken. Dragers in gerafelde blauwkatoenen jasjes staan, verbijsterd en wezenloos, te wachten tot ze tot actie worden gemaand. Een jongen met een blik en een bezem met een lange steel veegt inefficiënt tussen de voeten van de menigte. Er is geen blank gezicht te zien en zelfs westerse kleren zijn een uitzondering in een zee van chadors – sluiers die de hoofden en lichamen van de vrouwen bedekken – en groezelige djellaba's, de lange gewaden met wijde mouwen van de mannen.

Langzaam en geduldig verplaatst deze mensenmassa zich door het douanegebouw, in de richting van een vuilgele, 50 meter lange veerboot genaamd de *Sinaï*. Het is een veel gebruikt, gedrongen en niet-pretentieus schip, met een blijkbaar onbegrensde capaciteit om alles en iedereen te absorberen. De autoriteiten hebben van hun kant niets nagelaten om het leven aan boord zo moeilijk mogelijk te maken. De passagiers moeten zich in alle bochten wringen, tussen aan de ene kant uitladende vrachtwagens en aan de andere kant prikkeldraad, een kettinghek en zandzakken. Hun voortgang wordt verder belemmerd door een beambte van de havenautoriteiten met golvend zwart haar en een wonderbaarlijk repertoire aan gebaren, die niet in staat schijnt te zijn om boven het niveau van ongecontroleerde woede te communiceren. De geringste verstoring brengt hem tot ontploffing en doet hem ontsteken in een Fawltyeske woede, die de mensen aanzienlijk opvrolijkt.

Doordat dit het eerste veer sinds twee weken is, is het op maximale capaciteit beladen, wat – zoals mij schouderophalend verteld wordt – ergens tussen de 500 en 700 passagiers is, ofschoon ik slechts twee reddingssloepen zie, die elk zeker geen 350 mensen kunnen bevatten. We blijven één nacht aan boord en leggen zo de 300 kilometer naar Wadi Halfa af in ongeveer 15 uur.

Er zijn drie dekken op de *Sinaï* en het goede nieuws is dat we eigen hutten hebben. Het slechte nieuws is dat ze vrijwel niet te bereiken zijn, aangezien de centrale kajuit-trap is opgevuld met kratten, zakken, dozen en de eigenaars daarvan. Niemand kan iemand doorlaten, omdat er totaal geen plaats is om uit de weg te gaan. Ik loop naar het bovendek om het laden te bekijken, maar daar is weinig schaduw en de temperatuur is boven de 35 graden. Als ik terugkeer naar mijn hut om Alan Mooreheads *The White Nile* te lezen, tref ik echter een hut aan die is opgevuld met een aantal van de 30 blikken drinkwater die we met ons meedragen. Als ik deze en mijn koffers op het bovenste stapelbed heb gelegd, ga ik op bed liggen, maar het tumult buiten in de gang maakt slapen onmogelijk. Er zijn geen sloten en af en toe tuurt een Arabisch gezicht naar binnen, voordat de deur weer wordt dichtgesmeten.

Om 4.15 's uur middags gaan de slagbomen aan de havenkant omhoog en blijkt dat iedereen aan boord is. De passagiers, die vooral bestaan uit Soedanezen die naar Aswan gekomen zijn om dingen te kopen die in hun eigen land niet verkrijgbaar zijn, zitten bij hun bezittingen en wachten geduldig. Hoewel het stampvol is, heerst er geen spanning. Mensen praten met elkaar en maken grappen, kinderen rennen de ladders op en af. Op het bovendek worden bidkleedjes uitgerold en verzamelen zich kleine groepjes (altijd mannen) rond de mullahs, als leerlingen om hun meester.

Met een oorverdovende stoot van de hoorn vertrekt de *Sinaï* om kwart over vijf van de kade, langs een van de oudere veerboten waarvan alleen de boeg nog zichtbaar is, die met een hoek van 45 graden boven het water uitrijst.

We bevinden ons op het water van een meer dat jonger is dan ik ben. Beneden de golven bevinden zich de granieten kliffen van de Nijlvallei, waaruit zo vele van de antieke Egyptische monumenten zijn gehakt. Veel van deze monumenten uit het verleden waren gelukkiger dan de Nubische dorpen uit het heden en werden van de vloed gered door een internationaal hulpprogramma, waarbij ze werden ontmanteld en verplaatst. De Tempel van Kalabsha, omstreeks de tijd van Christus gebouwd, is nu gelegen op een landtong dichtbij de Oostelijke Haven, nadat hij over een afstand van 60 kilometer in 13.000 stukken is verplaatst. Terwijl we langzaam naar het zuiden reizen, is het gezicht op zijn pyloon en binnenhof een laatste herinnering aan de buitengewone en raadselachtige kracht van het oude Egypte.

Om 7 uur wordt de kapitein, Mahmoud il Sudani uit Alexandrië, een muezzin en bazuint hij de gebeden rond vanaf de brug. Bijna 200 mensen verzamelen zich op het dek en buigen, zes rijen dik, naar de lage, gekartelde bergen in het oosten. Voorbij de bergen ligt de lege woestijn, de Rode Zee en het heiligdom van Mekka – op 800 kilometer afstand.

Ons eigen, polaire Mekka ligt nog duizenden kilometers verder, maar als de zon ondergaat passeren we de lijn van de kreeftskeerkring en voelen we dat we voortgang boeken.

Basil, druk doende de attenties van een mullah te ontwijken die hem tracht te bekeren, heeft de eetzaal gevonden en beveelt deze aan voor het avondeten, met de beperking dat we ons eigen bord en bestek mee moeten nemen. Met mijn kampeerbestek (made in China) in mijn handen vecht ik mij een weg door de gang, om de deur gebarricadeerd te vinden door een grote, be-tulbande gestalte met de blik van een derwisj. Als een krankzinnig geworden *maître d'hotel* verschijnt hij af en toe om al duwend de rij te lijf te gaan en te verjagen. Het blijkt dat de eetzaal eveneens het kantoor van de douane is en dat erg weinig mensen voor voedsel in de rij staan. We krijgen kippensoep met vermicelli, gevolgd door macaroni (men verzekert mij dat dit een typisch Egyptisch gerecht is) met een scherpe tomaten- en vleessaus, kip, frites en versgebakken faturia – knapperige broodjes, die we nuttigen onder begeleiding van een constant geklop op de patrijspoorten door degenen die hun paspoorten (bleekblauw voor Soedan en groen voor Egypte) gecontroleerd en gestempeld willen hebben.

Telkens wanneer ik een excursie waagde naar de was- en toiletgelegenheid, was deze gevuld met mensen die hun voeten reinigden voor het bidden, en nu zijn de bassins verstopt en klotst het water over de vloer. De hurktoiletten stinken verschrikkelijk en zijn permanent gevuld.

Op bed kruip ik voor de eerste keer in mijn eigen lakenzak en zet ik mijn koplantaarn op om over de omstandigheden tijdens het beleg van Khartoum in 1884 te lezen, die niet erg verschillend klinken van wat we op het moment ondergaan.

DAG 63 – VAN ASWAN NAAR WADI HALFA

Op het dek van de *Sinaï*, direct voor de brug, bevindt zich een driedelig bankstel dat bekleed is met wijnrood velours en dat bewerkte houten poten en decoratief gesneden leuningen heeft. Niemand schijnt te weten aan wie dit onderdeel van een huiskamer toebehoort, maar allerlei soorten mensen rusten er even in uit. Daardoor komt het dat ik Soedan op een sofa binnenkom.

Soedan, het grootste land van Afrika, strekt zich uit van de Rode Zee in het oosten tot op enkele honderden kilometers van Nigeria in het westen, bijna van de kreeftskeerkring tot aan de evenaar. Buitenlands bezoek wordt niet aangemoedigd.

Het eerste dat we zien van Soedans noordelijkste stad, Wadi Halfa, is een onbeschutte, rotsachtige landtong, waarop een verzameling tent-achtige constructies, een handvol voertuigen en een aantal wachtende figuurtjes staan die zich bij onze nadering over de rotsen bewegen. Hun djellaba's worden door een briesje gegrepen, wat hun bewegingen een droomachtig aanzien geeft.

Er is geen haven en er zijn geen andere schepen. De Soedanese douaniers zijn traag en zorgvuldig. Ze nemen persoonlijke bezittingen af en kopiëren nijver alle serienummers. Het hinderlijke proces van inspectie en papierwerk lijkt de regel te bevestigen dat je meer formulieren moet invullen, naarmate het land inefficiënter is. Uiteindelijk confisqueren ze twee video's van *Around the World in*

80 Days, die voor inspectie worden meegenomen, terwijl ons na een wachttijd van drie uur wordt toegestaan aan wal te gaan en een vervoermiddel naar de stad te vinden, die 5 kilometer verderop ligt. We worden begeleid door twee ambtenaren van het Ministerie van Informatie (en elk land dat een Ministerie van Informatie heeft, moet iets te verbergen hebben). Ik wurm me op de achterkant van een open bestelauto waarin al een twaalftal mensen staat, waarna we door een zanderige woestenij rijden die bezaaid is met rotsen en miezerige bosjes. Dan verschijnen woningen van het allerprimitiefste soort, vaak niet meer dan wat kleren of huiden die op vier palen zijn gespannen. Ze maken plaats voor kleine modderhutten en uiteindelijk voor een handvol lange, lage, geverfde gebouwen, waarvan er één het Nijlhotel is.

Het hotel bevat een reeks betonnen binnenplaatsen en gemeenschappelijke wasgelegenheden – en minimale kamers met fel geverfde muren. Het is eenvoudig en onopgesmukt, maar een wijkplaats voor de bleke en brandende woestijn.

Een tijdlang zullen er geen koude biertjes zijn, aangezien Soedan volgens de strikt islamitische wet wordt bestuurd, die het gebruik van alcohol verbiedt. Ook is er geen enkele vorm van lunch in het hotel. We zullen onze voorraden smeerkaas, blikjes tonijn en kuikenborst van Mark and Spencer moeten aanspreken, die Angela heeft verzameld in wat de Moeder van alle Winkel-Expedities geweest moet zijn. Ik plaats mijn thermometer in de zon, op de vensterbank van mijn kamer, waar hij 54 graden registreert. Nooit in mijn leven ben ik op een warmere plaats geweest.

De eigenaar van het hotel, Ibrahim Abbas, een lange, waardige en melancholieke persoonlijkheid, laat twee foto's zien waardoor ik zijn droefheid begrijp. De ene toont een elegante waterkant van smaakvolle huizen met houten balkons, waarlangs een mooie moskee met een versierde minaret staat. De andere laat niets dan water zien, dat tegen de pinakel van de minaret klotst.

'Het water kwam 's nachts,' herinnert hij zich… 'sloeg tegen de huizen. Het was verschrikkelijk.' Het was in 1964 dat het Nassermeer uiteindelijk het oude Wadi Halfa verzwolg.

4 uur 's middags: ik lig op een dunne, vuile matras in mijn kamer. De lucht beweegt niet. De thermometer geeft 36 graden aan, maar het is een droge, net uit te houden hitte. Vliegen landen op mijn mond en neusvleugels, totdat ik te moe word om ze te verjagen en

in een lichte slaap val. Als ik ontwaak, lijkt de kamer warmer. Ik kijk met dichtgeknepen ogen naar een onbarmhartige hemel. Naast mijn bed staat mijn Braun-wekker op een roze metalen tafeltje, naast een stoel met een zitting van plastic stroken. De muren zijn kaal, met een bleekblauw laagje over het geschaafde en verbrokkelde pleisterwerk.

Omstreeks vijf uur hoor ik het klagende geluid van een verre locomotief, en binnen enkele minuten is het hotel opgezweept. Dit is het moment waarop iedereen al een maand wacht – de aankomst van de trein uit Khartoum. Het hotel stroomt plotseling vol – elk bed, binnen en buiten, wordt gemobiliseerd.

Tijdens het koelere einde van de dag brengen we een bezoek aan de gouverneur van Wadi Halfa, een imponerende, charismatische man met een grijzende baard, die goed Engels spreekt met een zachte, diepe stem. Hij is pas onlangs benoemd en heeft veel kritiek op het voorafgaande bestuur.

'In 26 jaar, sinds het oude Wadi Halfa is overstroomd, hebben ze niets gedaan... alleen maar gewacht op de trein en het veer.' En, zou hij kunnen toevoegen, de mogelijkheid om opnieuw overstroomd te worden als het water achter de dam tot 182 meter rijst. Het heeft eens de 178 bereikt. Maar de gouverneur is een bedaarde optimist en heeft diverse projecten op touw gezet om Wadi Halfa uit zijn lethargie te halen, waaronder een irrigatieproject dat de stad moet helpen haar eigen tarwe te verbouwen.

Hij biedt ons thee en zoetigheid aan en praat over de verscheidenheid in deze grote Afrikaanse landen – alleen al in Soedan bestaan 270 talen. De gouverneur onthult dat hij eens lid van het parlement van Dafur in het verre westen was, maar concludeert: 'Ik heb genoeg van de politiek, nu wil ik met het volk werken.' Ik krijg het gevoel, als ik vertrek, dat deze capabele man zo ver mogelijk van de huidige regering is weggezonden, en dat Wadi Halfa voor een politicus het Siberië van Soedan is.

Het Nijl Hilton, zoals de filmploeg het hotel heeft gedoopt, is vanavond overvol. Lichamen zijn overal, en stemmen en fluisteringen en komen en gaan, maar de koude douche is spectaculair verfrissend en in mijn kamer is de temperatuur gedaald tot 32 graden. Als ik me neerleg om te slapen, voel ik me uitgelaten, maar ook een beetje bevreesd. Ik heb zoiets als dit in mijn leven nog niet echt meegemaakt en heb het onmiskenbare gevoel dat het ergste nog moet komen.

DAG 64 – VAN WADI HALFA NAAR ATBARA

Slapen is niet eenvoudig in het Nijlhotel, door de hitte en de haast onafgebroken soundtrack van rochelen, schrapen, spugen en snurken vlak onder mijn raam. Op een gegeven moment zijn mijn ingewanden klaarwakker, ondanks strenge instructies van mijn brein. Ik reik naar de zaklamp en het toiletpapier, zoek een van de plastic potten die overal in het hotel verspreid zijn, vul hem met een van de aardewerken Ali Baba-kruiken vol met modderig Nijlwater en maak als een veroordeeld man mijn gang naar de toiletten, terwijl ik zorgvuldig mijn weg kies tussen de slapende lichamen. 's Nachts zijn er minder vliegen te bestrijden, maar de lucht is bijzonder slecht, zodat je als het je lukt het best niet door de neus kunt ademen. Dit is niet gemakkelijk als je de zaklamp in je mond moet klemmen om beide handen vrij te houden.

Op bij zevenen. Fraser heeft een schorpioen in zijn kamer aangetroffen en die met zijn schoen gedood. Wassen in de gemeenschappelijke trog, waarin een dun stroompje water druppelt. Het ontbijt bestaat uit donkere bonen, kaas, jam en twee eieren die met koenjit besprenkeld zijn.

De trein vertrekt vanavond om 5 uur, dus heb ik tijd genoeg om enige proviand in te slaan voor een reis die volgens het schema 36 uren duurt.

De woestijn begint aan de deur van het hotel. In een lege uitgestrektheid bevinden zich huizen die door lange, lage moddermuren omgeven zijn, in dezelfde kleur als het zand en de heuvels, waardoor alles lijkt samen te smelten in één weids, vaagbruin en uitgedroogd vergezicht. Sinds 1988 is hier geen regen gevallen.

Op de markt lijken de meeste mensen ofwel te eten ofwel hun handen te wassen. Honden wachten op de kliekjes, kinderen spelen met stokken en hoepels, en de stalletjes verkopen uien, bonen, wat komkommers, dadels, bananen, knoflook en rijst. Vliegen zwermen rondom het al rottende fruit.

Terwijl we filmen, trekken we vrienden en vijanden in gelijke mate aan. Onder onze vrienden bevinden zich een douanier die breed grinnikend mijn geconfisqueerde video van *80 Dagen* teruggeeft, een klein jongetje dat een 'Egypt No Problem' T-shirt draagt en zich bij ons aansluit, en een groep Soedanezen van ons hotel, die mij uitnodigen om wat vers gegrilde Nijlbaars met hen te delen. Onze vijanden zijn mannen met zure gezichten, die vanuit het niets opduiken en dreigend kijken en de vinger heffen. Ze hebben een groot maar ongespecificeerd bezwaar tegen onze aanwezigheid en verzamelen al snel een kwaad groepje om zich heen, dat door nieuwsgierige toekijkers aanzwelt tot een dreigende menigte. Hun toorn is aanhoudend en soms verontrustend. Een van hen slaat Basil en ze schijnen de aanwezigheid van Patti en Angela, die ongesluierd zijn en werken, als bijzonder provocerend voor de islamitische gevoeligheden te zien. Hun eigen vrouwen houden zich erg op de achtergrond. Ik zie er één snel wegschieten, gehuld in een 'World Cup 1990'-sari.

Om 4 uur steken we het zand voor het station over. Er lopen al vele mensen rondom de lange trein, die is samengesteld uit drie open dienstwagons aan de voorkant, 18 passagierscoupés en 8 vrachtwagons aan de achterkant – een totaal van 29 wagons achter één Amerikaanse dieselmotor.

De gouverneur verschijnt om ons uit te zwaaien. Hij heeft zijn gewaden verwisseld voor de karakterloze, maar ideologisch verantwoorde safarihemden die Kenneth Kaunda en anderen prefereren. Hij geeft me een doos met dadels voor de reis, glimlacht voortdurend en schudt iedereen bijzonder hartelijk de hand.

'Als de trein vertrekt, zul je nog eens wat zien,' grinnikt hij.

En inderdaad, als om klokslag 5 de fluit een klaagzang door de woestijn laat schallen en de reusachtige logge combinatie begint te bewegen, wordt de lage spoorbaan gevuld met een massa rennende gestalten, die op de trein afvliegen, op de wagons springen en uiteindelijk op het dak klimmen.

Afgezien van de mensen die dak-klasse reizen – die, als ze bereid zijn de extreme hitte en koude en het opgewaaide zand te riskeren, niet van officiële zijde ontmoedigd worden – heeft de trein drie klassen. Ofschoon we eersteklas reizen, is het zeer eenvoudig – met zijn vieren in een compartiment, weinig van de lichten of ventilatoren werken en het bekken in de wasruimte is verdwenen. De treinopzichter, weer zo'n grote, vriendelijke man, denkt dat er in totaal 4000 passagiers zijn, maar zeker weet hij het niet.

Een kilometerpaal in het zand geeft 899 kilometer tot Khartoum aan. De lange, rechte lijn met één spoor werd in 1897 gebouwd op last van generaal Kitchener om bij te staan in de bevrijding van Khartoum, dat de mahdi twaalf jaren eerder van generaal Gordon had afgenomen. Ondanks de verwoestende hitte en het gebrek aan water legden de Britten en de Egyptenaren het spoor aan in een tempo van meer dan een halve kilometer per dag, waarmee ze de 370 kilometer naar Abu Hamed in 10 maanden overbrugden.

Hoewel eens de trots van het rijk, is de Nile Valley Express nu sterk achteruitgegaan. Bijna alle wagons behoeven reparatie, en de houten balken van het raamwerk zijn vaak door de rottende panelen heen te zien. Vertragingen zijn vrijwel noodzakelijk en duren soms dagenlang.

Maar ondanks alle gebreken is het rijden op deze trein een opvrolijkende ervaring. Als de nacht valt in de Nubische Woestijn en de bleke maan een spookachtige glans aan het landschap van zilverzand en een enkele lage, getande piek verleent, zit ik aan de open deur van onze wagon met een stukje Van Morrison op mijn walkman en verbaas ik me over de pure schoonheid van dit alles.

Tweemaal komt het tot een niet ingecalculeerde stop – eenmaal voor een gebroken vacuümpijp en eenmaal voor 'motorpech'. Zodra de trein stopt, springen de passagiers op het dak naar beneden en rollen ze zich in het zand op om te slapen, gewoonlijk in groepjes van drie of vier, waarvan er een waakt in geval de trein weer start. Sommigen stappen uit om te bidden, anderen om hun benen te strekken en af te koelen in de lichte woestijnwind.

Dan, op wonderbaarlijk wijze, komt de trein ratelend in beweging en rennen ze allen terug als we verder gaan in de nacht; en de schaduwen van de verlichte coupés vormen abstracte patronen van kubussen en rechthoeken op de bodem van de woestijn, terwijl opgerookte sigaretten als vuurvliegen uit de ramen flitsen.

DAG 65 – VAN WADI HALFA NAAR ATBARA

Op een bepaald moment in de nacht word ik wakker en mijn keel voelt aan alsof hij een rots herbergt. Slikken veroorzaakt een stekende pijn, die een slok uit mijn waterfles slechts gedeeltelijk verlicht. Opgelucht verneem ik dat ik niet de enige ben die lijd. De oorzaak is fijn woestijnzand dat opwaait en tijdens de slaap geïnhaleerd wordt. Alles in de coupé zit onder het stof en we hebben alleen ons kostbare water in flessen om te wassen.

Om 6.30 uur 's ochtends is Nigel, die op een klimrek geboren moet zijn, alweer wakker en filmt hij op het dak de zonsopgang. Fraser bevindt zich daar ook en ik besef dat ik me bij hen zal moeten voegen. De trein gaat nooit harder dan een kalme 70 kilometer per uur, maar de klauterpartij naar boven vereist veel vertrouwen in de verschuivende, krakende hulpstukken tussen de wagons. Er rijden ongeveer twintig mensen mee boven op onze wagon en de sfeer is vriendelijk. Ali Hassan is jong, misschien 18 of 19, en reist naar Khartoum om weg- en waterbouwkunde te gaan studeren. Hij is verbaasd dat mensen in Engeland niet boven op treinen kunnen reizen. Ik vertel hem over bruggen.

We praten over de toestand van het land. Hij is optimistisch. Er is geen hongersnood meer en de burgeroorlog in het zuiden is minder erg dan hij geweest is. Ik vraag hem of de oorlog een religieuze strijd is tussen de moslims van het noorden (die ongeveer 70 procent van de bevolking uitmaken) en de christenen en niet-moslims van het zuiden. Hij zegt dat het politiek is. Garang, de leider van de rebellen, wil eerste minister worden, maar als hij zich tevreden zou stellen met een positie in de huidige regering, zou de oorlog over zijn. De Soedanezen hebben geen vrienden nodig, zegt hij, ze kunnen hun eigen problemen oplossen.

Ons dak-overleg wordt onderbroken door de aankomst van een menselijke klerenbundel, die een met textiel omwikkelde ketel en een stapeltje glazen draagt. Ali Hassan staat erop me een kop thee aan te bieden, en een textielen stop wordt van een tuit verwijderd, waarna mijn glas wordt gevuld met een zoete maar verfrissend scherpe substantie. Terwijl ik treuzel bij het genot van deze ongewone proviandering, zie ik een ongeduldig uitgestoken benige hand. De theeverkoper wil zijn glas terug, zodat hij zijn tocht over het dak van de trein kan voortzetten. Hij schommelt in de verte verder en Fraser schudt zijn hoofd. We zullen zeker botulisme krijgen, zegt hij. Toch was dat de minste van mijn zorgen toen ik op het dak van een rijdende trein klom.

Om 8 uur passeren we Station Nummer 6 (geen enkel station in de woestijn heeft een naam). Ik denk aan een Soedanese butler op Cyprus, die erop aandrong dat ik hier zijn familie zou bezoeken, maar ik zie mijlen in de omtrek geen enkel teken van leven, familie of iets anders. Ik baan mij een weg door de verscheurde en verroeste overblijfselen van een verbindingsgang naar de restauratiewagon. Daar staan zes tafels naast de smerige, versplinterende plastic ramen zonder ventilatoren. Het ontbijt van brood, stukken rundvlees, een gekookt ei en linzen is niet slecht.

Als de dag begint te koken, bereiken we Abu Hamel. Op deze plek draait de Nijl na een brede lus weer naar het zuiden.

Terwijl de motor, die op miraculeuze wijze de nacht heeft overleefd, wordt losgekoppeld om bijgetankt te worden, loop ik naar de rivieroever. Een aantal lange, lage boten met buitenboordmotoren vullen zich met passagiers om naar de verre overkant te gaan. Ik merk op dat de vrouwen gescheiden van de mannen reizen, net zoals dit van hen op de trein geëist wordt.

Omstreeks het middaguur wijst mijn thermometer in het compartiment 38 graden aan. Buiten is de met rotsen bezaaide woestijnbodem gebleekt wit. Binnen eet ik een blik met 'Gestoomd kuiken met bot', ingeblikt in China en gekocht in Wadi Halfa. De rest van de ploeg kiest voor gezondheid, veiligheid en Sainsbury's tonijn. Niemand heeft veel energie meer over en als ik zo hard in een tube mosterd knijp dat de tube barst en Nigel bedekt wordt met een patroon van gele kloddes, ontstaat er een soort vermoeide berusting dat deze dingen nu eenmaal op de Nile Valley Express gebeuren.

Om half een valt er iemand van het dak en de trein rijdt bijna een kilometer achteruit om hem op te halen. Hij was volledig ingedut toen hij eraf viel, zodat de hele episode een nieuwe betekenis geeft aan het in slaap vallen.

Tussen Artoli en Atbara rijden we dicht langs de Nijl, die hier in vergelijking met Egypte dik en modderig is. De dorpen liggen opeengehoopt tegen de oever en er lijkt hier geen systematische irrigatie te zijn. De huizen zijn vierkant en gemaakt van modderbaksteen, eenvoudige schutplaatsen tegen de zon. Er zijn geiten, maar geen voertuigen. Het ziet eruit als een zwaar bestaan, ondanks zo'n overvloedige rivier.

In de restauratiewagon drinken sommigen Nijlwater compleet met modder, in een vertwijfelde poging de meedogenloze hitte te bestrijden. Ik houd het bij thee, die voor me gekocht is door drie Khartoumers, van wie er twee terugkeren van een huwelijksreis naar Caïro. Eén is landbouwkundig ingenieur, de ander advocaat. Ze willen me graag vertellen over de schade die de huidige regering volgens hen aan hun land berokkent. De fundamentalistische voorstanders van de harde lijn zijn agressief, ze hebben al veel tegenstanders gedood en, zoals de advocaat met een gefrustreerde beweging van zijn hoofd zegt: 'Ze houden helemaal niet van ontwikkelde mensen.'

Als we bij een volgende Nijlhalte vanuit de trein in de avondkoelte stappen, zie ik dat een dakpassagier zijn tulband uitrolt en deze aan een waterverkoper reikt, die er een hengsel van een emmer aanknoopt die vervolgens naar boven wordt gehesen. Plaatselijke bewoners zitten naast brandende stormlampen bij hun waren en kleine meisjes lopen af en aan met ketels die op een laagje brandende houtskool worden warmgehouden. De rivier heeft hier een volle, zoete geur en de gebleekte en zwijgende woestijnrotsen staan, kaal en compromisloos, in het laatste zonlicht. Terwijl ik bedenk hoe volslagen en wonderlijk vreemd alles is, zie ik dat de wagon waarmee we door de Nubische Woestijn zijn getrokken, de naam van zijn maker draagt: 'Gloucester Railway Carriage Company, 1959'.

We bereiken de drukke stad Atbara, die op 310 kilometer van Khartoum ligt, 17 uur nadat we uit Wadi Halfa zijn vertrokken. Van hieruit trekken we verder naar het zuiden per bus. Van het ontschepen herinner ik me alleen maar schaduwen, een zachte etenslucht en een hoop gesjouw. In een regeringslogement vieren we de geslaagde afloop van een in potentie zeer moeilijk onderdeel van onze reis met een kan of twee Karkady, een aangename drank die op Ribena lijkt en die gemaakt wordt van de bloem van de hibiscus. Meer valt er niet te vertellen.

DAG 66 – VAN ATBARA NAAR KHARTOUM

De kamer die ik met Basil deel, heeft evenals zijn huidige bewoners betere dagen gekend. De wastafel heeft een warme en een koude kraan, maar levert alleen koud water, dat in een wasbekken stroomt dat bedekt is met een dunne, vettige laag van gestold vuil. De bedden zijn smal en de lakens zijn voldoende grijs voor mij om mijn eigen lakenzak te voorschijn te halen.

Een breed balkon met enkele rieten stoelen omgeeft de kamer. Om 6.30 uur in de ochtend sta ik op die plek en kijk ik neer op een groene en aardige tuin, waarin twee veiligheidsagenten diep in slaap zijn gevallen. Ze zijn niet enkel op hun post in slaap gevallen, maar slapen in hun bedden, op hun post.

Nadat ik mijn bagage voor de 35ste keer sinds de Noordpool heb ingepakt, loop ik naar wat trots wordt aangekondigd als de eetzaal, en na een opmerkelijk goed ontbijt dat zelfs pap bevat, nemen we de bus naar Khartoum. Deze is gebouwd op een Bedford-chassis van circa 1956 en is overvloedig versierd met felle primaire kleu-

ren, als een hippie-caravan uit de jaren zestig. De bus is 'aircondi-
tioned', wat open aan beide kanten betekent.

Onze apparatuur wordt op het dak vastgesjord door een aantal dra-
gers/helpers die met ons mee reizen. Een van hen is joviaal en
spreekt goed Engels. Als ik hem vraag hoe lang de reis zal duren,
zegt hij: 'Acht uur,' en voegt met een knipoog toe, 'Acht *harde*
uren...'

We zijn om 7.15 uur op weg, zodat we van het koelste gedeelte van
de dag kunnen profiteren. Dit is een tamelijk hopeloze doelstelling,
aangezien het al 34 graden is. Mijn opwinding over een reis met
zo'n kleurrijk, inheems transportmiddel wordt al snel gematigd
door de kennismaking met de plakkerige plastic stoelen, een been-
ruimte die Toulouse Lautrec op de proef zou stellen en het harde,
metalen frame van de stoel, dat als ik knikkebol waarschijnlijk mijn
hoofd open zal splijten.

Atbara is een stationsstad, op de kruising van de lijnen naar
Khartoum vanuit Wadi Halfa in het noorden en vanuit Port Soedan
aan de Rode-Zeekust. We klimmen omhoog over spoorlijnen en
langs rangeersporen waarop onbeheerde stoomtreinen staan. Dan
ratelen we de sloppenwijken binnen, waar de moddermuren
plaatsmaken voor halvemaanvormige constructies van uiterste
eenvoud, bedekt met biezen matten, geitenhuid, bordkarton of wat
maar verkrijgbaar is. Ze liggen als opgelapte schildpadden over het
zand verspreid. In minder dan 30 minuten nadat we vertrokken
zijn, laten we de met steenslag verharde weg achter ons en stuiteren we de woestijn in, terwijl we een enorme open vuilnisbelt passeren. Stuiteren is een understatement. Er zijn schokken van een
dusdanige omvang dat de bus loskomt van de grond en ons naar
het metalen dak werpt. Ten westen van ons passeert een trein, op
weg naar het noorden, met een menselijke bedekking die over de
wagons is uitgesmeerd.

Omstreeks 9 uur heeft de temperatuur weer de 38 graden bereikt
en vullen reusachtige lappen van zilverachtig water en oevers met
palmen de horizon: de helderste luchtspiegelingen die ik ooit
gezien heb.

Onze chauffeur, Ibrahim, is laconiek en in het bezit van één wit
oog, dat onbeweeglijk voor zich uit staart. Er is geen zichtbare weg,
maar hij concentreert zich op het rotsachtige, zanderige oppervlak
alsof hij zich op het spitsuur door Piccadilly Circus heen slaat. Af
en toe reikt hij naar een kleine plastic zak, waaruit hij een prop

tabak haalt die hij wrijft, breekt en waarvan hij een snuif in elk neusgat neemt. Af en toe stoppen we, waarna Nigel, Patti, Fraser, Clem en Angela naar de verte ploeteren om enkele opnames te maken. Direct als we stoppen, springt een jongen met heldere ogen die op het dak schijnt te leven, naar beneden, trekt de beschermkap open en vult de radiator met water, vóór hij weer naar de koffers terug draaft.

Ibrahim kan de behoefte aan al dit oponthoud niet begrijpen, hij wil enkel naar Khartoum. Het is vandaag de geboortedag van Mohammed en er zullen 's avonds festiviteiten zijn. Mijn vriend de drager is spraakzamer. Hij zegt dat hij leraar is en stelt me onvoorspelbare vragen als: 'Ken je Richard Burton?' Ik schud mijn hoofd. Er is een korte pauze. 'Ken je Roger Moore?'

We stoppen bij een dorp aan de Nijl. De rivier, gezwollen door de regens in Ethiopië, is 11 meter gestegen en zal tot oktober verder stijgen. Maar de grote, brede, vrijgevige Nijl vervolgt zijn weg om elektriciteit voor de Egyptenaren te maken en laat deze dorpen achter zich, die uit de Nijl trachten te halen wat mogelijk is, hetgeen in dit geval neerkomt op één stoompomp en houten stokken en planken om irrigatiekanalen uit te schrapen.

Een van de raadsels der geschiedenis is dat een dergelijk lijden en armoede kunnen bestaan in een land dat 2000 jaren geleden bekend stond om zijn ijzerindustrie en zijn overvloedige landbouw. Het gebied dat we nu passeren, bevat nog enkele overblijfselen van het oude koninkrijk Meroë, waaronder een groep gebroken en scheve piramiden – sommige zonder top, die in de woestijn staan als een rij slechte tanden.

Na zes uren van heet en hopeloos oncomfortabel reizen bereiken we de stad Shendi, die 132 kilometer van Atbara ligt. Met een zucht van verlichting betreden we het Taieba Toeristenhotel. Dit blijkt gesloten te zijn en de tuinen zijn overwoekerd en onbevloed, terwijl de grote openbare ruimten leeg zijn en naar verrotting ruiken. We mogen de toiletten gebruiken, waar enkele uitgemergelde katten uit glippen en wegsluipen. Eens moet dit een mooi hotel aan de rivier zijn geweest. Nu schenkt het niemand meer vreugde. We vinden een café waar men koude Pepsi serveert en een scherpe groentesaus van okra, tomaten, sjalotten en komkommer. Zeer smakelijk, alhoewel niet ieder van ons het durft te eten.

Om kwart over zeven, als de bliksem aan de horizon flitst, worden we naast een kanaalbrug aangehouden, bij onze derde militaire controlepost van deze dag. Een uur later steken we bij Khartoum de Nijl over. Iemand wijst op de samenvloeiing van de Witte en de Blauwe Nijl, maar ik staar stroomafwaarts, gebiologeerd door wat een dikke wolk blijkt te zijn, die de rest van de lucht verduistert en die snel over de rivier drijft, als een gordijn dat voor de stad wordt geschoven. Dan zijn we plotseling omringd door een wervelwind, die adembenemend koel is, en door een sissende en krakende douche van zand, die de lichten uitdoet en in ogen en monden slaat. Degenen van ons die ze nog niet dragen, grijpen naar de maskers die aan het begin van de reis zijn uitgereikt. We bevinden ons in een van de woeste, plaatselijke zandstormen, die haboub genoemd worden en die door een woestijnstorm worden aange-wakkerd (de storm die we eerder hebben gezien). Het is een absurd theatrale aankomst in de hoofdstad – op de geboortedag van Mohammed, met de fluitende wind en het wervelende zand rondom de lichten en de tenten die speciaal voor de feestelijkhe-den zijn opgericht.

Het is de vraag hoe de camera's en de rest van de apparatuur dit zullen doorstaan. We zien dan ook met aanzienlijke opluchting het Khartoum Hilton opdagen, 13 uren nadat we uit Atbara zijn ver-trokken. De eerste blanke gezichten die we sinds Aswan hebben gezien, kijken ons verontrust aan, als onze sjofele, ongeschoren en met zand bedekte ploeg de receptie nadert.

Nooit heb ik een warme douche zo uitbundig begroet, laat staan het dubbele bed en de minibar – leeg, maar desalniettemin een minibar.

Als ik in slaap val, huilt de haboub nog steeds rond het gebouw.

DAG 69 – KHARTOUM

Na een weekend rust om te herstellen van de reis door Soedan wordt het tijd dat we bekijken hoe we eruit komen. Dit vereist een bezoek aan het Ministerie van Informatie. We rijden over de El Nil Avenue, die eens de Corniche heette, onder majestueuze maho-niebomen en langs koloniale overblijfselen als het Grand Hotel en het Paleis van het Volk, een vaak gerestaureerde versie van het gebouw waar generaal Gordon in 1885 het leven liet. Khartoum lijkt een stad zonder identiteit. Het ontstond omstreeks 1820 op een gebogen landtong tussen de Witte en de Blauwe Nijl, die op de slagtand van een olifant lijkt, Khartoum in het Arabisch. Het gedijde als een centrum van de slavenhandel, als de poort tot de reusachtige menselijke voorraden in Centraal-Afrika. In 1885 veroverde de plaatselijke held, de mahdi, de stad op Gordon en de Britten, maar hij werd door Kitchener in 1898 verslagen, waarna *Khartoum* in westerse stijl werd herbouwd, die zo ver ging dat het stratenplan de vorm van de Britse vlag kreeg. Het plezierige, gemakkelijke leventje – ondanks het afmattende klimaat – werd weer veiliggesteld en het centrum van de stad heeft nog steeds meer van Griekenland en Rome dan van Afrika of Arabië. Sinds de pedante maar propere kolonialisten zijn vertrokken, weet eigenlijk niemand meer wat met Khartoum aan te vangen. Het bevat niet de bruisende miljoenen van Caïro die de stad louter door hun hoeveelheid tot leven wekken. De huidige regering, die Saddam Hoessein en de generaalscoup in de USSR steunt, is niet geïnteresseerd in de oproep van het buitenland. Dit alles, in combinatie met de lethargische economie (de inflatie bedraagt momenteel 240 procent), zorgt voor een lome hoofdstad, een rommelwinkel van het verleden die elke interne dynamiek ontbeert.

De dreiging van geweld is hier reëler dan in enig ander land dat we hebben bereisd. De Amerikaanse ambassadeur is onlangs vermoord. In 1988 werd een bom in het restaurant van Hotel Acropolis geworpen, dat een populaire ontmoetingsplaats voor westerse hulpverleners en journalisten is. Vijf mensen werden gedood. Het vorig jaar werd een bom geplaatst in de lobby van het hotel waarin wij verblijven. Een bordje in de lift waarschuwt de gasten dat er in de stad tussen 23.00 uur en 4.00 uur een uitgaansverbod van kracht is.

Hoewel op diverse punten tanks en troepen aanwezig zijn, met name rondom de bruggen, verloopt de toegang tot het Ministerie van Informatie ongedwongen. In het voorhof lopen mensen in en uit, onder wie een slanke, hoffelijke heer die de belangrijkste filmregisseur van Soedan blijkt te zijn: Jed Gudalla Gubara. Hij is een vitale en humoristische man die vloeiend Engels spreekt. Hij zegt dat hij op het moment hier bezig is met twee filmopnamen. De ene gaat over de Nationale Bezuinigingen, de ander over mijnen. Het nieuws vanuit het Ministerie van Informatie is slecht. Ze weigeren ons toestemming te geven om naar het zuiden te reizen. Daar heerst al jaren een burgeroorlog, zodat ze onze veiligheid niet kunnen garanderen. We zouden naar de zuidelijke hoofdstad Juba kunnen vliegen, maar deze is omsingeld door Garangs SPLA (Sudan People's Liberation Army), zodat het bijzonder gevaarlijk zou zijn om van daaruit naar Oeganda te trekken.

Onze poging om de dertigste lengtegraad te volgen, waarin we binnen een graad of twee geslaagd zijn sinds we 42 dagen geleden Leningrad bereikten, lijkt nu te stranden.

Als we in het hotel terug zijn, bekijken we de mogelijkheden. Aan adviezen is geen gebrek. De buitenlandse gemeenschap in Khartoum werd hechter naarmate zij in omvang afnam, en de lobby van het Hilton is een van de plaatsen waar zij contact met de buitenwereld zoekt. We praten met een Engelsman die hier drie jaren gewerkt heeft en die vermoedt dat de meeste hulporganisaties gedwongen zijn binnen een jaar uit Soedan te vertrekken, als de huidige regering haar politiek voortzet. Met vermoeide berusting kijkt hij op: 'Ze houden niet van ons.' De zwendel met de hulp is belachelijk, zegt hij. 'Twintig miljoen pond aan hulp is niet geboekt.' Hij nuttigt een tweede fruitsapje. 'Welkom in Soedan,' herhaalt hij telkens met een oppervlakkig lachje. Ik voel me nog steeds weinig energiek en stel mezelf tevreden met een partijtje tafeltennis, een beetje zwemmen en een rondgang door de ondervoede boekwinkel van het hotel, die de enige in de wereld moet zijn waar Jilly Cooper naast *The Cultural Atlas of Islam* staat en waar Jeffrey Archer grenst aan *The Sudanese Bourgeoisie – Vanguard or Development?*

Ik beëindig Alan Mooreheads *The White Nile* terwijl ik over de rivier zelf uitkijk, die grijs en gezwollen is en die op enkele honderden meters van mijn raam de velden onder water zet. Als ik de Nijl kon volgen, zou hij mij door moeras en woestijn zuidwaarts voeren, naar de evenaar en het Virunga-massief, het centrum van Afrika, waar de grote namen van de Victoriaanse ontdekkingsreizen, de Spekes en de Burtons en Stanleys en Livingstones 130 jaar geleden naartoe werden getrokken. Nu blijkt dat mijn hoop om meer van de Witte Nijl te zien, de bodem is ingeslagen – een slachtoffer van de oorlog.

DAG 70 – KHARTOUM

Misschien is er een oplossing voor onze hachelijke toestand. Clem heeft een groep Eritreeërs ontmoet, die ervaren zijn in transporten over de grens. Waar, wanneer en hoe ze ons zullen meenemen, is afhankelijk van een bespreking later op de dag. Ondertussen gaan we filmen in Omdurman, aan de andere kant van de Nijl.

De Britten namen niet de moeite Omdurman in hun nieuwe ontwerp voor Khartoum te betrekken, zodat het een erg Afrikaanse stad is gebleven, zonder hoogbouw of grote monumenten.

In de soek – de markt – vind je alle benodigdheden voor het leven. Dit zijn de basisbehoeften, niet de luxeartikelen. Specerijen, olie (om te koken en voor de lampen), stapels metalen emmers, kookgerei, kleren, katoen en als voedsel bananen, limoenen, citroenen, mango's, dadels, uien en reusachtige schalen met hoge bergen noten.

Aan de ene kant van een open terrein zit een rij mannen met gekruiste benen op de grond. Elk heeft het gereedschap van zijn ambacht netjes voor zich gerangschikt. Eén heeft een korte spade op een stapeltje bakstenen, een ander een lichtpeertje boven op een gereedschapstas, een derde een zak met verfborstels met daarop een troffel. Ze wachten om voor een klus te worden ingehuurd en lijken nogal vreedzaam en geduldig, totdat we de camera richten en de hel losbreekt. Een man gebaart zo beeldend met een pikhouweel naar mijn hoofd dat ik mijzelf automatisch bescherm. Hierop toont hij Goddank een brede lach.

De afwezigheid van elke vorm van toerisme in Soedan heeft veel kleine genoegens tot gevolg. Eén daarvan is dat je de buitengewone vaardigheden van de feloekenbouwers aan de Nijl kunt aanschouwen zonder modelboten of 'I have seen...'-T-shirts te moeten kopen. Een dikke stam van mahoniehout wordt door meer dan tien mannen op een latwerk getild, dat zich ongeveer op manshoogte van de grond bevindt. Dan zagen twee mannen, een boven en een onder, de stam door, totdat hij keurig in vier planken uiteenvalt. Afgezien van het slopende werk om in een extreme hitte met de hand mahoniehout door te zagen, geven de mannen tijdens het zagen een gekromde vorm aan het hout, waarbij ze precieze berekeningen maken zonder enig ander instrument dan hun eigen ogen.

Het uiteindelijke resultaat zijn planken die perfect gemodelleerd zijn voor de vorm van de romp. Ze kunnen een feloek, van mahoniestam tot zeilboot, in 45 dagen bouwen.

Terug over de Nijl en weer in Khartoum staat voor de namiddag onze ontmoeting met het Eritreese vervoerscontact op het schema.

Een keurige moderne villa is het ongerijmde hoofdkwartier van de EPLF, het Eritrean People's Liberation Front – en is dat eveneens van Ayusha Travel, een organisatie die is opgezet om te profiteren van de ervaring die verkregen is door gedurende de 30-jarige oorlog op en neer naar Noord-Ethiopië te rijden. De oorlog eindigde vier maanden geleden met de omverwerping van kolonel Mengistu. Op de muren van de bungalow beelden muurschilderingen gerealiseerde vrijheidsstrijders af – tot op de tanden gewapende vrouwen die op het punt staan een handgranaat te werpen, stammenkrijgers met zwaaiende speren en de schedels van de vijand met groteske doodsgrijnzen. Hassan Kika toont me zijn kantoor. Hij is een rustige, gezaghebbende man met een zachte stem. Het is gemakkelijker om hem als vervoersmanager dan als vrijheidsstrijder te zien, ofschoon hij zaken als bomfragmenten op zijn bureau heeft en spreekt over de '10.000 martelaren', die stierven terwijl ze vochten voor Eritrea en tegen de Ethiopische dictatuur.

Nu is de overwinning waarin ze altijd geloofd hebben een feit Binnen twee jaar zal in Eritrea een referendum, onder verantwoordelijkheid van de Verenigde Naties, beslissen of het een nieuwe, onafhankelijke staat wordt. Hassan Kika denkt dat het resultaat al van tevoren vaststaat.

Ik leg ons meer alledaagse probleem aan hem voor, waarna we samen op de kaart kijken. Er is een manier waarop hij ons naar Ethiopië kan brengen. Deze houdt een rit van zes à zeven uur in, over een goede weg naar Gedaref en vandaar zuidwaarts over wat hij 'ruige wegen' noemt naar de grensovergang bij Gallabat. Hij waarschuwt ons dat de regentijd dit jaar veel later is en dat gedeelten van de weg weggespoeld kunnen zijn, maar met zijn 'Landcruisers' voorziet hij geen problemen. Ik vraag hem of er over de grens nog gevochten wordt.

'Nee... nee, ik denk het niet, nee. Het TPLF (de strijdkrachten uit Tigre die Mengistu versloegen) controleert dit gedeelte van Ethiopië. Maar er zijn sommigen, weet u, die niet met hen willen samenwerken, en dezen vormen hun eigen bendes.' Bandieten? Hij glimlacht, maar niet erg overtuigend.

'De mensen in de dorpen jagen hen weg, weet u.'

Hassan Kika en de Eritreeërs lijken onze onderneming te hebben gered. Ze zeggen dat we in het weekend de voertuigen kunnen krijgen die we willen hebben. Ze schatten dat het ons drie dagen zal kosten om van Khartoum naar Gondar in Ethiopië te rijden.

Ik keer opgelucht naar het hotel terug, waar mijn enthousiasme wordt getemperd door een Engels paar dat zojuist in Eritrea vijf weken in gevangenschap heeft doorgebracht, nadat hun jacht naar verboden gebied was afgedwaald. Ze werden slecht behandeld. Er waren enige 'lichamelijke onaangenaamheden' en er was geen rechtskundige bijstand.

'En geloof geen enkel tijdsbestek dat ze opgeven.'

Het paar, dat op weg naar huis is, heeft een witte papegaai met de naam Gnasher bij zich, die tot categorie – van beschermde diersoorten behoort, waarvoor allerlei vergunningen vereist zijn. Ze zijn inmiddels in het bezit van alle papieren, maar Air France wil hem alleen in een speciale kooi meenemen, die ze op het moment laten maken. In de tussentijd wordt Gnasher erg prikkelbaar en knabbelt aan alles wat hij kan vinden.

'Ik heb al twee gordijnen moeten betalen die hij in Asmara heeft opgegeten,' zegt zijn vrouwelijke eigenaar gelaten.

Saaie momenten bestaan niet in het Khartoum Hilton. En vanavond is het Britse nacht aan het buffet.

DAG 71 – KHARTOUM

De huidige Britse aanwezigheid in Khartoum is geslonken tot een handvol ontwikkelingswerkers en leraren. Sinds de Golfoorlog is zelfs de staf van de ambassade gereduceerd tot minder dan 10 mensen. Resteert de Sudan Club, eens open voor allen van Britse nationaliteit of afkomstig uit het Britse Gemenebest, maar nu bedoeld voor iedereen uit een EEG-land. De club resideert in een villa in het centrum van de stad. Het heeft een zwembad, squashbanen, een bleekgroen gazon en een ledental dat van een koloniale hoogte van over de 1000 is gekrompen naar 230. Daar ontmoet ik Alan Woodruff voor een lunch. Hij is professor in de geneeskunde aan de Universiteit van Juba. Hij is 70 jaar en speelt driemaal per week tennis.

Een gesprek met hem is een bemoedigende correctie op elke vorm van onschuldige nostalgie naar een Brits Soedan. Ik vraag hem naar de toestand tijdens de Golfoorlog, toen Soedan de kant van Saddam Hoessein koos en de meeste Europese regeringen hun onderdanen adviseerden het land te verlaten.

Professor Woodruff leeft zichtbaar op bij de herinnering daaraan.

'Tja, ik... ik had de hele boel voor mezelf... ik dineerde erg chic, helemaal alleen!' Hij zegt dat hij zich behoorlijk veilig en beschermd voelde. De ontelbare politieke problemen van het land en het feit dat hij, zoals hij toegeeft, in een 'staat van oorlog' leeft, baren hem echter nog niet half zoveel zorgen als de salade. 'Maju,'... hij roept de ober, 'je weet dat ik nooit salade neem.'

Hij wendt zich grimmig tot me: 'Salade is een van de slechtste manieren om met dysenterie besmet te worden (ik neem aan dat hij een van de beste bedoelt). Een van de eerste voorwaarden voor het fit blijven in de tropen is dat je salades vermijdt.'

Hij beweert dat hij in de 10 jaren hier nog niet één werkdag gemist heeft, dus schuif ik mijn tamelijk sappige schotel tomaten en uien zo ver van mij af als de beleefdheid toestaat. Ik zou denken dat de rest van het menu, dat onder andere uit Schotse eieren en Gedraaide vis bestaat, een probleem vormt, maar niet voor de professor. Alles wat uit deze keuken komt en warm wordt opgediend, is veilig.

Gedraaide vis?

'Zeer smakelijk. Opgerolde gebakken visfilet.'

De 1500 studenten van professor Woodruffs geliefde Universiteit van Juba werden onlangs per vliegtuig uit het Zuiden gehaald, toen de oorlog het leven en het werk onmogelijk maakte. Hij heeft veel lof voor zijn studenten en zegt dat de Soedanezen uitstekende dokters zijn. Maar er zijn te weinig middelen om voldoende studenten op te leiden. 'De Wereld Gezondheid Organisatie beveelt één arts op duizend inwoners aan – ik vermoed dat er in Soedan één arts op tien- tot twaalfduizend mensen is.

Later, tegen mijn gezond verstand in, laat ik mij verleiden tot een spelletje squash met Noshir, een Indiër die hier in Khartoum werkt. Hij is duidelijk gewend aan het spelen in de hitte en is vol begrip als ik me na minder dan 10 minuten in een staat van totale ineenstorting bevind.

'Het moet hier binnen rond de 38 graden zijn,' zegt hij verontschuldigend. Mei en juni zijn het warmst. Hij herinnert zich dat zijn vrouw een keer per ongeluk wat eieren in de auto liet liggen. Toen ze terugkwam waren ze gekookt. Hij is gelukkig in Khartoum. Hij stuurt zijn kinderen naar de plaatselijke scholen en vindt het een goede zaak dat ze Arabisch leren.

'Het is prettig hier. Er is geen drugsprobleem, er is geen zinloos geweld en de familie blijft dicht bij elkaar.'

Als ik de Sudan Club verlaat, stop ik bij het bord met aankondigingen. Er is een Disco met buffet op 4 oktober, een Internationale Zwem- en Feestdag, een Europese Quiz-avond en zelfs een Gemaskerd Halloween-bal. Voor de buitenwereld is Khartoum het indolente centrum van een door oorlog en hongersnood geplaagd land dat op de rand van economische ineenstorting staat, maar voor de degenen die hier leven, de Noshirs en de professor Woodruffs, is het het middelpunt van hun leven, in goede en in slechte tijden. Voor hen, en ook voor mij na een verblijf van een halve week, is Khartoum niet langer ver weg, moeizaam of gevaarlijk. Het is waar we zijn. Het is thuis.

DAG 73 – KHARTOUM

Nog steeds geen spoor van de formulieren die we voor de reis zuidwaarts nodig hebben. Ik breng de tijd door met een bezoek aan de kamelenmarkt, die in de woestijn plaatsvindt. Enorme aantallen vee en kamelen zijn hier uit het hele land verzameld en worden begeleid door herders die samen met hun vee honderden kilometers hebben moeten lopen. Ik vraag hoeveel een kameel kost – één eigenaar, in goede staat – en verneem dat de koers ongeveer vijfentwintigduizend Soedanese ponden bedraagt, ongeveer drieduizend gulden. Op de terugweg ontmoeten we moeilijkheden. We zijn gestopt bij een van de kleurloze woestijnnederzettingen aan de rand van de stad. Onze verzorgers zijn drinken aan het kopen. Vanuit het autoraam fotografeert Basil een prachtig geklede gestalte tegen een achtergrond van drijvende rook. Zijn camera wordt opgemerkt en twee of drie mannen komen naar de auto en eisen het filmpje op. Basil weigert het te geven. Een menigte verzamelt zich en al snel is de sfeer even verhit als de dag zelf. Armen reiken in de auto waarin we zitten, vingers graaien naar de camera. Iemand schreeuwt tegen ons dat we niet uit de auto moeten gaan, alsof dat mogelijk zou zijn. We zijn omsingeld en mensen meppen op het dak. Alle opwinding wordt veroorzaakt doordat ze denken dat Basil niet een mooi plaatje van een Soedanese heeft geschoten, maar de vuilnisbelt op de achtergrond. Met een behendige goocheltruc geeft Basil hun een ongebruikt filmpje.

Het loopt erop uit dat we het minst uitdagende onderwerp gaan filmen dat we maar kunnen bedenken – het punt waar de Blauwe en de Witte Nijl samenkomen.

Een groepje pelikanen dobbert genoeglijk op de lijn waar de wateren elkaar ontmoeten, en jawel, het is mogelijk de verschillende kleuren te onderscheiden. De Witte Nijl is duidelijk grijs en de Blauwe Nijl is onbetwistbaar bruin. Naar bed met een nieuwe zandstorm die door de stad loeit.

DAG 74 – VAN KHARTOUM NAAR GEDAREF

Wakker om 5 uur. De formulieren zijn ter elfder ure aangekomen en we moeten de voertuigen zo snel mogelijk voor vertrek gereedmaken. De Eritreeërs verschijnen met drie krachtige, schone Toyota Landcruisers en een kleinere Nissan Patrol voor de bagage. Water, voedsel, brandstof en een gedeelte van de camera-apparatuur worden deskundig op imperialen gebonden en om 7.50 uur zijn we op weg.

Na de hotsende woestijnrit van Atbara naar Khartoum lijkt de reis naar Gedaref, dat 420 kilometer naar het zuidoosten ligt, haast kalm. De krachtige voertuigen met uitstekende vering glijden over de verharde weg die Soedans vitale aanvoerroute is, en die de hoofdstad met Port Sudan aan de Rode Zee verbindt.

Het landschap is even vlak als Lincolnshire en uitgestrekte, groene velden met veel keien nodigen uit tot een verdere vergelijking. Hoge minaretten staan als torenspitsen in het landschap. Er is hier enige industrie, in de vorm van katoen- en graanmolens en fabrieken die medische verpakkingen, glucose en glas produceren. Een grijze Mercedes met de rode regeringsstrepen snelt voorbij en snijdt ons om een tegemoetkomende vrachtwagen met een kleine marge te ontwijken. Mijn eerste gedachte is dat dit weer een vluchtende president moet zijn en dat Soedan, net als de USSR, voor onze ogen in elkaar stort.

10.20 uur. Benzine sproeit over onze voorruit en we stoppen. De carburator is losgeraakt, waardoor de motor blank staat met kostbare brandstof. Nadat enige tijd getracht is het euvel met een touw te verhelpen, besluit men dat een nieuw onderdeel nodig is. Gelukkig bevinden we ons in de buitenwijken van El Hasaheisa en onze chauffeur Mikele gaat op zoek naar het benodigde onderdeel, terwijl wij wachten naast een bruine, verbrande wegberm die bedekt is met een rijtje usha-struiken, beladen met overvloedig en verleidelijk fruit, dat echter dodelijk vergif is. Een groepje kinderen komt naar ons staren. Mijn onbegrensde vertrouwen in de Eritreeërs is enigszins beschadigd.

12.30 uur. We zijn weer op weg.

Net buiten Gedaref ligt een reusachtig vluchtelingenkamp, ofwel een behuizing voor 'ontheemden'. Er bevinden zich 22.000 Ethiopiërs. Het bestaat al 16 jaar. De Soedanezen voeren een welwillend, doch niet geheel belangeloos beleid van ondersteuning van degenen die de regering van kolonel Mengistu bevechten, en deze kampen zijn voornamelijk gevuld met politieke vluchtelingen die zich bezighielden met rekruten en trainingscentra voor het Tigre Volksbevrijdingsfront. Dit kamp heeft de grootte van een kleine stad en is ordelijk gebouwd, met lange rijen van cirkelvormige hutten met taps toelopende daken en omgeven door hoge hekken. Een grote menigte verzamelt zich om ons heen. Ik heb het gevoel dat bezoeken als die van ons een welkome onderbreking vormen in een gewoonlijk besloten en routinematig bestaan. Bovendien geeft de aanwezigheid van de camera de mogelijkheid grieven te uiten en een beroep op de wereld te doen. De vluchtelingen, van wie sommigen T-shirts met 'Desert Storm' of 'Rambo' dragen, vertellen ons dat er niet genoeg voedsel is, dat ze de laagste baantjes voor de Soedanezen moeten uitoefenen om in hun levensonderhoud te voorzien en dat er internationale druk moet worden uitgeoefend om hen naar huis te laten terugkeren, nu de oorlog voorbij is.

'Wat kunnen jullie voor ons doen...?' 'Wat kunnen jullie voor ons doen?' blijven ze herhalen.

Het ergste is het vertrek. In staat zijn om te vertrekken.

In Gedaref worden we opnieuw in een regeringslogement ingekwartierd. Onze gedeelde kamers liggen tegen een veranda aan, die met netten is afgeschermd om de muskieten buiten te houden. De vloerbedekking bestaat uit slecht passend vinyl, de muren zijn kaal en bepleisterd. Er is een ventilator die niet werkt en er zijn wastafels zonder stromend water. Het is een vreugdeloze plaats. Met glazen limonade zitten we aan ons avondeten, en we voelen ons als bewoners van een bejaardentehuis.

DAG 75 – VAN GEDAREF NAAR KANINA

Mijn wekker op de stoel gaat af om 5.15 uur. Goed geslapen, ondanks een rijke variatie aan geluiden van buiten. Blaffende honden, haantjes die onbeschaamd vroeg kraaien, katten, krekels en muezzins. Het leek alsof iemand had ingebroken in de BBC-Bibliotheek voor Geluidseffecten en alle Afrikaanse banden tegelijk had aangezet.

Tijdens de zonsopgang heerst er de verfrissend koele temperatuur van 28 graden, een bemoedigend contrast ten opzichte van de benauwde en claustrofobische nacht. Er is geen ontbijt, dus beladen we na een stevige woordenwisseling over de rekening de auto's – waarin onze chauffeurs de nacht hebben doorgebracht – en rijden we in de richting van de grens. Het ontbijt zal opnieuw uit een picknick met spullen van Sainsbury moeten bestaan.

Als ik mijn Michelin-kaart bekijk (Noordoost-Afrika en Arabië), zie ik dat de weg naar Gallabat weliswaar duidelijk is aangegeven, maar voorzien is van een reeks blauwe streepjes. De Verklaring onthult dat deze een 'weg die in de regentijd onbegaanbaar is' aanduiden. Hoewel de regentijd laat is begonnen, is deze nu voorbij, maar de nasleep ervan is het enige dat de Eritreeërs enige zorgen schijnt te baren.

We zijn nog maar 154 kilometer van de grens en met een beetje geluk kunnen we vanavond in Gondar in Ethiopië zijn.

Vijftien minuten later krijgen we het eerste onheilspellende teken dat de zaken wel eens minder gemakkelijk zouden kunnen verlopen. We rijden een kruispunt in het centrum van Gedaref op. De stad is al vol met mensen die brood kopen, hete maïskolven venten of wat rondslenteren. Een sjofel groepje verzamelt zich nieuwsgierig rond de auto's en gluurt naar binnen. Gewoonlijk stappen we uit of draaien we het raampje naar beneden, maar deze ochtend willen we doorrijden. De chauffeurs echter overleggen, wijzen en argumenteren. Het is duidelijk dat ze nu de weg al niet meer weten. Na enkele minuten stappen ze weer in en keren slechtgehumeurd in een U-bocht.

We volgen een onverhard spoor, waarvan de zachte bodem al is omgewoeld door de vrachtauto's die van de grens komen. Hier zijn de chauffeurs hun geld waard. Ze moeten het verraderlijke oppervlak van tevoren kunnen schatten: in de sporen rijden als er genoeg speling is en de opstaande randen nemen als de sporen te diep zijn. De chauffeur moet besluitvaardigheid paren aan fijngevoeligheid – alsof de richels van verharde modder zijn gemaakt van eierschalen.

Zoals gebruikelijk in Afrika zijn er mensen die in deze godvergeten uithoek te voet reizen. Mikele stopt twee keer om een lift te geven – eenmaal aan een oude vrouw en haar dochter, wat verderop aan een boer met de naam Ibrahim. Hij is op weg naar zijn velden in het dorp Doka. Hij heeft 20 koeien en verbouwt *simsim* of wel sesam, zoals men mij vertelt. Hij draagt een frisse witte djellaba en een keurige kanten takia en voert een luide woordenwisseling met Mikele over godsdienst. Arabieren versus christenen.

We komen langs het karkas van een koe, dat kaal gegeten is door de roofvogels. Gele vlinders fladderen rond de beenderen en landen op de huid, die in de zon gekrompen is en op een ontoereikende deken lijkt, daar door iemand neergelegd om een ongeluk te bedekken. Nigel filmt het tafereel en Fraser laat zijn microfoonstatief erboven bungelen. Basil vraagt Fraser waarom hij het geluid van een reeds lang gestorven dier wil opnemen. Fraser lijkt door deze vraag onaangenaam getroffen: 'De vliegen zijn levend!'

Ibrahim pruimt tabak en spreidt een verrassende kennis van Engelse uitdrukkingen ten toon.

'Wat zeggen jullie Engelsen ook al weer...?' 'Waarover?'

Hij verplaatst de pruim tabak in zijn mond.

'...jullie zeggen over Engelse vrouwen...'

Ik reikhals om zijn uitspraak boven het gedreun van de motoren op te vangen. 'Wat zeggen wij, Ibrahim?'

'In het donker zijn ze allemaal hetzelfde.'

Hij giechelt ongecontroleerd. Ik voel me enigszins gechoqueerd.

We hebben bijna zes uur gereden als we bij Ibrahims bestemming zijn aangeland. Zijn laatste woord is dat we volgens hem Gallabat niet voor het donker zullen bereiken. De chauffeurs lachen dit weg, maar het kan ons in een netelig parket brengen. We hebben voor vanavond vervoer aan de Ethiopische grens geregeld en als er iets misgaat, kunnen we hun op geen enkele manier bericht sturen.

We trekken verder, bemoedigd door een sneller en steviger wegoppervlak langs de gewelfde ijzeren keten van het dorpje.

Dan nemen we een verkeerde afslag. Er zijn geen wegwijzers en de Eritreeërs hebben geen kaart bij zich. Uiteindelijk belanden we bij wat een opgedroogde rivierbedding lijkt te zijn. We rijden over de rivierbedding tot de Nissan vastloopt en er door Mikele moet worden uitgetrokken. Dan loopt Mikele vast en moet er door de Nissan worden uitgetrokken.

Het landschap verandert van een semi-woestijn in een savanne. Acacia's nemen snel in aantal toe. Zodra we bij een dorpje stoppen om de radiatoren te vullen, merken we dat ook de mensen veranderd zijn. We zien minder djellaba's en meer kleurrijke gewaden en kleren, alsook meer armbanden en halskettingen en andere bewerkte versieringen.

Het spoor bevat nu zoveel kuilen en gaten dat de chauffeurs gedwongen zijn over de drogere, nuttiger gronden naast de weg te rijden. De grond is met name nuttiger omdat die beplant is met gewassen, en als we erdoorheen ploegen en maïs en sesam verpletteren, probeer ik niet te denken aan de grofheid van onze handelwijze.

Wanneer de zon zakt, worden de kleuren van het landschap mooier. De zwarte bodem contrasteert met het citroengeel van het gras en het gloeiende roodbruin van de schors van de eucalyptusbomen.

Als onze chauffeurs elkaar niet uit de modder aan het trekken zijn, ondervragen ze iedereen die voorbij komt. Kleine kinderen, oude vrouwen die bundels hout dragen, jonge vrouwen, aan allen wordt met groeiende vertwijfeling de vraag gesteld: 'Gallabat... Gallabat?' De nacht valt en een van de Landcruisers loopt vast in een hoek van 45 graden, een andere sproeit een waaier van modder met zijn achterwielen als hij het belaagde voertuig weer vlak probeert te trekken. Een ezel draaft kalm voorbij, bereden door een oudere man die een zweem van een droevig lachje laat zien, voordat hij ons passeert en in de verte verdwijnt.

7 uur. Eén Landcruiser is nu door een scheur in de ophanging ernstig beschadigd. Dit noodzaakt het overladen en herverdelen van een hoop bagage over de toch al zwaar bepakte andere drie voertuigen. Het is pikdonker. Terwijl we de bagage overladen, komen er drie gestalten uit het struikgewas. Een van hen is een kleine jongen die een kaars vasthoudt. Achter hem wordt de horizon een moment door een bliksemflits verlicht. We zijn moe, stoffig en hebben zadelpijn, maar er is iets in dit moment dat het onvergetelijk maakt. Omstreeks 8 uur, na 13 uren rijden, bevinden we ons in een kleine nederzetting. Er is geen elektrische verlichting, enkel een verzameling zwak verlichte hutten en honden die rondsnuffelen

naast een stinkende stroom. Men vertelt ons dat dit het dorp Kanina is. Omdat het aan de grens ligt, heeft het een politiepost. Hun advies is dat het zeer gevaarlijk is om 's nachts verder te reizen en ze komen overeen dat ze ons binnen de omheining van het politiebureau zullen laten overnachten. Ze scharrelen wat bedden bij elkaar, terwijl wij bij het licht van olielampen een maaltijd improviseren van smeerkaas, ingeblikte kip en andere glibberige dingen uit blik. De 'badkamer' bestaat uit een grote kan met water, die in een van de hoeken van het modderige gebouw staat. De toiletten zijn buiten. Overal.

DAG 76 – VAN KANINA NAAR SHEDI

In Kanina duurt het zonsopgangconcert al de gehele nacht. Nooit heb ik zulk een symfonie van knorren, kwetteren, loeien, krassen, huilen, blaffen en snateren eerder gehoord. En dat was alleen nog maar de filmploeg. Bij daglicht oogt het dorpje vrij aangenaam en groen, een mengsel van taps toelopende hutten met strooien daken en steviger structuren met golfplaten.

Opnieuw besluiten we zo vroeg mogelijk te vertrekken en pas te ontbijten als we een flink stuk gereden hebben. Nog steeds is het frustrerend problematisch om specifieke informatie te verkrijgen, maar men zegt dat Gallabat niet verder dan 30 kilometer is.

We vertrekken net voor zonsopgang, om tien voor zes. Het vuil en stof van de reis zijn overal diep binnengedrongen – onze lichamen, kleren, zakken en beddengoed. De Landcruisers die 48 uur geleden zo glanzend en ongerept waren, zijn onherkenbaar smerig.

De Eritreese chauffeurs, die veel harder hebben gewerkt dan wij, zijn deze ochtend een weinig gematigd. Na het algemene gevecht van gisteren hebben ze een systeem ontwikkeld dat eerder elkaar volgen dan racen betekent. De voorste chauffeur blijft aan kop, inspecteert het terrein en keert vervolgens terug om instructies te geven. Het fundamentele probleem blijft echter bestaan. Er is geen weg naar Gallahat. Er is zelfs geen doorlopend spoor naar Gallahat. Het spoor dat er mogelijk is, wordt verduisterd door een steeds dikker wordend tapijt van lage bomen en struikgewas. De donkere vorm van de Ethiopische hooglanden blijft ongrijpbaar ver.

We gaan verder waar we gisteren gebleven waren, maïs en gierst platwalsend, en glijden en zwieren over de brede massa geulen, die in de modder zijn geploegd door veel zwaardere voertuigen dan de onze. Hoewel Mikele en zijn team onversaagd over de richels rijden en zich in de voorwielaandrijving en met plankgas naar voren duwen, is er meer geraas en gebral dan werkelijke vooruitgang. De doordringende geur van brandend rubber en vers opgedolven aarde onderstreept voornamelijk het feit dat we op de verkeerde plaats met het verkeerde transportmiddel zijn. Niet alleen de aarde lijkt hier stroperiger en zwaarder, maar ook de bomen graaien naar ons door de ramen, en als ik help met de Landcruiser voor de zoveelste keer voort te duwen, sleept een doornstruik me terug. Ik behoud het leven, maar mijn broek is als papier verscheurd.

Omstreeks 10 uur 's ochtends hebben we in vier uur twaalf kilometer afgelegd. Het is onze 14de dag in Soedan en het land lijkt steeds onwilliger om ons te laten gaan.

Het politie-escorte dat ons door de autoriteiten van Kanina is gegeven, is nu uiteengevallen. Terwijl ze worstelen met een kapotte waterpijp, verschijnt een legereenheid die erop aandringt dat we gewapende begeleiders mee naar de grens nemen. Ze zeggen dat er mannen van het onlangs verslagen leger van Mengistu door de heuvels zwerven, die op ongeregelde manier 'aan de kost komen'. Nu hebben we naast onze eigen beschadigde auto een onbruikbaar politie-escorte en twee soldaten, die met een toch al overbeladen konvooi moeten worden meegenomen.

Een uur later, omstreeks de middag, wordt het landschap schilderachtiger, zodat we stoppen om Nigel de gelegenheid te geven op een lage heuvel te klimmen en enige plaatjes te schieten. De soldaten raken erg opgewonden en geven hem het bevel terug te keren. Een van hen, die met Angela en Patti reist, heeft hun verteld dat deze heuvels vol gewapende mannen zitten, die niet aarzelen zonder waarschuwing te schieten.

We kruipen terug in onze voertuigen. Zodra we de eerste bocht om zijn, treffen we een vrachtwagen op zijn kant aan, met de lading zoutzakken verspreid over de weg. Het blijkt dat dit het eerste teken is van een konvooi naar het noorden, dat ons meer dan een uur vasthoudt als de 40 à 50 vrachtauto's en tractors met aanhanger langs ons rollen. Deze schommelende, overbeladen oude Austins en Bedfords, met alle zo'n vijf of zes gewapende mannen boven op de vracht, hebben weinig moeite met de toestand van de weg, maar ik heb medelijden met Mikele als hij een onheilspellende blik op de dieper geworden voren werpt, waarover hij en de anderen moeten terugkeren.

Om 3 uur in de middag, nadat we in 9 uren 22,5 kilometer zijn opgeschoten, stuiten we vanuit de bomen op een verzameling legerhutten op een heuveltop. Beneden ons ligt Gallabat.

Evenals Wadi Halfa is de stad met minder bedeeld dan zijn vaak genoemde naam doet vermoeden. Maar voor ons is Gallabat, met zijn Ethiopische tegenhanger aan de andere kant van de vallei, het Beloofde Land, het einde van het moeilijkste traject sinds we de Noordpool hebben verlaten.

Ons toegetakelde konvooi rolt over de heuvel naar beneden, naar een groep strooien hutten en een hoop mensen die rondsjouwen om een klein, smerig gebouw met de naam 'Douane der Democratische Republiek Soedan'. Het lijkt allemaal niet vertrouwd en in potentie bedreigend, maar tot onze enorme opluchting worden we begroet door onze Ethiopische contactpersonen Graham Hancock, een journalist, en Santha Faija, een fotograaf uit Maleisië die al geruime tijd in het land leeft. Ze brengen het welkome nieuws dat we al door de Soedanese douane zijn geklaard en dat er aan Ethiopische zijde tot vóór Addis Abeba geen douane is.

De Soedanees-Ethiopische grens bestaat uit een stilstaande kreek, waarover onlangs een betonnen brug is gebouwd. Het verrast me niet als Graham waarschuwt dat er in dit gebied een zeer hoog malaria-risico heerst.

Door een woelende massa ezels, vrachtwagens en nieuwsgierige gezichten steek ik over naar Ethiopië, waar ze nog de Juliaanse in plaats van de Gregoriaanse kalender gebruiken, zodat het hier het jaar 1984 is, en de maand, als ik het goed heb, januari.

Terwijl de lading wordt overgeplaatst op een aantal nieuwe Landcruisers, verlustig ik me in het genot van het eerste biertje sinds Aswan, precies twee weken geleden. Het bier is bijna op kamertemperatuur, maar smaakt voortreffelijk.

Omdat het al zo laat op de dag is, raadt men ons aan niet meer naar Gondar te gaan, aangezien de weg door bandietengebied loopt. We overnachten derhalve in een dorp dat ongeveer 40 kilometer van de grens ligt. Ik geloof dat het niemand van ons veel kan schelen waar we slapen, zolang er maar een comfortabel bed en wat warm water is. Beide ontbreken in Shedi. Alhoewel de accommodatie er bij kaarslicht schilderachtig uitziet, is zij onherbergzamer dan alles wat we tot op heden hebben meegemaakt. Ik bereik mijn kamer via een zwakverlichte bar die uitkomt op iets wat ruikt en aanvoelt als een boerenerf. In het midden daarvan zitten mensen om een vuurtje en aan beide kanten bevinden zich kamers die eruit zien als primitieve stallen. De mijne heeft een vloer van aarde en enkele afscheidingen van tenen en leem. De eigenares vindt een stoel en enkele stenen voor me, waarmee ik een van de poten van het bed vastklem. Als ik uitpak, schieten kakkerlakken en kevers weg in het licht van mijn toorts. Elektrisch licht zou hier angstaanjagend zijn.

Dit 'hotel', waarin alleen Basil en ik zijn ingekwartierd, is in één opzicht luxueuzer dan de rest. Het heeft een douche. Deze bestaat uit een groot plastic vat en een watertoeloop die met behulp van een stuk touw wordt bediend. De straal koel water is hemels. Het toilet daarnaast is dat niet. Ik ben inmiddels gewend aan de hurktechniek, zodat ik me niet bovenmatig verontrust voel als ik boven een ondiep gat hang, dat is opgevuld met zaagsel. Pas wanneer het zaagsel gaat bewegen, begin ik me een heel klein beetje ongemakkelijk te voelen. Wat ik voor een berg zaagsel heb aangezien, blijkt in feite een heksenketel van maden te zijn, waarover vanzelfsprekend enkele kakkerlakken banjeren.

Ondanks deze openbaring val ik behoorlijk aan op Fray Bentos cornedbeef, Garibaldi biscuits en het Ethiopische bier voordat ik onder de wol ga.

DAG 77 – VAN SHEDI NAAR GONDAR

Ik slaap weinig. Ik vermoed dat dit voor ieder van ons geldt. Hoewel ik angstvallig in mijn lakenzak blijf liggen en van top tot teen bedekt ben, kan ik mijzelf niet verzoenen met de kwalijk riekende lucht van de plakkerige en ruwe matrasbekleding, de kostbare schat aan insecten die erin verborgen is en de aanwezigheid van lichamen op slechts één ademtocht ver, aan de andere kant van de dunne lemen muur. Vanwege mijn beschermende cocon krijg ik het erg warm, zodat ik de deur openduw om wat lucht binnen te laten. Ik moet zijn ingeslapen en als ik wakker word, merk ik een gezicht op dat me aanstaart. Een ogenblik later wordt de deur dichtgesmeten. Terwijl ik wegdommel, schrik ik plotseling hevig wakker door een vreemd, gewelddadig en onmenselijk geluid. Het klinkt als een ezel die een nachtmerrie heeft.

Ik ben nooit met minder tegenzin om 5.15 uur opgestaan. Ik sprenkel wat water uit een fles over mijn gezicht en loop zachtjes naar de deur, om erachter te komen dat deze van de buitenkant is afgesloten. Gelukkig bevindt Basil zich binnen roepafstand. We verzamelen ons in de ochtendschemering en verhalen onze wederwaardigheden in dit uiterst inheemse verblijf. Angela had een gewapende bewaker in haar kamer, ofschoon niet de hele nacht, zoals ze mij verzekert, en Nigels stalen zenuwen werden aan flarden gescheurd toen midden in de nacht een kat op zijn bed sprong. Fraser schijnt voor één keer niets in zijn schoen, oor of enige andere opening te hebben gevonden.

We vertrekken voor zonsopgang naar Gondar. De wegen zijn rechter en beter dan in Soedan, maar de rivierbeddingen zijn hier niet uitgedroogd en moeten daarom voorzichtiger genomen worden.

Ik reis met Graham, die me inlicht over de geschiedenis en de politiek van het land, terwijl we door een landschap trekken dat op het grensgebied van Wales lijkt. Hij zegt dat we op de juiste tijd in Ethiopië zijn, nu men nog euforisch is over de overwinning op Mengistu en de regens het landschap zojuist groen hebben gekleurd.

Kolonel Mengistu heeft het land 16 jaren geregeerd, nadat hij keizer Haile Selassie had afgezet die het land 57 jaren had geregeerd. Onder Mengistu gingen armoede en corruptie hand in hand met totalitarisme en een ontoepasselijke pro-Sovjet politiek. De Eritreeërs verzetten zich tegen hem omdat zij onafhankelijkheid wensten en het volk van Tigre verzette zich omdat het een politieke verandering in Ethiopië wilde. Uiteindelijk was het het Tigre Volksbevrijdingsfront in het noordoosten, de drijvende kracht achter het EPRDF (Ethiopisch Revolutionair-Democratisch Volksbevrijdingsfront), dat vier maanden geleden het land schoonveegde en Mengistu dwong naar Zimbabwe te vluchten. De vijfendertig jaar oude Meles Zenawi werd het hoofd van de nieuwe regering. Het is, zoals Graham zegt, een jonge revolutie.

'Mensen tussen de 16 en de 30 hebben in de laatste zes maanden het aanzien van het land volledig veranderd.'

De soldaten die voor onze bescherming met ons meereizen, maken deel uit van dit vrijwillige EPRDF-leger, dat enkel met sigaretten, voedsel en huisvesting wordt betaald. De emblemen op hun tunieken zijn met de hand met inkt aangebracht, ze hebben versleten broeken aan en dragen Kalashnikov AK-47 geweren. Ze zijn vermoedelijk 15 of 16 jaar oud.

Buiten zien we een bijna alpine landschap. Groene weiden staan vol met de kort bloeiende maar intens gele bloem de maskal, die het nationale embleem is. Er zijn vlinders, rood-en-groene wevervogels en schitterend rode zevenbladen. Een tank van Sovjetmakelij staat verlaten in het lange gras. Het lijkt hier idyllisch, maar sinds het einde van de oorlog zijn er verscheidene aanvallen op de weg gedaan. Onze begeleider schiet een kogel af en houdt zijn geweer voor zich, ondertussen waakzaam over de bergen kijkend. We stoppen in een dorpje voor een verfrissing. We kopen wat thee, terwijl onze bewakers rustig met hun collega's praten. Ik ben ervan onder de indruk dat ze niet snoeven of zich luidruchtig of agressief gedragen. Ze zitten hier vrij ernstig, alsof ze door hun verantwoordelijkheid als bevrijders te vroeg oud geworden zijn.

Er zijn oorlogsslachtoffers. De kinderen zijn hier in jaren niet naar school geweest. Een aantal van hen is meelijwekkend mager. Hun hoofden zijn vaak geschoren en hun spitse gezichten en grote ogen brengen beelden van de concentratiekampen voor mijn geest. En dat in een omgeving die op Zwitserland lijkt.

Graham ziet redenen voor optimisme. 'De vorige regeringspolitiek was er een van totale controle over het hele land... ze hadden hun mensen in elk dorp... buren werden aangemoedigd elkaar te bespioneren... de rebellen vochten om daarvan af te zijn... de mensen zijn in ieder opzicht vrijer dan voorheen.'

Halverwege de middag bereiken we het dorp Aykel, dat we binnenkomen door een hoge, lelijke metalen boog met slogans als 'De macht aan het volk' en 'Ethiopië zal het land van de zware industrie worden'. Onder deze leuzen verzamelt zich een groepje erbarmelijk arme kinderen om ons heen.

'Jij... jij!' schreeuwen ze, terwijl ze hun handen voor wat dan ook uitstrekken. Ik geef een van hen 'Een Natte' – een van de vochtige papieren zakdoekjes die we bij ons dragen – en gebaar wat hij ermee moet doen. Hij wist er nog steeds energiek zijn gezicht mee af, als we twintig minuten later vertrekken.

Voorbij Aykel volgen we een stenen spoor over een uitgestrekte hoogvlakte.

De donder heeft al gerommeld als wolken zich vormen. Uiteindelijk opent de hemel zich en komen hagelstenen ter grootte van knikkers omlaag. Het is nauwelijks te geloven dat we met ijs bekogeld worden, minder dan 24 uur nadat we zwetend onze weg uit Soedan hebben gezocht.

Het is een wonderbaarlijk verfrissende zondvloed en wanneer de wolken voorbijdrijven en de zon te voorschijn komt, bevinden we ons aan de rand van Gondar. Onze driedaagse reis is uitgelopen tot vier zware, 15-urige reisdagen en iedereen is vermoeid, verschrompeld en verlangt wanhopig naar enig materieel comfort. Als we de forse stad binnenrijden, die 2100 meter boven de zeespiegel ligt en 200 jaar lang de hoofdstad van Ethiopië is geweest, komen we langs een grote en troosteloze mensenmenigte, die er erger aan toe lijkt te zijn dan wijzelf. Ze lopen somber de heuvel af en dragen kruiken of plastic laadkisten. Zij zijn blijkbaar een gedeelte van de 70.000 regeringssoldaten uit het garnizoen in Gondar, dat zich zonder te vechten aan het EPRDF overgaf. Een van de problemen voor de nieuwe regering vormt de beslissing wat er met hen gedaan moet worden – Mengistu had een van de grootste staande legers van Afrika en men schat dat 400.000 tot 500.000 van zijn mannen nog in gevangenschap leven, waarbij de 2 miljoen mensen die van hen afhankelijk zijn, genegeerd worden.

Het Gondar Hotel is spectaculair gelegen, op een steile klif met uitzicht over de stad en een weids panorama over de omringende bergen. Een plek als deze hebben we nog niet gezien. Het hotel is gebouwd voor een toeristenindustrie die nooit op gang gekomen is, en bevat een museum, een bewaarplaats voor plaatselijke ambachten en kunsten, interessant ontworpen algemene ruimten en een bar die fatsoenlijk is bevoorraad.

Aan de binnenkant van mijn deur bevindt zich een bord, dat een aanbieding of een ijselijke waarschuwing bevat. 'Room service. Slangen per expresse te allen tijde verkrijgbaar,' staat er te lezen.

Afgezien van het gevaar van slangen per expresse bestaan de voornaamste genoegens van het Gondar Hotel uit elektrisch licht, heet water ('s avonds een heel uur lang) en een schoon opgemaakt bed. Ik vind het koud genoeg om onder twee dekens in slaap te vallen.

DAG 78 – VAN GONDAR NAAR BAHIR DAY

Een koele ochtend. Mist kleeft aan de bergketens en bedekt alles behalve de hoogste ruggen en toppen. De enige andere gasten in het hotel zijn enkele medewerkers van het Rode Kruis en 10 EPRDF-soldaten, die gratis in een van de vleugels zijn gehuisvest.

De foyer bevat restanten van de doodgeboren pogingen om toeristen te trekken. 'Ethiopië, 13 maanden zonneschijn,' staat er op een poster, met een grapje op hun verschillende kalender. Een andere verheerlijkt de pracht van de nabijgelegen Semièn Bergen...'Het schitterende Dak van Afrika – piek na getande piek reikt naar de eindeloze horizon; pastorale landschappen met herders en hun kudden, tapijten van Alpenbloemen.'

Naar beneden, naar het centrum van de stad. Vanuit de verte ziet de plaats er beter uit. Onder de schilderachtige lappendeken van rode en grijze daken bevinden zich straten die overstelpt zijn met mensen, van wie de meesten er vertrapt en armoedig uitzien. De djellaba, een eenvoudig, handig en goedkoop kledingstuk, wordt hier nauwelijks gedragen, gedeeltelijk vanwege het klimaat en gedeeltelijk doordat slechts 15 van de 45 miljoen inwoners moslim zijn. Hier lijkt men te dragen wat maar voorhanden is. Een klein meisje is gekleed in een nachtjapon, een ander in een verscheurde, gehaakte trui. Sommigen dragen schoenen, velen niet. Voedsel staat naast open riolen en het is eenvoudig te zien hoe de ziekten hier floreren.

Spoedig verzamelen zich een hoop kinderen om ons heen, ondanks de inspanningen van enkele oudere mannen, die hen weg proberen te jagen door met stenen te gooien. Ze zien er erg ongezond uit, met opgezwollen buiken en zweren op hun gezicht, waaromheen vliegen zwermen. Ze bekijken ons kalm door grote, uitpuilende ogen. Enkelen van de meer levendige kinderen trachten ons te interesseren voor pakketjes van Amerikaanse legerrantsoenen die hier na de Golfoorlog zijn terechtgekomen. Ze bieden me gevriesdroogde 'Kersen-notencake', 'Broodje van moeder', 'Tomaten au gratin' en 'Rundergehakt met rijst' aan, alles verpakt in dezelfde grijze zakjes.

Een jongen, Mohammed Nuru, spreekt goed Engels. Hij komt uit een familie van zeven kinderen. In de armere delen van Afrika komen vaak grote families voor, omdat kinderen een economische aanwinst betekenen – familie-arbeidskracht. In de oorlog heeft hij vrienden en familie verloren. Hij is moslim, maar veel van zijn vrienden zijn christenen en de twee religies gaan hier goed samen. Op scholen wordt Engels als tweede taal gegeven en Mohammed luistert naar de BBC Wereldomroep.

'Ik luister erg graag naar voetbal... vooral Engels voetbal... club-voetbal. Elke zaterdag van 4 tot 6.'

Zijn favoriete team is Manchester United, maar ik probeer hem deze fout in te laten zien.

Aan één ding is in Gondar geen gebrek: naaimachines. Een rij van maaiers strekt zich uit over de heuvel en ze hebben het allen druk. Ik overhandig een van hen mijn broek, die tijdens het vertrek uit Soedan behoorlijk gescheurd is, en binnen 90 seconden arbeid op zijn Mansukh-machine met voetpedaal heeft hij de broek volledig hersteld.

Om de onophoudelijke drukte van de markt te ontvluchten, gaan Graham en ik een kijkje nemen bij de mooie, stenen kastelen van Gondar. Het eerste werd gebouwd door keizer Fasilidas in 1635, toen Gondar tot hoofdstad werd uitgeroepen vanwege het toen-tertijd wijdverbreide bijgeloof dat de hoofdstad met een 'G' moest beginnen. De vijf keizers die hem opvolgden, bouwden allen op hun beurt hun eigen kasteel. Het aparte karakter van deze donke-re torens heeft veel te maken met de merkwaardige geschiedenis van Ethiopië. Het land is het enige in Afrika dat door een ononderbroken lijn van 45 generaties is geregeerd, en hoewel deze vestingpaleizen duidelijk Europese invloeden vertonen, werd Ethiopië nooit gekoloniseerd. De binding met de joden is fascinerend. Graham heeft een goed gefundeerde theorie dat de Ark des Verbonds in een kapel niet ver van hier bewaard wordt, waarover hij onlangs een boek heeft voltooid.

In een hoek van het terrein bevindt zich een kooi, die mijn eerste leeuw in Afrika bevat. Zijn naam is Tafara en hij behoorde eens aan Haile Selassie – de laatste keizer. Selassie stierf een jaar nadat hij door Mengistu was afgezet, in 1975, en met hem stierf het keizerlijke Ethiopië. De leeuw die het symbool van zijn macht vormde, Tafara, leeft nog voort en je voelt dat hij vrijwel iedereen in verlegenheid brengt. Zijn kooi is klein en hij loopt rusteloos heen en weer, met enkel vliegen als gezelschap. Zijn rug en poten vertonen open wonden. Hij had een levensgezellin, die allang gestorven is. Nu is hij 20 jaren oud en men kan slechts hopen dat hij niet veel langer meer onder zijn onwaardige toestand hoeft te lijden.

Tegen de tijd dat we Gondar verlaten, wordt het donker. Al snel bevinden we ons in het centrum van een overweldigend onweer, het langste en spectaculairste dat ik ooit heb gezien. Stortregens

bombarderen onze voertuigen en meer dan twee uur lang verscheuren weerlicht, donder en zigzagbliksems de lucht. Af en toe
onthullen de schichten indrukwekkende bergspitsen en verlaten
tanks aan de kant van de weg, voor één moment bevroren in een
negatief door de intensiteit van het weerlicht. Op andere momenten onthullen ze mijn koffer, die onbedekt op het imperiaal van de
auto vóór mij ligt. Dit is het soort test dat men in tv-reclames laat
zien.
Om 10 uur 's avonds komen we in de stad Bahir Dar aan, die op
175 kilometer van Gondar en zo'n 700 meter lager ligt. De regen is
opgehouden. De storm is verder getrokken. Op de weg staat een
versperring van kettingen en na enkele ogenblikken verschijnt een
uitgeputte soldaat met een geweer over zijn schouder, die ons
vrijgeleidebiljet bekijkt. Ik zie aan zijn gezicht dat hij er geen woord
van begrijpt. Hij bekijkt het langdurig, wendt zich naar ons, slaakt
een machtige geeuw en wuift ons door.
Mijn koffer heeft de aanval niet overleefd. Regen en rood stof hebben een aantal van mijn overhemden een verrassende kleur gegeven.

DAG 79 – BAHIR DAR

Ons hotel kijkt uit op het kalme grijze water van het Tanameer, dat
als de bron van de Blauwe Nijl wordt beschouwd. Het heeft ons
bijna een maand gekost om de rivier vanaf Caïro af te zakken. De
tuinen aan het meer staan vol met hibiscus en kerstster; de toegang
tot het hotel wordt gedomineerd door een bloeiende wolfsmelk,
een boom in de vorm van een bokaal, die lijkt op een reuzencac-
tus.
We verzamelen om 9 uur 's ochtends voor een expeditie naar de
Blauwe Nijl-watervallen, ofwel de Tississat- (rokend water)
Watervallen, zoals ze hier worden genoemd. Als we Bahir Dar uitkomen, passeren we een reusachtig en aanschouwelijk anti-
Mengistu-schilderij aan de weg. Hij grijnst afgrijselijk kwaadaardig
en heeft een arm geheven in de dictatorgroet van de gebalde vuist,
terwijl de andere arm een kruk onder zijn oksel vastklemt, aangezien zijn onderlichaam langzaam ontbindt in een berg schedels.
Buiten de stad vliegt een stel ooievaars lui van de velden op, over
een weg waarop groepjes mensen bundels hout naar de stad dra-

gen. De veerkrachtige gestalten lijken leeftijdloos, met benen dunner dan de takken die ze dragen. Na het stadje Tissabay, op 29 kilometer van Bahir Dar, moeten we uitstappen en de laatste 2 kilometer tot de waterval lopen. We zijn niet zonder gezelschap. Onze voertuigen zijn nog niet gesignaleerd of we worden achtervolgd door een menigte schreeuwende en zwaaiende jongens. Allen willen ze onze gids zijn. Ze hebben de techniek om lange stokken in onze handen te drukken en zodra iemand er een vastgrijpt, bezitterig bij hem te gaan staan. Na lang verhit en uitputtend onderhandelen kiezen we een groepje gidsen en dragers, waarna we een moeilijk begaanbaar pad betreden, dat met stenen bezaaid is en door de velden loopt. Tadesse, 25 jaar, en Tafese, enkele jaren jonger, zijn mijn 'gidsen' en ik ben hun 'buitenlander'.

'Hij is onze buitenlander!' schreeuwen ze naar iedereen die zich ertussen wil dringen, en aan mij vragen ze bezorgd: 'Hoe gaat het nu? Goed...?'

Door onze dragers die met de filmapparatuur beladen zijn, en door mijn uitdossing met de Turkse strooien hoed, moeten we eruitzien als het clichéplaatje van de Grote Blanke Ontdekkingsreiziger. We steken een schilderachtige brug met vier bogen over.

'Brug is gebouwd door de Portugezen,' vertelt Tadesse, enkele seconden voor dat Tafese me hetzelfde meedeelt, 'cement is gemaakt van eigeel en zand,' ...'van eigeel en zand,' echoot Tafese.

Het is warm en erg klam als we na een wandeling van 45 minuten een lange groene helling beklimmen, de heuveltop bereiken en neerkijken op een van de ontzagwekkendste natuurtaferelen die ik ooit heb gezien. Vooral de middelste van de drie watervallen springt in het oog. Een immense stroom water dondert omlaag, een waterval zo massief dat hij uit één stuk lijkt te bestaan, alsof het land zelf naar beneden stort. Een continu onderaards gerommel doet de aarde beven. De Ethiopiërs zeggen dat ze de watervallen nog nooit zo vol hebben gezien.

Ik ben me ervan bewust dat Tadesse me verwachtingsvol aankijkt. 'Wat vindt u ervan? Mooi...?'

'O, zeker, bijzonder mooi... subliem, overweldigend en verbazingwekkend?' 'Dus... het bevalt u?'

Er hangt een regenboog boven de kloof en de toppen van de steile rotsen zijn bedekt met tropisch oerwoud, een mini-ecosysteem dat geschapen is door de golvende wolken van schuim. Een ontdekkingsreiziger met de naam James Bruce kwam hier omstreeks

1780 en beschreef het tafereel als 'verbijsterend'. Hij beweerde dat hij de eerste blanke was die de watervallen had gezien, maar twee priesters ontkenden die bewering. Koningin Elizabeth kwam hier in 1965 en men bouwde speciaal voor haar een platform. Heden ten dage bevindt zich niets tussen ons en de afgrond van 35 meter, behalve glad gras. Patti valt bijna naar beneden, de meeste van haar gidsen met zich meesleurend.

Kwart over twee: tijdens de lunch in restaurant De Levensfontein naast het meer horen we een luide knal tegen het glas van de ruit. We duiken weg voor beschutting, maar het glas is niet gebroken. Een enorme neushoornvogel is tegen de ruit gevlogen en ligt verdoofd en zwakjes fladderend op de patio. Hij vliegt weg, maar komt niet verder dan het water. Santha en een van de obers rennen naar buiten en helpen hem op de oever, waarna het beest hen aanvalt.

De lucht boven het meer wordt in de namiddag donkerder, zodat het eruitziet dat we onze derde storm in drie dagen Ethiopië zullen krijgen. Maar de houtsprokkelaars kruisen nog steeds over het water in hun karakteristieke boten van papyrus. Deze broze, krachteloze vaartuigjes bevoorraden ook de eilanden in het meer, waarvan er ongeveer 20 kloosters bevatten. Sommige ervan zijn van de buitenwereld afgesloten, andere staan alleen mannen toe op het eiland.

De storm komt vandaag niet meer, maar de lage, donkere wolken maken het Tanameer mysterieuzer en terughoudender dan ooit.

DAG 80 – VAN BAHIR DAR NAAR ADDIS ABEBA

In de afgelopen zeven dagen zijn we zes keer voor zonsopgang opgestaan, meestal om gebruik te maken van het koelste deel van de dag. Vandaag is het omdat we een zeer lange rit voor ons hebben, als we Addis Abeba volgens ons schema willen bereiken. De afstand tot de hoofdstad is 480 kilometer en we gaan een gokje wagen, omdat we de eerste 260 kilometer proberen te overbruggen via een secundaire weg, om de drukke vrachtwagenroute te vermijden. Op mijn Michelin-kaart is het eerste gedeelte van onze reis aangegeven met gele en witte streepjes, die een weg aanduiden die 'bij slecht weer mogelijk onbegaanbaar is' – een elegante maar onduidelijke formulering. Aangezien het gerucht gaat dat een brug is ingestort, kan het een aardig avontuur worden.

We vertrekken om kwart voor zeven, en vrees vermengt zich met opgetogenheid bij het vooruitzicht van een flinke stap voorwaarts. Als we Addis vanavond bereiken, zullen we op zo'n 1500 kilometer van de evenaar zijn.

Bij de eerste controlepost vragen we aan een soldaat met laarzen zonder veters of hij iets weet over een ingestorte brug. Hij knikt, wat erg verwarrend is. Een goede kilometer verder stopt Sayem, onze chauffeur, en begint een forse ruzie met zijn collega's over brandstof. Evenals in de USSR en Soedan is de benzine hier streng gerantsoeneerd en kan niet zonder bonnen en toestemming verkregen worden. Sayem is bang dat de garages op onze secundaire weg niets van onze toestemming afweten. Rekening houdend met de moeilijkheden die we tijdens de reis vanaf Khartoum hebben ontmoet, heeft hij gelijk, maar na enige berekeningen rijden we toch weer door. Enkele meters verder stoppen we opnieuw, ditmaal om een buschauffeur inlichtingen over de verdachte brug te vragen. Glimlachen alom – de weg is begaanbaar.

Als we de nederzettingen eenmaal achter ons hebben gelaten, bevinden we ons in een prachtig, arcadisch landschap met groene, tot terrassen omgevormde velden en een zilveren rivier die door de vallei kronkelt, in de richting van getande pieken die half in de nevel verborgen zijn.

Er heerst hier een cultuur van stokken. Iedereen die we tegenkomen heeft een stok – als steun, als wapen en om de schapen, runderen en geiten te hoeden die voortdurend op de bermen in beweging zijn. Het silhouet van een lopende gestalte met de stok op de schouder zou het handelsmerk van het herderlijke Afrika kunnen zijn.

In de dorpen is de hoofdstraat altijd druk. Mannen, vrouwen, kinderen, ezels en honden slenteren rond, terwijl onze chauffeur er al toeterend doorheen ploegt. Ten zuiden van Mota, waar Mussolini's zesjarige bezetting van het land een aantal gedrongen en uit de toon vallende openbare gebouwen in Europese stijl heeft nagelaten, klimmen we naar een breed en grasachtig plateau. In de verte rijzen bergen tot 4000 meter omhoog. Chocoladekleurige stroompjes voeren iets van de miljarden tonnen rijke Ethiopische grond weg, die uiteindelijk zal belanden achter de dam bij Aswan, waar het het woestijnwater van het Nassermeer dichtslibt. Hierboven

zijn de woningen van hout en plaggen vaak omgeven door zorgvuldig gehakte en vormgegeven stenen muren, maar de dorpsbewoners zijn erg arm. Kleren zijn armoedig en opgelapt. Broeken
worden tot op de draad versleten, laarzen hebben gaten. Er is geen
spoor van de bestelwagens en tractors die we zelfs in de armste
delen van Soedan nog aantroffen. Graham zoekt de verklaring
hiervoor in de onwil van het buitenland om in Mengistu te investeren. Onder diens communistische regime ontving Ethiopië het
laagste bedrag aan ontwikkelingshulp per hoofd van de bevolking
van alle landen ter wereld. Structurele ontwikkelingshulp, in tegenstelling tot de noodhulp op korte termijn, is wat een ontwikke-
lingsland werkelijk nodig heeft, maar vaak wordt deze omgeven
door zoveel voorwaarden en terugbetalingsregelingen dat ze
ophoudt echte hulp te zijn.

Na zes uur van hobbelige maar ononderbroken voortgang bereiken we de kruising met de hoofdweg naar Addis Abeba en al snel
dalen we door een lappendeken van groene en gele velden af naar
de Blauwe Nijl-kloof, waar de zuidwaarts stromende rivier een
kloof van anderhalve kilometer in het rotsgebergte heeft gesleten,
voordat ze langzaam naar het westen en noorden draait, in de richting van Soedan.

De hitte neemt toe, gevangen tussen de torenhoge, rood zandste-
nen muren. Als we naast een kalm watervalletje stoppen om te lunchen, geeft mijn thermometer 38 graden aan en is de koele, schone lucht van de hooglanden nog slechts en mooie herinnering.
Wanneer we weer eens onze afnemende voorraad pindakaas,
stroopwafels en fruitsnoepjes aanbreken, zijn we niet alleen.
Ergens vanaf de rotsmuur boven ons komt een haast menselijke
kreet, waarna een olijfkleurige baviaan over een rotsachtige richel
wegspringt. Graham vertelt dat er in Ethiopië nog maar weinig
wilde dieren over zijn. Ze zijn door jagers bijna uitgeroeid.

Op de bodem van de kloof overspant een stalen brug met één
boog de Blauwe Nijl, die er snel en modderig onderdoor stroomt.
Deze brug vormt zo'n vitale verbinding tussen het zuiden en het
noorden van het land dat zij blijkbaar nog nooit is gefilmd. Onder
Selassie en Mengistu was dat streng verboden. We hebben geluk
dat we hier zo snel na de bevrijding zijn gekomen, waardoor we
met nieuwsgierigheid en behulpzaamheid begroet worden, in
plaats van met vijandigheid en geslotenheid. Het EPRDF-leger lijkt
zich door zijn prestaties zo veilig te voelen dat er geen behoefte is

aan uiterlijk vertoon, agressie en intimidatie. Het moet in deze wereld uniek zijn: een leger dat lacht.

We maken haast misbruik van hun behulpzaamheid en rijden vier keer over de brug. Bij elke volgende passage van hun controlepost kijken de soldaten verwarder en grinniken maniakaal.

Omstreeks drie uur in de middag rijden we omhoog over de steile haarspeldbochten aan de zuidkant van de kloof en werpen we een laatste blik op de Nijl, die ons 4000 kilometer diep in Afrika heeft geleid. Als we over de bergen en voorbij Addis Abeba zijn, zullen we een andere natuurlijke route volgen – de Centraal-Afrikaanse Slenk – om 1500 kilometer dieper zuidwaarts door te stoten tot in het hart van het continent.

Als we Addis naderen, is het wegdek steeds meer gebarsten en gebroken, het resultaat van de reusachtige troepenbewegingen vanuit het noorden tijdens de laatste oorlogsmaanden. Veel militair materieel, vooral personenauto's, pantserwagens en tanks, is aan de kant van de weg achtergelaten. Met de donkerende hemel erachter, een hyena op de voorgrond en de bliksem die opnieuw de westelijke horizon splijt, vormen ze een apocalyptisch visioen.

Het is na achten en al donker als we de eerste lichten van Addis zien. De chauffeurs hebben 13 uren achter het stuur gezeten, een opmerkelijk staaltje concentratie op de beschadigde, onverlichte wegen.

Het laatste plateau dat we zijn overgestoken, lag op 3300 meter en Addis Abeba, op 2400 meter, is een van de hoogst gelegen hoofdsteden ter wereld.

Er hangt een geur van brandend hout in de lucht en voor de eerste keer in Ethiopië zie ik privé-auto's. Een uitgebrande tank, die half omgedraaid op het plein voor het Presidentiële Paleis staat, is een herinnering aan de tegenstand die het EPRDF ontmoette toen het de stad innam. Tussen de twee- en drieduizend mensen werden gedood toen de Presidentiële Garde haar laatste gevecht voerde.

Een cultuurschok als we het Addis Hilton binnengaan, in een wereld van blanke gezichten, blond haar, dikke benen en gevulde magen. Spertijd van 1.00 tot 6.00 uur, maar telefoons en minibars. Een verrukkelijke, sensationele en wonderbaarlijke douche. Het stof loopt in modderstromen naar beneden. Mijn ogen zijn roodomrand en ontstoken en ik heb ergens een aantal vlooienbeten opgelopen, maar ik veronderstel dat dit de geringe prijs is die ik moet betalen voor wat we hebben meegemaakt.

Helaas moet ik opmerken dat de enige verkrijgbare ansichtkaarten mooie kleurenfoto's van de Blauwe Nijl-brug weergeven – de brug die niemand ooit had gefilmd.

DAG 82 – ADDIS ABEBA

Keizer Menelik II koos in 1887 Addis Abeba als zijn hoofdstad. De naam betekent in het Amharisch 'Nieuwe bloem'. Het Amharisch is de officiële taal in Ethiopië – een Semitische taal die dichter bij het Hebreeuws en het Arabisch staat dan bij enige Afrikaanse taal. Het is een nietszeggende stad, die mooi gelegen is in een dal tussen de bergen, maar geen stedelijke trots uitstraalt. Onder Mengistu werd de stad versierd met ruw geschilderde metalen bogen en torens die het communisme in Ethiopië verheerlijkten. Deze ochtend ligt een van deze torens op zijn kant, op een weg vlak bij het hotel. Mannen in groene overalls halen hem uit elkaar met hamers en zuurstof-acetyleenbranders.

De dunne panelen bieden weinig weerstand. Een losgemaakte rode ster wordt op een vrachtwagen gegooid.

We gaan via de heuvel naar beneden, langs de grootse maar overwoekerde poorten van het Paleis der Keizers en het lege voetstuk waarop een 10 meter hoog standbeeld van Lenin met zijn kraalogen in de richting van het Plein der Revolutie keek. Lenin is verdwenen en het Plein der Revolutie is nu het Maskalplein. We naderen het door een poort met de groene, gele en rode kleuren van Ethiopië, die bedekt is met het verbleekte opschrift: 'Lang Leve het Proletarische Internationalisme'. Het plein is een uitgestrekte, lange, rechthoekige ruimte met een glooiend gazon, wallen en een stadsmuseum aan de ene en saaie, moderne gebouwen aan de andere kant.

Kinderen met 'New Kids on the Block'-T-shirts schreeuwen 'Geld!'... geld!' naar ons. Boven hun hoofden hangen nog steeds in lampen uitgevoerde hamers en sikkels aan de lantaarnpalen.

Het gerucht bereikt ons dat een grote menigte zich naar het plein begeeft om te demonstreren voor de Verenigde Nationalistische Democraten, een partij die tegen de regeringsplannen is om zelfbeschikkingsrecht toe te kennen aan Eritrea en aan andere provincies die naar onafhankelijkheid streven. Een aantal politiejeeps met machinegeweren aan de achterkant rijdt onheilspellend voorbij. Elke vorm van openbaar protest is zo lang onmogelijk geweest dat de algemene stemming van de naderende menigte iets feestelijks heeft. Maar als de eerste demonstranten, met vlaggen zwaaiend, het plein bereiken, weerklinkt het geluid van ratelend geschutvuur. Sommige mensen werpen zich op de grond en wij voeren een snelle terugtocht naar onze auto's uit.

Het geschutvuur klinkt opnieuw en één moment lijkt het of er paniek uit zal breken. Een aantal mensen uit de menigte rent naar het centrum van het plein. Wie of wat hen ook trachtte te stoppen, het is tot zwijgen gebracht. Afgezien van een vrouw van een persagentschap lijken wij de enige aanwezige buitenlanders. Er zijn geen verdere incidenten en later wordt bericht dat meer dan 10.000 mensen tegen de nieuwe regering hebben geprotesteerd.

DAG 83 – ADDIS ABEBA

De ochtend is vochtig, met een licht buitje en een matige temperatuur, wanneer we als ons een weg banen over de heuvelrug van hutten met ijzeren golfplaten achter het hotel, op weg naar de grote, achthoekige, met golfplaten bedekte Sint-Michaëlskerk. Grote groepen mensen lopen langzaam door de regen naar de kerk. Paraplu's zijn opgestoken, venters bieden kaarsen en waspitten aan. Bedelaars staan naast het pad en een aantal mensen staat dicht tegen de kerkmuur, hun lippen prevelend in aanhoudend gebed. Een bosje eucalyptusbomen, hoog en vermoeid, omgeeft het gebouw en voegt wat somberheid toe.

Er zijn 25 miljoen christenen in Ethiopië, op een totale bevolking van 45 miljoen, en het kerkbezoek wordt erg serieus genomen. De diensten zijn lang; deze begint om 6 uur 's ochtends en zal drieëneenhalf tot vier uur duren, waarna er een ceremonieel ontbijt plaatsvindt dat gevolgd wordt door een nieuwe dienst. Van serieuze gelovigen wordt verwacht dat zij in het weekend tenminste twee keer ter kerke gaan, evenals op feestdagen, wanneer diensten wel zes uur kunnen duren. Binnen de congregatie (van wie velen de kerk niet binnengaan) heerst een grote verscheidenheid van leeftijden en sekse: oudere mannen in legerjassen, jonge meisjes in witte jurken en jongemannen met hoofddoeken die met gesloten ogen in zichzelf reciteren. Iemand schat dat hier op zijn minst 1000 mensen aanwezig zijn.

Voordat we de kerk binnengaan, moeten we onze schoenen uit-doen. De kerk is gerangschikt in een reeks concentrische cirkels, die vanaf het heilige der heilige in de kern van het gebouw naar buiten lopen. Er zijn afzonderlijke afdelingen voor mannen en vrouwen. Eén zuilengang is gevuld met de oudere leden van de congregatie – mannen in witte gewaden die een stok in de hand houden, waarvan het mij opvalt dat het dwarsstuk vaak van bewerkt en versierd zilver is. Als je verder loopt, vermenigvuldigen de kleuren zich en het midden van de kerk lijkt wel een stoffen-winkel. Er is overvloedig gebruikgemaakt van gordijnen en tapij-ten en franjes en gordijnkappen en de priesters zelf dragen bijzon-der versierde toga's en capes, vaak van glimmend brokaat. De muren, indien niet bedekt met weefsels en kleden, bevatten geschilderde taferelen: sommige tonen de wonderen van Christus, andere de Maagd Maria en een toont Sint-Joris als hij zijn speer in de bek van de draak steekt. Het doet denken aan de missen in Cyprus en Leningrad en wijst er opnieuw op dat Ethiopië eerder met het Noorden en Oosten dan met de rest van Afrika is verbon-den.

Het ceremonieel is zeer belangrijk, evenals de rekwisieten. Een bij-bel, die 300 jaar oud schijnt te zijn en geen bladzijden van papier maar van huid bevat, wordt in een gouden omhulsel pronkend getoond. Gelovigen raken hem met hun voorhoofd aan en kussen hem vervolgens. Als er een lezing uit gehouden wordt, gebeurt dat in de oude taal van Ge'ez, die gewoonlijk buiten de priesterkaste door niemand beheerst wordt.

Het meest bijzondere gedeelte van de dienst is de muziek, die gespeeld wordt op grote trommels in de vorm van vaten, 'kebro's', begeleid door sistra's, kleine instrumenten met houten grepen waaraan een rij zilveren schijven is gehecht, die een geluid produ-ceren dat op dat van een castagnet of een tamboerijn lijkt. De drie drummers bouwen samen met 20 andere muzikanten langzaam een ritmisch contrapunt op tegen de steeds sneller en scheller wor-dende intonatie van de priester. Terwijl ze dat doen, beginnen ze een schommelende, voorwaartse dans met stappen naar links en naar rechts. Het is een hypnotisch nummer, dat vermoedelijk bedoeld is om de gelovigen en deelnemers in een verhoogde bewustzijnstoestand te brengen. Na bijna drie uur verlaten we de dienst. De charismatische en onvermoeibare priester krijgt de volle laag op het open balkon, terwijl de regen vanaf het dak via hem op de geduldige menigte beneden druipt.

Als alles goed gaat, reis ik met een team van Oxfam naar het zuiden van Ethiopië. Om hen te ontmoeten ga ik in de middag naar het huis van Belai Berhe, die bij Oxfam werkt sinds het 17 jaren geleden naar Ethiopië kwam. Hij heeft een comfortabel, spaarzaam gemeubileerd huis in een buitenwijk van de stad, en terwijl ik praat met hem en Kiros, een water- en bronnenspecialist, Neggar, de ontwerper van de nieuwe waterputten voor de dorpen, en Nick Rosevaer, de enige Engelsman van de groep, verzorgt de vrouw van Belai de koffieceremonie. Het is geen ceremonie in de betekenis dat zij slechts zelden en bij speciale gelegenheden wordt uitgevoerd, want zij vindt verscheidene keren per dag in vrijwel elk huishouden in het land plaats. De Ethiopiërs zijn dol op koffie en verbouwen enkele van de beste soorten ter wereld.

Het ritueel staat zo ongeveer zo ver van poederkoffie af als maar mogelijk is en begint met het roosteren van de bonen boven een houtskoolbrander. Als de witte bonen bruin worden, stijgt er een opwekkende, scherpe geur van het vuur op. Wanneer de bonen geroosterd zijn, biedt men ze ons aan om de geur ervan op te snuiven, waarna ze in een vijzel worden vermalen met iets dat op een autokrik lijkt. Vervolgens legt men de korrels nog op een schotel van stro, voordat ze in een grote, elegante koffiepot met een smalle hals worden gestouwd, waarin kokend water wordt gegoten en die tenslotte terug op de kolen wordt geplaatst om hem warm te houden.

Het is onnodig te vermelden dat de koffie verrukkelijk, scherp, fris en krachtig is.

De ceremonie dient, zoals Belai me vertelt, een uur in beslag te nemen, waarvan 20 minuten aan de bereiding worden besteed. We brengen minstens 40 minuten door met drinken en praten over de recente 'overname', zoals de mensen het hier plegen te noemen. Iemand wijst erop dat het afzetten van Mengistu geen revolutie was, maar dat de revolutie zich in 1974 voltrok toen Haile Selassie werd afgezet. In mei is alles enkel weer op het juiste spoor gebracht.

Neggar is optimistisch, als het de boeren tenminste wordt toegestaan hun eigen land te bewerken en hun eigen producten te verkopen, maar pas aan het einde somt Nick het grootste verschil op.

'Zes maanden geleden hadden we hier niet zo kunnen zitten en praten. Onder Mengistu was Ethiopië in alle opzichten een afgesloten land.'

Belai's gastvrije vrouw en familie hebben ook een avondmaaltijd voor ons bereid, wat mijn eerste ervaring met het hoofdbestanddeel van het Ethiopische eten betekent – injera. Injera wordt gemaakt van een graanproduct van lage kwaliteit dat tef heet, en heeft wat grootte en consistentie betreft iets weg van een rubberen onderzetter. Het is voor de westerse smaak erg zuur, maar is erg handig voor het opeten van de diverse bijgerechten – een universele, gekruide stoofschotel die bekend staat als 'wat', spinazie en een fêta-achtige kaas. Een honingdrank met de naam tej completeert deze verzameling van onbekende smaken.

DAG 84 – VAN ADDIS ABEBA NAAR HET AWASAMEER

Groepjes van kleine, dieprode vlekjes op mijn armen, buik en rond mijn enkels wijzen, volgens Dawood (*How to Stay Healthy Abroad*), op de activiteiten van *cimex*, dat klinkt als een Zwitserse farmaceutische maatschappij maar in feite de Latijnse naam voor de bedwants is. Ik vernam dit in het hoofdstuk getiteld 'Vlooien, luizen, wantsen, schurft en ander ongedierte', en ik daag iedereen het te lezen zonder zich te krabben. Na een hoop misverstanden slaag ik erin de huishoudelijke dienst van het hotel naar boven te laten komen om mijn bed te bespuiten.

'Het bed opmaken?'

'Nee... nee... het bed is opgemaakt, maar er zitten luizen in, die verwijderd moeten worden.'

De combinatie van ongedierte in mijn bed en onrust in mijn spijsverteringsstelsel houdt voor vandaag een rustdag in, maar in het hotel loopt alles mis. De staf heeft zelfs onze rustdag uitgekozen om het zwembad leeg te laten lopen.

Nu, iets na zeven uur in de ochtend, verlaten we tot niemands spijt Addis en gaan we verder naar het zuiden. Ik bevind me in een Oxfam Landcruiser, in het gezelschap van Nick, en met Tadesse, een Oxfam-chauffeur, achter het stuur.

De weg uit Addis is verhard en we schieten flink op. We komen langs fabrieken en energiecentrales aan de rand van de stad. Volgens Nick kan de industriële infrastructuur voldoen aan

Ethiopiërs behoefte, maar werkt ze op slechts 30 procent van haar capaciteit.

In ieder geval zijn de meeste Ethiopiërs boer – om precies te zijn 92 procent van de bevolking. Van hen verbouwt 89 procent alleen voor eigen gebruik. Onze reis vanaf de Soedanese grens liep door de provincies Gondar, Shewa en nu door Arsi – de enige drie die een overschot produceren. De andere 11 provincies leven op het bestaansminimum en de laatste tijd was in Wollo, Tigre' en Eritrea zelfs dat niet het geval.

Dit is de grimmige achtergrond van Oxfams 17 jaren werk in Ethiopië, maar Nick heeft de hoop dat de Ethiopiërs in staat zullen zijn hun eigen problemen op te lossen.

'Als je rekening houdt met het feit dat meer dan de helft van het bruto nationaal product voor de afgelopen 17 jaar... gespendeerd is aan de burgeroorlog, is dat een reusachtige belasting voor elk land, laat staan een land met zoveel onhandelbare problemen.'

Mits de nieuwe regering de boeren aanmoedigt om voor de markt te produceren, denkt hij dat Oxfam, in samenwerking met andere non-gouvernementele organisaties, het land op een niveau kan helpen waarop, in zijn woorden 'Oxfam zichzelf overbodig heeft gemaakt.'

Wanneer we het plateau afdalen, verandert het landschap opnieuw en komen we in de Grote Afrikaanse Slenk, een gedeelte van de 6500 kilometer lange kloof in de aardkorst, die van de Rode Zee tot aan Mozambique loopt. Vijgenbomen en eucalyptussen zijn vervangen door acacia's, die met hun platte toppen de platte, uitgestrekte vlakte tussen de verafgelegen bergen weerspiegelen. Het stoffige terrein is bezaaid met termietenheuvels – witte, korte en gedrongen vlekken, als de uitwerpselen van een reusachtig beest dat door het landschap heeft gelopen.

Buiten Meki passeren we twee priesters, die onder uitbundig gekleurde paraplu's langs de weg staan. Even lijkt het alsof ze liften, maar dan blijkt dat ze voor de kerk collecteren. Komt er een auto langs, dan draaien ze hun plu's om, waarin mensen geld werpen.

Op de hoogte van Bulbula wordt vee gedrenkt bij een met palmen omrand meer, dat gevoed wordt door een smal riviertje en waar we onze eerste baobab of apebroodboom zien. Men noemt deze oude gewassen ook wel 'Ondersteboven-bomen', en met hun brede, stompe stammen en iele takken lijkt het inderdaad wel alsof ze met de verkeerde kant in de aarde zijn gestoken.

Omstreeks lunchtijd hebben we met gemak 240 kilometer afgelegd en bereiken we de luidruchtige, levendige stad Shashamene, die op een knooppunt van wegen ligt. Haviken en gieren cirkelen boven een drukke hoofdstraat, waaraan videotheken, garages, kantoorwinkels en een openbare tennistafel liggen. Kleine kinderen kauwen op suikerriet, terwijl hun oudere broertjes en zusjes maïskolven van houtskoolvuurtjes verkopen. Een kolossale, geparkeerde Mercedes-vrachtwagen biedt schaduw aan een schaap dat haar jong zoogt, een hond en, onder de achteras, een koe, die zich mogelijk verbergt voor de legendarische Ethiopische slagers, waar je een stuk rauw vlees vers van het karkas kunt kopen en ter plekke kunt opeten. We bezichtigen er één. Een groepje mannen staat al kauwend achter in de winkel op een kluitje, tussen muren van vlees. Roger wil erg graag dat ik me bij hen voeg, maar goddank hebben ze niet de geringste behoefte om op televisie te komen. We ontmoeten een zelfde aversie bij de spraakzame en onderhoudende woordvoerder van een Rastafarische gemeenschap in de stad. Misschien komt het doordat hij uit Peckham in Zuid-Londen komt, dat Tony, die ons te woord staat voor een keurige en goed onderhouden verzameling houten hutten, met de was uitgespreid op het gras om te drogen, paranoïde is wat de media betreft. Hij is ook gefascineerd door de media. Zijn helden zijn John Arlott, de cricketcommentator, en Max Robertson. Hij is uitgekookt genoeg om te weten dat de mensen nieuwsgierig zijn naar een Jamaicaan die een supporter van Manchester United is en die verder beweert dat hij tot een van de verdwenen stammen van Juda behoort. Hij is er bovendien van overtuigd dat we hem om de een of andere reden in een verkeerd daglicht zullen stellen.

'Jullie soort mensen!... Wat kunnen jullie nu weten of begrijpen van wat wij hier doen!'

Begrip ontstaat enkel door kennis, maar Tony is onbuigzaam.

'Kom terug over drie jaar, wanneer we alles voor elkaar hebben.'

Janet, ook afkomstig uit Peckham, glimlacht behulpzaam en zegt dat ze hem niet van gedachten kan veranderen, maar ze herkent me van Monthy Python. Ik heb het gevoel dat ons verblijf in Shashamene in het teken van de beste Monthy Python-traditie heeft gestaan.

Na de mislukkingen met rauw vlees en met Rasta's komen we voor de nacht terecht in een hotel aan het meer bij Awasa. Het lijkt wel alsof we ons in een dierentuin inschrijven. Bij de receptie zit een aap die op het gummetje van een potlood kauwt. Op het hotelterrein duikt een paartje zwart-en-witte neushoornvogels in de begroeiing van weelderige en exotische bomen.

Een haag van hibiscusstruiken leidt naar een tweetal oude ijzeren poorten, die toegang geven tot het Awasameer. Het water wordt omzoomd door rietkragen, waarin Nick me op zijn minst vier variëteiten koningsvissen aanduidt, en verder een Afrikaanse jacana ofwel lelieloper – de Audrey Hepburn van de vogelwereld – en een grote, roodgevlekte reuzenreiger die de heerser lijkt van alles wat hij overziet, tot hij na een geraas van zwart en wit en een korte kreet van protest door een visarend wordt verjaagd.

Tegen de avond stroomt de bar vol met plaatselijke inwoners en de alomtegenwoordige ontwikkelingswerkers, ofwel de 'aidies' zoals ze hier worden genoemd. Helaas raakt het bier op en er zijn niet veel mensen meer over als omstreeks tien uur een Engels nieuwsbericht op de televisie komt, dat – onbegrijpelijk – wordt voorafgegaan door een uitzending over enkelblessures.

Onze conversatie tijdens het diner wordt in steeds sterkere mate bepaald door maag- en darmmededelingen. Sinds de aankomst in Ethiopië is iedereen in meer of mindere mate getroffen. Is het het bier? Of de hotelsalade? Nick kan al onze verhalen overtroeven door zijn ervaringen met *giardia lamblia*, wat klinkt als het allerergste van dit soort problemen. Ik sla het na in Dawood voordat ik ga slapen, en wilde dat ik dat niet gedaan had.

DAG 85 – HET AWASAMEER

Vandaag eropuit om het watervoorraad-hulpprogramma van Oxfam in werking te zien. Zoals velen heb ik jarenlang aan Oxfam bijgedragen en de kans om uit de eerste hand te vernemen wat ermee gedaan wordt, zal zich niet snel nog een keer voordoen. De rit naar Boditi, een klein stadje, houdt twee uur rijden op sintelbanen in.

Het hulpprogramma van Oxfam is op een dusdanige manier ontworpen dat het een minimum aan kosten en technologische kennis vereist. Het heeft weinig zin geld te pompen in geavanceerde technologie, tenzij de bevolking deze weet te gebruiken en deze kan repareren als er iets misgaat. De dorpsput die Kiros en Nick me laten zien, gebruikt slechts één pomp met maar twee vervangbare onderdelen. Voor de installatie is alleen een moersleutel nodig. De pomp is 30 meter diep gegraven, tot aan een bijna onbeperkt waterreservoir. Een mogelijk besmette waterbron, een rivier op twee uren loopafstand, is vervangen door een veilige, regelmatige bron van zuiver water in het centrum van het dorp. De kosten bedroegen ongeveer ƒ 6000,-, die in dit geval verschaft zijn door het Comic Reliëf-fonds. Het is te vroeg om te bepalen of dit het leven van de 600 dorpsbewoners sterk zal beïnvloeden. Maar afgezien van de duidelijke vooruitgang in hygiënische omstandigheden, vermoedt Nigel dat het vooral het leven van de vrouwen in het dorp zal verbeteren, die traditioneel de taak hadden naar de rivier te gaan om water te halen en terug naar het dorp te dragen. Nu wordt er drie tot vier uur per dag aan hen teruggegeven.

In het hotel wacht ons slecht nieuws. Monty Ruben, een vriend die negen jaar geleden in Kenia voor ons zorgde toen ik daar de film *The Missionary* opnam, ligt in het ziekenhuis na een hartaanval. Hij zou ons aan de grens opvangen en door Nairobi leiden, maar nu moeten we een alternatief plan bedenken; en snel ook, want over twee dagen moeten we de grens oversteken.

DAG 86 – VAN HET AWASAMEER NAAR MOYALE

Verdrijven de apen van de auto's om 7 uur, als we weer inladen. Het is onze elfde dag in Ethiopië. Vanavond hopen we in de grensstad Moyale te zijn, 520 kilometer verder. We banen ons een weg door het spitsuur van Awasa, waar we zo ongeveer de enige voertuigen zijn. Alle anderen lopen: schoolkinderen, boeren, soldaten, arbeiders op weg naar de textielfabriek of naar de lopende banden van de Nationale Tabak en Lucifers Maatschappij.

Openbaar vervoer bestaat hier vrijwel niet. Mensen lopen, of verdringen zich op de bak van onveilige en overbeladen open bestelwagens, die rijden met dodelijke snelheden. Er is een enkele bus, die dan ook tot de nok is volgepakt met mensen. Het enige andere alternatief is om een lift proberen te krijgen boven op een vrachtwagen. Dit lijkt me eens een andere manier om Afrika te bekijken, en dus sta ik om 9 uur op een donderdagochtend met een stel bananenverkopers te dringen op de hoofdweg naar Yirga Alem. Nadat we een half uur gewacht hebben, weten we een chauffeur van een kleine vrachtwagen die beladen is met zakken kef, zover te krijgen dat hij ons een stuk van de weg naar Moyale meeneemt.

De kant van de weg gonst van leven op dit gedeelte van de groene, vruchtbare en weelderig tropische vallei. Behalve de gebruikelijke verkopers van brandhout en houtskool zien we kinderen die zwaaien met suikerriet van viermaal hun eigen lengte, en gehurkte gestalten die witte aardnoten op het hete wegdek te drogen leggen.

Voetgangers, hoofdzakelijk vrouwen, zwoegen voorbij met een enorme vracht op de rug of het hoofd. Een berg van gras verdoezelt haast de oude vrouw daaronder en wekt de indruk dat hij zich uit eigen wil over de weg begeeft.

We komen langs een groep mensen op een brug, die naar de bedding daaronder staren. Een vrachtwagen is 6 meter naar beneden gestort en ligt daar op zijn kant, terwijl de wielen nog draaien. Een uur later stuiten we, bij een verlaten stuk tussen acaciabosjes, op de vrachtauto die ons eerder voorbij scheurde, beladen met staande mensen op de bak. Hij ligt omgeslagen op de weg, met een verkreukelde hut en twee dode passagiers.

In de vroege middag is het landschap veranderd van een vruchtbare vallei in een semi-woestijn die bedekt is met struikgewas. Voor de eerste keer sinds Soedan heb ik weer kamelen gezien en de termietenarchitectuur wordt meer en meer gotisch. Een heuvel, op zijn minst 5 meter hoog, is de meest indrukwekkende bouwprestatie die ik sinds de Zuilenhal te Karnak heb gezien.

Ook de mensen veranderen. We zijn nu in het land van de Borena, animisten en verzamelaars. De vrouwen zijn erg mooi en exotisch, gekleed in felle golven van jadegroen, diepblauw en citroengeel. Ze lachen hartelijk als we passeren. Om half zes rijdt een vrachtwagen ons door de laatste legerpost de stad Moyale binnen. De versperring – een slagboom dwars over de weg, die aan één kant door een oud cilinderblok wordt verzwaard – wordt door een van de soldatenjongens met een stuk touw op- en neergelaten.

Een modderige beek en een stuk geavanceerd hekwerk aan de Keniase zijde verdelen Moyale in een Ethiopisch en een Keniaans deel. Te oordelen naar de lampen en het geluid en de drukte in de straten, is Ethiopisch Moyale van de twee het levendigst. Het heeft de vrolijke onbezonnenheid en de verhoogde energie van een grensstad. Ruzies zijn er feller, de chauffeurs ongeduldiger en de behoeften dringender. Muziek schalt uit de winkels. Sierlijke bleekblauwe jacaranda-bomen geven de straten nog wat aanzien, maar eigenlijk is het een bende.

Bij het hotel Bekele Molla ontvangen we goed nieuws. Monty Ruben is niet ernstig ziek en Abercrombie and Kent, de safari-maatschappij, heeft op het laatste moment nog alternatief vervoer naar Nairobi kunnen regelen.

De manager beschrijft ons hotel als het beste in Moyale. In dat geval ben ik benieuwd naar de kwaliteit van zijn concurrenten. De kamers lijken nog voor geen meter op een motel. Ik *heb* een twee-persoonsbed met lichtelijk vochtige, doch vermoedelijk schone lakens en er *is* elektrisch licht, maar de badkamer bezit geen stromend water noch een toilet. Een plastic emmer halfvol met water moet in mijn behoeften voorzien. Het gordijn bestaat uit een lap gescheurde jute en er hangt een bedwelmende lucht van verschraalde urine.

Men vertelt mij dat de stad zich in een ernstige watercrisis bevindt. Putten zijn geslagen, maar het water is brak. Zuidelijk Ethiopië en het noorden van Kenia worden deel van de Sahel – het semi-Sahara-gebied dat in hoog tempo in woestijn verandert. Door deze informatie verandert mijn persoonlijke neerslachtigheid in een universele. Met uitzondering van de pomp en de put die ik gisteren bij Boditi bezichtigd heb, kan slechts een miniem gedeelte van wat we tot op heden gezien hebben als vooruitgang beschreven worden, hoe de verbeeldingskracht ook wordt geprikkeld. Misschien is 'vooruitgang' een westers denkbeeld dat in Afrikaanse termen niet relevant is. Praten over 'oplossingen' en 'sprongen voorwaarts' mag ons een beter gevoel geven, maar betekent niets. We moeten beginnen met de gapende kloof tussen de westerse en de Afrikaanse cultuur te dichten, wat waarschijnlijk veel meer luisteren en een hoop minder praten inhoudt.

Ik beëindig de dag met het schrijven van mijn aantekeningen in mijn hotelkamer. Ik voel een lichte prikkeling op mijn linkerarm en als ik opkijk, ontdek ik dat ik een colonne mieren van de muur naar mijn lichaam heb omgeleid. Later. Na een laatste hapje injera en wat in een restaurant in de stad heb ik mezelf met Repel ingesmeerd, een van de antimuskietbranders aangestoken en een ferme slok whisky genomen. Ik hoop dat mijn dromen over Ethiopië niet door deze sombere plek worden aangetast, want veel van wat ik van het land gezien heb, was een verrijkende en verrassende openbaring.

DAG 87 – VAN MOYALE NAAR MARSABIT

Tijdens de nacht steekt de wind op. Ik sta eveneens enkele keren op. Het herstel van de stabiliteit van mijn ingewanden blijkt slechts tijdelijk te zijn geweest. Mijn wekker loopt om zes uur af. Ik reik naar het lichtknopje, maar deze ochtend is er geen elektriciteit. Was mezelf in mineraalwater, omdat de voorraad in de emmer op is.

Na het ontbijt stappen we in nieuwe voertuigen, aangevoerd door Wendy Corroyer, een indrukwekkend competente dame van Abercrombie and Kent. Het zijn er vier, opnieuw Landcruisers, maar groter dan de auto's die we eerder hebben gehad: ze zijn als eentonsvrachtwagens gekocht en omgebouwd tot stoere, verlengde jeeps voor het werk op safari's. Mijn chauffeur is klein, gespierd en van middelbare leeftijd. Hij lacht gemakkelijk, maar zuinig. Hij heet Kalului. Onze andere chauffeurs zijn Kabagire, een jonge, slanke en verlegen knappe man, George en William, wiens T-shirt de tekst 'Born to be on vacation' bevat.

Om half negen verlaten we Ethiopië door de heuvel af te rollen. Weg uit 1984 en terug in 1991.

Als de Keniaanse douanebeambte een toegangsstempel op een nieuwe bladzijde van mijn paspoort plaatst, vertel ik hoe merkwaardig ik het vind dat het hier zeven jaar later is. Hij bladert terug naar de bladzijde met mijn Ethiopisch visum en knikt wijs: 'Ze zullen hun achterstand op ons nooit inlopen.'

Verder op de heuvel, op het hoofdplein van het Keniase Moyale, wachten we op het bewapende escorte dat ons tot Isiolo zal begeleiden. Dit is het derde opeenvolgende land waar problemen met bandieten zijn. Hier geeft men de Somalische guerrilla's de schuld. We zijn nu in Swahili-sprekend Afrika, zodat ik mijn Jambo's (Hallo's) en mijn Akuna Matara's (Geen probleem's) om me heen kan strooien. Minder veelbelovend voor ons is dat Pool Pool in het Swahili Langzaam Langzaam betekent.

Dat weerhoudt Kalului er niet van om, zodra alle grensformaliteiten zijn vervuld, als een bezetene weg te scheuren. Helaas waren de Britten niet zo gebrand op het aanleggen van wegen als de Italianen, waardoor de gladde, geteerde weg ten noorden van Moyale verandert in een sintelbaan naar het zuiden. Spoedig zit alles onder het fijne stof en ik weet nu waarom iedereen lachte toen ik in een wit, schoon overhemd aan het ontbijt verscheen.

Af en toe geraken we in een reeks ondiepe sporen en 15 seconden lang lijkt het dan alsof we ons in een cocktailshaker bevinden. Ik kan me niet voorstellen dat de voertuigen deze behandeling overleven. Dat doen ze inderdaad niet en om 11.20 uur hebben we onze eerste lekke band.

Wendy neemt de vertraging filosofisch op. Ze doet al jarenlang safari's en, zoals ze vrolijk zegt: 'Ik ben er nog niet één kwijtgeraakt.' Ze is geboren in Zuid-Afrika, woont nu in Kenia en beschrijft zichzelf ongegeneerd als een 'oude kolonialiste'. Ze denkt dat er in het land veel verbeterd is, maar dat de snelgroeiende bevolking voor veel problemen zorgt. Het leefgebied van wilde dieren wordt steeds meer beperkt tot reservaten die duur in onderhoud zijn, met als enig resultaat een sterke stijging in het aantal olifanten. De olifant is van een haast beschermde diersoort veranderd in een potentiële bedreiging voor een kwetsbaar milieu. Richard Leakey, directeur van de Keniaanse Natuurbescherming, staat volgens Wendy voor een moeilijke beslissing.

'We hebben stelling genomen tegen het stropen van olifanten en al het ivoor verbrand, waardoor we wereldwijd aandacht kregen. Nu kunnen we het probleem niet oplossen door olifanten af te schieten.'

Afgezien van de beveiligingsposten – met spijkers beslagen houten stroken over de weg – zijn er weinig obstakels in deze zwijgende wildernis.

Na een onsamenhangende picknick van brie, frankfurters en verse ananas ratelen en rollen we naar het doel van deze dag – de stad Marsabit, 250 kilometer ten zuiden van Moyale.

Kreupelhout maakt plaats voor woestijngebied. We komen door een verlaten, kale streek met zwart basalten rotsen die de Dida Galgalu – de Vlakten der Duisternis – heet, maar dan, als we uit de vlakte klimmen en stijgen naar het 2000 meter hoge plateau van Marsabit, de 'Gouden Plaats', verandert het landschap opvallend. Eindelijk zien we wilde dieren – zoals de dik-dik, de kleinste uit de antilopenfamilie, gerenoeken die op hun achterpoten staan om aan de takken van doornstruiken te knabbelen en daarbij blijkbaar nooit hoeven te drinken, en de alomtegenwoordige Grant's gazelle, evenwichtig en gracieus. Hogerop, bij de rand van een schitterende vulkaankrater, worden we oplettend gadegeslagen door een grote koedoe, een mooie hoge antilope met imposante, spiraalvormige horens.

Onze rustplaats voor de nacht is de Marsabit Herberg, die omringd is door overvloedig groen bos, naast een kratermeer in het Nationale Park.

We zijn net aangekomen als een langzame stoet olifanten – drie volgroeide en drie jongen – uit het bos te voorschijn komt en een statige gang rond het meer maakt, in onze richting. Het zijn afstammelingen van de luisterrijke Ahmed, de enige olifant die bij presidentieel decreet is beschermd. Hij leefde in dit park, altijd verzorgd door zijn persoonlijke boswachters. Als ik bij zonsondergang, onder het genot van een pilsje, bekijk hoe een jonge nazaat van zijne hoogheid wordt geleerd hoe hij aarde op zijn rug moet werpen, vind ik dat ik de prijs van het ticket er wel uit heb. Er hangt een bordje op de boom naast me: Dieren wordt verzocht stil te zijn als de mensen drinken, en omgekeerd.

Door een gelukkig toeval is er een volledige stroomstoring in het hotel. We eten bij kaarslicht en daarna zitten we aan een vuur van houtblokken. Voor ons ligt een slome en onverzorgde hotelkat languit op de grond. Nu en dan horen we vanuit het donker het kreupelhout kraken, waar de olifanten alles verslindend voortsjokken. De combinatie van een kat bij de haard en olifanten buiten in de tuin is tamelijk onwerkelijk en merkwaardig knus.

DAG 88 – VAN MARSABIT NAAR SHABA

Bij het eerste licht van de dag klimmen we alweer over het hobbelige, bochtige spoor en verlaten we het woud op deze bergtop, waarbij we langs buitengewone bomen met pezige wortels komen, die vanaf de buitenkant van de stam naar beneden kronkelen. Wendy vertelt me dat dit 'boomwurger'-ficussen zijn. De zaden worden verspreid door vogels, groeien om een bestaande boom heen en worden steeds sterker, totdat de gastheer afsterft.

De weg naar het zuiden – niet meer dan een stoffig spoor – daalt vanaf de berg Marsabit naar een hete en rotsachtige vlakte. We passeren een groep mannen van de Rendille-stam, die hun vee naar het water voeren. Ze zijn lang en hebben een bijzonder rechte houding, dragen een hoofdtooi en hebben afgezien van kralen rond de hals geen bovenkleding aan. Eén man draagt een geweer en een ander een stok met een pluim van struisvogelveren, het teken dat men in vrede komt – behalve als je een olifant bent. Er doemt er vlakbij een op en de mannen gooien met stenen om het beest van hun kudde weg te houden. Even later komt een groep Rendille-vrouwen voorbij. Deze nomadische mensen, die blootsvoets over de stoffige, gegroefde wegen van Afrika lopen, zien er even moeiteloos gracieus en onberispelijk uit als wie dan ook op de voorkant van *Vogue*. Aan een band om hun hoofd hangen schijven van vermoedelijk zilver of goud, hun lange nekken worden door een hoeveelheid kralen rechtop gehouden en ze dragen losse, golvende kledingstukken van rood en wit gestreept katoen. Ze voeren ezels mee die met allerlei soorten plastic vaten behangen zijn. Ze zijn op zoek naar water.

Wevervogels nestelen in de plat getopte acacia's. Degene met de verzorgde nesten zijn de Sociale wevers en degene met de slordiger nesten, die constant opnieuw gebouwd moeten worden, zijn de Musachtige wevers. Twee toerako's met witte buiken, die vanwege hun roep als Ga-Weg-vogels bekend staan, krijsen naar ons vanaf een hoge boomtak.

We komen nu het land van de Samburu- ofwel de Vlinder-stam binnen. Ze vormen een tak van het Mwa-volk, van wie de bekendste de Masai zijn, die zich vele jaren geleden van de Samburu afsplitsten en zuidwaarts trokken. De Samburu zijn nog steeds, evenals de Rendille en de Borena in zuidelijk Ethiopië, een kleurrijke en niet-verwesterde stam, die nog steeds de mannelijke en vrouwelijke besnijdenis praktiseren. Zij houden van kleren en uiterlijk vertoon, vooral van oorversieringen – ringen boven- en onderin en doorboorde oorlellen, die vervolgens gerekt worden met gaten van wel tweeëneenhalve centimeter.

Ik heb goede herinneringen aan de opname van *The Missionary* in het Samburu-gebied – bij het dorp Lerata. We bouwden een kapel van modder en twijgen, compleet met gebrandschilderde ramen, waarin ik 'From Greenland's Icy Mountain' speelde, dat door de plaatselijke kinderen speciaal voor die gelegenheid uit het hoofd was geleerd. Onze bouwploeg zette destijds een nieuw dak op de school en ik wil nu zien of het nog staat en weten wat ze zich nog van ons herinneren, als ze ons niet al vergeten zijn.

Wanneer we bij het dorp aankomen, is het opnieuw kokend heet – 45 graden in de zon. Aan de schoolkinderen, die netjes in blauw- en goudkleurige uniformen zijn gekleed, is overduidelijk meegedeeld dat ze een beroemdheid kunnen verwachten en zodra we stoppen, verdringen ze zich rond Wendy en roepen, lachen en klappen. Als ze uiteindelijk naar mij verwezen worden, zijn ze verward en kunnen ze lang niet meer dezelfde mate van enthousiasme opbrengen. Maar Henry de meester is er nog steeds, evenals het dak van de school, waaronder ik de kinderen vertel over de reis die ik aan het maken ben, met behulp van de opblaasbare wereldbol die me tijdens *Around the World in Eighty Days* zo goed van pas kwam. Daarna schenk ik de wereldbol aan de Lerata School, wat ze allen geweldig vinden om er vervolgens mee te gaan voetballen.

Een jongen met de naam Tom, die zich het zingen in de film kan herinneren, is helemaal van de Eldoret Universiteit in het westen van het land waar hij sociologie studeert, hier naartoe gekomen. We bekijken de foto's die tijdens het filmen genomen zijn, terwijl de benige fotogenieke ouderen van het dorp bespreken hoeveel zij zullen vragen voor onze huidige opnamen.

We bevinden ons in een arm deel van het land en de levendigheid en het enthousiasme van de kinderen is roerend. Henry, die het type opportunist uitbeeldt dat hier nodig is, vertelt me dat ze een slaapplaats bouwen voor de kinderen die van ver moeten komen. Ze hebben alles, behalve een dak.

Tegen de tijd dat ik uit Lerata vertrek, hebben ze geld voor een tweede dak.

Als we wegrijden, schiet er een zandhoos – een kolom zand die door de wind tot 10 à 12 meter hoogte wordt opgezweept – uit het struikgewas en over ons pad. Het lijkt een toepasselijk beeld voor ons bezoek aan Lerata. Een stormloop van hyperactieve blanken, een aangewaaid buitenkansje en weg zijn we. Om 4 uur staren we in de lege oogkassen van twee grote schedels van waterbuffels, die de ingang tot het Nationaal Reservaat Shaba markeren. Het ligt op 260 kilometer van Marsabit en op niet veel meer dan 80 kilometer van de evenaar.

De Shaba Herberg is een bewonderenswaardig hotel, onbeschaamd modern maar niet opzichtig luxueus en met gevoel voor landschappelijke verhoudingen gesitueerd onder de hoge bomen langs de rivier Vaso Nyiro. Gisteravond in Marsabit hadden we elektriciteit maar geen stromend water, vanavond hebben we een zwembad, tweepersoonsbedden, muskietennetten, een slaapkamer en een zitkamer. Maar de onderdompeling in luxe brengt minder prettige gevolgen met zich mee. Een daarvan is het besef dat we, voor het eerst sinds we het Old Cataract Hotel in Aswan verlaten hebben, weer terug zijn in toeristenland – terug in de wereld van doelloos wijzende videocamera's, kromme witte benen en luidkeels klagende stemmen.

'Waar komen die vleermuizen vandaan?'

'Ik weet niet waar ze vandaan komen.' 'Ze vlogen naar beneden, recht op mijn hoofd af. Het was verschrikkelijk!' Ik moet me er met alle macht van weerhouden om niet te schreeuwen: 'Wat doe je hier dan. Waarom ben je eigenlijk ooit van huis weggegaan.' Misschien ben ik gewoon te lang van huis geweest.

DAG 89 – VAN SHABA NAAR NAIROBI

Een belangrijke dag vandaag. Als hij voorbij is, moeten we ons op het Zuidelijk Halfrond bevinden, halverwege onze bestemming na drie maanden reizen.

Wendy denkt dat we om 5 uur op moeten staan, als we de top van Mount Kenya willen zien voordat de wolken hem bedekken, maar de vermoeidheid van de lange termijn wint het van plaatjes jagen op de korte termijn, zodat we even na zes uur voor het ontbijt verzamelen. Mussen en spreeuwen wachten ons al op in de eetzaal. De mussen zien er gewoon uit, maar de spreeuwen zijn een stuk modieuzer dan hun Britse tegenhangers. Ze staan bekend als glansspreeuwen en ze zijn opvallend gekleurd met hun metaalblauwe ruggen en kastanje buiken.

De Shaba Herberg heeft een boekwinkel en terwijl we wachten om te vertrekken, weet ik de onmisbare *Field Guide to the Birds of East Afrika* (650 beschreven soorten) en het al even verhelderende *Mammals of Afrika* te bemachtigen.

Direct daarop ben ik al in staat een groengerugde reiger (zeldzaam) en de gewonere maraboe te identificeren. Twee ervan lopen, met waardige tred, op een zanderige landtong in het midden van de rivier. Van achteren gezien, met hun koppen naar beneden en hun omvangrijke vleugels op de rug gevouwen, doen ze denken aan twee oudere professoren die een subtiele kwestie uit de moraalfilosofie bediscussiëren.

Isiolo heeft zijn voor- en nadelen. Wegen uit het overwegend islamitische Somalië en uit het overwegend christelijke Ethiopië komen hier samen, aan de noordzijde van het welvarende, koloniale hart rondom Mount Kenya. Een mooie moskee, met fijn filigreinwerk rond de ramen en een groep schitterend overkoepelde nissen op de minaretten, deelt de hoofdstraat met een vestiging van de Barclays Bank, videotheken, en kerken van de zevendedagadventisten en van de vele andere religieuze genootschappen die in Kenia floreren. De verkopers langs de weg zijn lastig en agressief, maar het reizen is tenminste gemakkelijker, omdat er na 520 kilometer sintelbaan weer een verharde weg is. Tussen deze plaats en Nairobi verheft zich het kolossale massief van Mount Kenya, dat tot een lange omweg via het oosten of het westen dwingt. De hoogste van de getande toppen, de Batian, rijst omhoog tot 5100 meter. Het is het op één na hoogste punt van Afrika, na de Kilimanjaro, en werd het eerst door een westerling (Sir Halford Mackinder) beklommen in het laatste jaar van de negentiende eeuw. Zelfs vanaf de hete vlakte voorbij Isiolo zijn de gletsjers en de ijsvelden van de top te zien, die ervoor zorgen dat er eeuwige sneeuw op de evenaar ligt.

Terwijl de weg omhoog loopt, zie ik dat Wendy gelijk had: een helm van wolken begint zich rond de top van de berg te vormen en zou de top wel eens volledig kunnen verbergen, zodra we zo dicht genaderd zijn dat we kunnen filmen.

Het landschap heeft weer eens een verbazingwekkende transformatie ondergaan. We zouden ons in de Amerikaanse Rocky Mountains kunnen wanen, met de torenhoge, steile rotsmassa's aan de ene en de golvende prairie aan de andere kant.

Een secretarisvogel, met rechtopstaande veren, paradeert gewichtig door een pas gemaaid korenveld en een arendbuizerd inspecteert met zijn kraalogen het terrein vanaf een telegraafpaal. Een stuk hoger grazen grote, donzige kudden schapen in de schaduw van de berg.

'Een goed land voor truien,' zegt Wendy. We hebben nog enige seconden om een plaatje van de top te schieten, voordat de weg zich naar beneden slingert naar de stad Nanyuki, waarbij we borden met opschriften passeren: 'Jack Wright bv Familieslagers', 'Modern-Sanitairwinkels', 'Kenia Verzekeringen', 'Marshall's Peugeot' en, als laatste, 'De evenaar'.

Clem en Angela zijn ons uit Nairobi tegemoet gereden, om ons – en ook een hoop toekijkende souvenirverkopers – te verrassen met een paar flessen champagne. Met deze hereniging van het complete team vieren we niet alleen een zekere prestatie, maar vermijden we ook een mogelijke anticlimax, aangezien de lijn van de evenaar zich net zo goed in Croydon als in Kenia zou kunnen bevinden, met zijn ligging bij elektriciteitskabels, een hoofdweg en kleine elektriciteitscentrale.

De ruïnes van wat eens het Silverbeck Hotel geweest is, bevinden zich aan weerskanten van de evenaar en bieden de mogelijkheid een bier op het Noordelijk Halfrond te kopen en het op het Zuidelijk Halfrond op te drinken. Hier demonstreert een jonge Afrikaan, met de naam Peter, de corioliskracht, die bewegende voorwerpen op het Noordelijk Halfrond naar rechts, en op het Zuidelijk Halfrond naar links afbuigt. Peter leegt een kom water in het Noorden, waarna we met behulp van een drijvende stok kunnen constateren dat het water met de klok mee wegloopt. Daarna trekken we (ikzelf en een groep Amerikaanse toeristen) met Peter, zijn stok en plastic emmer naar het Zuidelijk Halfrond, waar we observeren dat, bij exact dezelfde handelingen, de stok tegen de klok in draait. Op de evenaar zelf draait de stok in het geheel niet. Peter accepteert beleefd onze uitroepen van verbazing en bereidt zich vervolgens voor op de volgende demonstratie, terwijl wij certificaten verzamelen om te kunnen aantonen dat we gezien hebben wat we hebben gezien.

Om de zondag op de evenaar naar behoren te vieren, begeven we ons naar de onbeschaamde luxe van de Mount Kenya Safari Club. Daar, tussen onberispelijk gecoiffeerde gazons waarop ibissen, kraanvogels, pauwen en maraboes rondbanjeren, bevindt zich een bord waarop staat dat we ons zondagsmaal op 00.00 latitude en 37.7 oostelijke longitude, 2100 meter nuttigen.

De tocht door Nairobi toont alle tekenen van een manier van leven die nogal verschilt van wat we de laatste zes weken in Afrika hebben gezien. De klederdracht van stammen maakt plaats voor T-shirts en spijkerbroeken. Er zijn verkeersopstoppingen van privé-auto's, aanwijsborden, kranten, sproei-installaties, dorpsbewoners op fietsen (waarom waren er zo weinig fietsen in Ethiopië en Soedan?) en beleefde borden aan het einde van dorpen en steden met de boodschap: Kwaheri. Tot ziens.

Wat ons betreft is het na drie maanden op de weg 'tot ziens' aan het Noordelijk Halfrond. Ik wil er niet aan denken wat ons nog te wachten staat. Het is al moeilijk genoeg om te accepteren dat we nogmaals zo'n afstand moeten afleggen.

DAG 95 – NAIROBI

Het schijnt een merkwaardig psychologisch en fysiologisch gegeven te zijn dat je op een reis als deze niet weet wat je met je vrije
tijd moet doen. Het organisme, dat zich heeft aangepast aan ver-
plaatsing en snel wisselende omstandigheden, is niet meer op zijn
hoede en zakt weg, wellicht vanwege een vermoeden dat het voorbij is. De adrenalinetoevoer wordt stopgezet en allerlei kleine
kwaaltjes verschijnen. Ik heb het gevoel dat, na de vijf dagen rust
in Nairobi, iedereen blij is dat we weer vertrekken. We weten allen
dat de weg naar huis via de Zuidpool loopt.

Deze ochtend ga ik kleren passen, met het oog op het volgende
onderdeel van onze reis – een safari met Abercrombie and Kent in
het Masai Mara Wildreservaat. Ik word bij het hotel opgehaald door
een zwarte Londense taxi. President Arap Moi was tijdens een
bezoek aan Engeland zo onder de indruk van deze auto's dat hij
toestond dat ze belastingvrij geïmporteerd konden worden. Er rijden er nu zo'n 100 in Nairobi. Ik vraag Michael Nqanga, mijn
chauffeur, of zijn auto altijd goed heeft gefunctioneerd. 'Bepaald
niet,' zegt hij, maar weidt er niet over uit.

De binnenstad van Nairobi is compact, modern en niet bijzonder
mooi. Eentonige betonnen blokken worden afgewisseld door eentonige aluminium-en-glas blokken. De weerspiegelende muren
van Lonrho's nieuwe hoofdkwartier domineren de horizon. Als
kranen en steigers een teken van vertrouwen zijn gaat het goed
met Nairobi. Maar de plaatselijke bewoners met wie ik heb gesproken, zien Moi's vasthouden aan een eenpartijstaat als een zwakheid
en een mogelijke bron van toekomstige chaos.

De oppositie is gemuilkorfd, zowel door de gevangenneming van
haar leiders als door beperking en censuur van de pers.

Maar in Colpro, bij de safari-leveranciers voor de rijken en de
beroemdheden, lopen de zaken als vanouds. Nu ja, niet helemaal
als vanouds, want zoals Chetan Haria, de eigenaar, me vertelt, heeft
de toeristenindustrie zich nog steeds niet helemaal hersteld van de
Golfcrisis. Er was een tijd, zo herinnert hij zich met genoegen, dat
er 270 Amerikanen tegelijk binnenkwamen, die 'allemaal hetzelfde
wilden bekijken'.

Zijn familie begon de zaak 30 jaar geleden als een winkel in leger-
restanten, waarna hij is uitgegroeid tot de belangrijkste leverancier
van safari-uitrusting, waarvan veel is gebaseerd op het militaire

uniform. Nu de dagen van Hemingway voorbij zijn en het jagen strikt gereguleerd is, bestaan de kostuums uit anachronistische onderdelen en zijn ze eerder een kwestie van mode dan van bruikbaarheid. Het ontwerp van het jasje lijkt volledig gericht op de zak. Sommige modellen hebben er wel 12, op allerlei plaatsen. Welk werelds gebruik, vraag ik Chetan, heeft een zak die in de voering van het midden van het rugpand is genaaid? Hij werpt een vluchtige blik op de deur.

'Daarbuiten zijn dieven,' vertrouwt hij me duister toe.

Ik besluit tot iets wat als een 'fotojournalist-jasje' wordt beschreven, omdat ik weet dat de ploeg daar hartelijk om zal lachen. Dat klopt. Een foto van Prins Charles – een oude klant – is vastgespijkerd op de muur naast het kleedhokje van waaruit ik uiteindelijk met mijn kostuum verschijn: een katoenen hemd waarop de kaart van Kenia is afgedrukt, mijn fotojournalist-jasje en een broek met pijpen die op kniehoogte kunnen worden afgeritst, voor het geval ik een korte broek prefereer.

Afgezien van de behulpzame bediening heeft Chetans winkel ook het pluspunt dat het koloniale snobisme ontbreekt – iets wat ik altijd met safari-isme heb verbonden. Hij is even bereid je een bandje met muziek van een plaatselijke stam te verkopen, als een T-shirt of tas met opdrukken als 'Wild Thing' of 'Horny Friends'.

Als ik weer buiten ben, zie ik dat veel van de stedelijke gebouwen worden gedrapeerd in de nationale kleuren. Morgen is het Kenyatta Dag, een nationale feestdag ter ere van de man die Kenia 28 jaar geleden naar de onafhankelijkheid van de Britten leidde.

Evenals de modehandelaren in Colpro en de Republiek Kenia zijn Abercrombie and Kent al bijna 30 jaar in zaken. Hun safariwinkels zijn gehuisvest in een solide, stenen gebouw in een van de opkomende industriewijken rond Nairobi. Daar worden twee Isuzu-vrachtwagens beladen met de elfeneenhalve ton uitrusting die we voor de volgende drie dagen nodig hebben. Reisbestendige houten en tinnen kratten worden met van alles gevuld: van toiletpapier en verse bloemen tot heetwaterflessen en dozen met Blanc de Blancs. In de voorraadkamers bevinden zich reeksen schragentafels, opklapbedden en barbecues, zakken vol houten hamers, schappen met stormlampen en klerenhangers, stapels matten en schoppen en toiletpotten. Er is zelfs een houten tweepersoonsbed. 'Gewoonlijk gereserveerd voor mensen op huwelijksreis,' verklaart Martin, die met de voorbereidingen voor onze reis is belast.

De rit naar het Mara kan lastig zijn, met sintelbanen op het grootste deel van de reis. Martin wil de vrachtwagens zo snel mogelijk laten vertrekken.

'De laatste vier jaar gingen de regens waanzinnig tekeer.' (Ze noemen hier regen 'regens', maar olifanten noemen ze 'olifant'.)

Dit jaar worden ze twee weken eerder verwacht, wat betekent dat ze morgen zouden kunnen beginnen, en de 8-urige reis naar het kamp kan bij slecht weer wel vier dagen duren.

DAG 96 – VAN NAIROBI NAAR HET MASAI MARA

Om 5.15 uur opgestaan. In beweging, weg van de wereld van CNN en Engelse kranten en een telefonische verbinding met het leven thuis.

Als ik de gordijnen opendoe, zie ik de donkere wolken die al dagen boven de stad zijn samengepakt, maar die nog steeds niet openbarsten. Beneden me verbergt een perk met witte, purperen, oranje en blauwe bougainvillea's bijna de afrastering, waarlangs, evenals in de gang buiten mijn kamer, bewakers met knuppels patrouilleren.

Ik voeg me weer bij Wendy en Kalului, waarna onze karavaan om 6.30 uur vertrekt. De straten van Nairobi zijn rustig op deze vrije Kenyatta Dag, maar als de zon opkomt en we noordwaarts over de Trans-Afrikaanse verkeersweg rijden, lopen de wegen vol met de scheurende minibusjes die ze hier Matatus noemen. Hun namen zijn een aanwijzing voor hun rijstijl: Exocet, Ratelslang en, nogal ironisch in het licht van het schrikbarend hoge aantal ongelukken waarbij ze betrokken zijn: De Hemelpoort.

We komen door en over een reeks vruchtbare valleien en heuvelruggen, waar rozen, anjers en kerststerren voor de export naar Europa worden verbouwd. Achter een keurig geknipte heg bevindt zich een theeplantage als een ansichtkaart: rijen groene struiken met als middelpunt een groepje lage gebouwen met rode daken. Het lijkt een land zonder zorgen en toch vinden zovelen dat het land zich in de richting van ernstige politieke moeilijkheden beweegt.

We klimmen naar de top van de oostelijke wand van de Grote Afrikaanse Slenk, op ongeveer 2400 meter boven zeeniveau. We krijgen een bijna duizelingwekkend uitzicht over een enorm uitgestrekte, zonovergoten vlakte, die in het noorden door de grijze, gespleten wanden van de uitgedoofde vulkaan Longonot wordt gedomineerd.

De bodem van de vallei bestaat uit vruchtbare landbouwgrond, en als, in de film *Mogambo*, Clark Gable over deze zelfde verte 'Gorilla!' schreeuwt, barst elke rechtgeaarde Keniaan in lachen uit. De dichtstbijzijnde gorilla is op zijn minst 800 kilometer verder.

We worden uit onze mijmering opgeschrikt door het gebrul van een Mack-vrachtwagen, die vanuit Rwanda in Centraal-Afrika op weg is naar de haven van Mombasa. Hij scheurt gevaarlijk naar beneden en sproeit een waaier van stof en stenen over de woorden op zijn laadklep: Loof de Heer. Hij is genadig. We stoppen om een laat ontbijt van gegrilde maïskolven te kopen van een stel kinderen aan de kant van de weg. Een troep bavianen heeft zich verspreid over de weg en verzamelt maïs- en tarwekorrels die, letterlijk, van de achterkant van een vrachtwagen zijn gevallen. Sommige hebben hun jongen onder zich geklemd, waar ze blijven tot ze vijf weken oud zijn, waarna ze verplaatst worden naar de rug van de moeder. Daar blijven ze drie maanden en ze mogen pas veel later alleen spelen en rennen. Wendy vertelt dat de meeste toeristen op safari dit soort dingen missen. Ze worden direct vanuit de lucht op het Mara gedumpt.

De voorstelling gaat door. Giraffen schrijden met moeiteloze gratie door het bleekgouden gras. Hartenbeest en Thomson's gazelle grazen onder het roofzuchtige oog van gieren, haviken en buizerds. Een mangoest met een zwarte staart maakt zich vóór ons uit de voeten. Als we omhoog klimmen op de westelijke wand van de Grote Afrikaanse Slenk, stuiten we op een kudde van 50 of 60 geiten, die de aarden wal aan de kant van de weg hebben beklommen, in de aarde wroeten en hun kop in een honingraatmotief van kleine holen steken, waaruit ze zout proberen te halen.

We rijden nu naar het westen, zodat we een stukje terugkeren naar onze 30ste lengtegraad. Bij Narok verlaten we de verharde weg weer en hobbelen we al snel over genadig droge sporen, langs lange Masai die grote passen maken, en die gewoonlijk rode mantels of dekens over één schouder dragen. Hun dorpen, die omheind zijn, staan bekend als manyattas. De mannen verdedigen de omheining, terwijl de vrouwen belast zijn met de minder eervolle taak om het latwerk van de huizen met mest te bedekken.

In de late middag hebben we vanaf Nairobi zo'n 235 kilometer gereden en komen we in het Nationaal Reservaat Masai Mara. In tegenstelling tot Serengeti in het zuiden, is het Mara geen Nationaal Park, waardoor het de Masai-boeren hier is toegestaan om hun kudden te laten grazen. Deze vermenging van wilde beesten en huisdieren, koeien en schapen die zij aan zij met giraffen en olifanten grazen, geeft het reservaat het aanzicht van de Ark van Noach.

Maar de mens is nu een dominant onderdeel van het Mara en als we de rivier naderen, wordt een middaglading toeristen vanuit hun lodges naar een vloot minibusjes getransporteerd.

Wendy doet nogal hooghartig over hen. 'Als je in Afrika bent geweest en in een lodge hebt geslapen, ben je een toerist; als je in Afrika bent geweest en in een tent hebt geslapen, ben je op safari geweest.'

Als we ons kampeerterrein bij de oevers van de rivier de Mara bereiken, zijn de tenten nog maar net opgezet en de wc's nog niet uitgegraven, noch de bedden neergezet. Patrick, de *maître de camp*, die met Hemingway op safari is geweest maar er nog steeds uitziet als 25, verwelkomt ons, introduceert ons vlot aan de equipe van 13 mensen, zet een kop thee voor ons en vertrekt, zodat wij het rivierleven kunnen bezichtigen. Dat bestaat uit een kolonie van zo'n 30 nijlpaarden, die hijgen en piepen als een groepje oude mannen in een club na de lunch. Kennelijk verblijven ze het grootste gedeelte van de dag in de rivier, maar 's nachts komen ze eruit om zich te voeden en zwerven ze door het kamp. 'Er kan je niets gebeuren, zolang je maar in de tent blijft,' raadt Martin vrolijk aan. We gaan op een safari die bekend staat als 'Out of Afrika' – een trapje hoger dan de 'Hemingway', die weer een trapje hoger is dan de 'Kenia onder Tentdoek'. Dit lijkt in het geheel niet op mijn herinneringen aan de schoolkampen. De tenten zijn ruim. Aan de achterkant bevindt zich een afgescheiden kleedruimte, met een tafel en een spiegel en een plastic toilet boven een net gegraven gat. Naast het gat bevinden zich een bergje aarde, een kleine schop en een bord: Nijlpaarden bedekken het, wilt u dat ook doen. Ik heb een ouderwets bed, een lamp op zonne-energie en een stang voor mijn kleren. Daarbuiten overdekt het dak een wasgelegenheid en een paar canvas stoelen, die zich uitstekend lenen voor een zitje in afwachting van het avondeten en voor het drinken van een whisky onder begeleiding van vreselijk ongemanierde geluiden vanuit de rivier.

Het diner wordt opgediend, na een kleine vertraging vanwege enige acties van bavianen in de keuken. Martin vertelt een verhaal over een gast die een baviaan aan de zijkant van zijn tent voelde en het beest een opdonder gaf met een zware zaklantaarn. Het bleek echter een nijlpaard te zijn, dat via de keukentent weg-stormde, die weinig weerstand gaf, zodat het nijlpaard met de tent om zich heen gewikkeld in het oerwoud verdween.

22.20 uur De rivier is stil. Een grote maan werpt een zilverachtig licht over de bomen en de rivieroevers. Een groep Masai van de plaatselijke manyatta bewaakt het kamp en zit rustig te praten bij een houtvuur. Een van hen, een oudere man met sterk krullend grijs haar, loopt tussen onze tenten en de rivier heen en weer, voor-zien van oorringen, een deken en een speer. Ik heb sterk het gevoel dat ik me in een droom bevind, die ik lang geleden heb gehad.

DAG 97 – MASAI MARA

Gebrul, gespetter en nijlpaardengeloei kenmerken het einde van de nacht, zodat ik al wakker ben als ik de eerste menselijke kreet hoor. 'Jambo,' klinkt het vanuit een naburige tent, gevolgd door het geluid van deurflappen die worden opengeritst, en de vermoeide ochtendgroeten van de bewoners. Het is zes uur. Op safari wordt er niet uitgeslapen.

Een minuut of twee later word ik ook ge-jambood. Een flacon thee, een schaaltje crackers en een porseleinen kan met melk worden naast mijn bed gezet en buiten vult men mijn waskom met warm water.

Gekleed in mijn Colpro-safarikostuum, waardoor ik eruitzie en mij voel als een David Attenborough in de uitverkoop, vertrek ik om kwart voor zeven, terwijl de zon indruk probeert te maken op een bewolkte, levenloze hemel.

We vertrekken over het vochtige ongelijke spoor dat vanaf de oever over een steile helling omhoogloopt, en passeren zebra's, impala's en een grazend wrattenzwijn. Wrattenzwijnen – lelijke, vertederende dieren – leven in de resten van termietenheuvels, waarin ze achterwaarts naar binnengaan. Om de een of andere reden vind ik ze daardoor nog leuker.

Olifanten, met machtig flapperende oren bewegen zich van ons vandaan, heuvelafwaarts. Ze slapen slechts ongeveer 2 uur per nacht, vertelt men mij. Kalului, die een zesde zintuig voor de aanwezigheid van dieren heeft, ontdekt in de verte twee leeuwen. Als we dichterbij komen, blijken het een ietwat gehavend mannetje en een lethargisch vrouwtje te zijn. Beide vertrekken geen spier als ze op enkele meters afstand in de camera's kijken, terwijl we met drie voertuigen om ze heen cirkelen. Na enig wassen en gapen staat het vrouwtje op haar gemak op, waarna het mannetje onmiddellijk volgt. Hij hinkt. Leeuwen doen ongeveer een week over het paren, en copuleren daarbij soms wel 80 keer in 24 uur, maar deze verhouding lijkt over te zijn, als ze al ooit begonnen is.

Ondertussen speelt zich een andere aflevering van het Masai Mara-melodrama af, waarin een struisvogelmannetje de aandacht van de dames probeert te trekken. Aangezien zijn poten tijdens de balts paars worden, kan hij zich niet verlaten op raffinement, zodat hij maar tekeergaat in een buitensporige waaierdans – een schitterend staaltje van verenbeheersing dat verscheidene vrouwelijke snavels in zijn richting doet wenden.

Te midden van dit leven zien we de dood. We komen langs Nubische gieren die stukken van een zebrakadaver afscheuren. Deze dieren staan bekend als de slachters en zijn de enige gieren met nekken en snavels die krachtig genoeg zijn om een karkas te openen. Het ruwe gras is bezaaid met schedels, beenderen en huiden, en de voortdurende aanwezigheid van gieren, adelaars en buizerds in de lucht en van aaseters als de jakhals, met zijn scherpe snuit en grote oren, op het land, brengt de onbestendigheid van het leven in herinnering.

Onze voeding verloopt wat welvoeglijker. We worden getrakteerd op een van de klapstukken van een A and K-safari – het 'Out of Afrika'-ontbijt. Terwijl wij leeuwenpaartjes lastig vielen, heeft het personeel van het kamp een lange tafel gedekt, compleet met verse bloemen en botervloten van geslepen glas, die boven op de steile helling naast de Olololo staat. Eieren, spek en worstjes sudderen op een open vuur en de obers zijn in jacquet. De vlakte strekt zich plat en weids uit, tussen de steile wanden van de Grote Afrikaanse Slenk, die zuidwaarts naar Tanzania leidt. Driehonderd meter beneden ons lijkt het zonloze Mara – waarvan wij weten dat het wemelt van het leven – grijs en leeg, met uitzondering van een DC-3 uit de Tweede Wereldoorlog, die een brede, overhellende bocht maakt voordat hij de landingsbaan raakt, op

Boven: op de kamelenmarkt. Onder: 'De vliegen zijn levend!'

Bij de Blauwe Nijl-watervallen.

<<
Boven: modern en traditioneel vervoer in Ethiopië.
Onder: de ochtendlijke voorbereidingen op het politiestation in Kanina.

Het leven langs de weg naar Addis Abeba.

Priesters langs de kant van de weg te Meki.

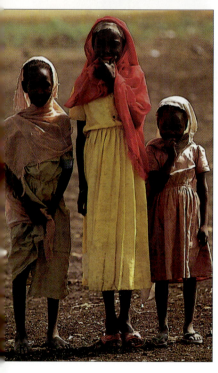

Ethiopië anno 1991.

Tijdens de reis naar Kenia.

In Noord-Kenia.

'De vlinders'. >>

Jonge Tanzaniaan bij het Tanganyikameer.

<<
Boven: bij Dodoma.
Onder: 'Wite man' op de Kigoma Expres.

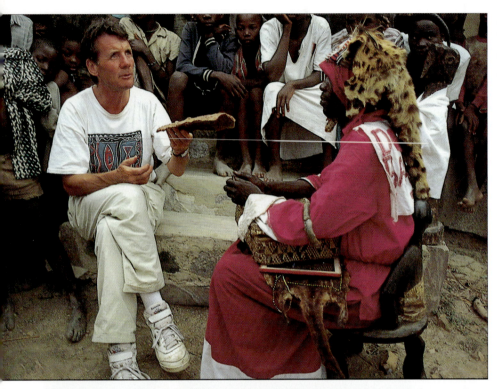

Terug in de tijd in Zimbabwe: materieel van de Rhodesische Spoorwegen.

<<
Boven: op consult bij dokter Baela.
Onder: tijdens mijn Grote Fout: wildwatervaren op de Zambesi.

'Het gezicht op de wereld' – Rhodes' graf bij zonsondergang.

Western Deep – boven en onder: bij het gouden werkfront; op de parkeerplaats – Frasier, Mirabel, Roger, Paul Murphy, MP, Patti en Nigel; de ingewanden van de mijn, 4000 m diep.

Het einde van Afrika – zoekend naar inspiratie op Kaap de Goede Hoop en het uitzicht vanuit de kabellift.

Over het ijs; Sue in de keuken.
Inzet – De poort naar Amerika: op de Zuidpool, maar 80 jaar te laat.

slechts enkele honderden meters van de plek waar wij de leeuwen zagen.

Later op de dag hebben grijze wolken de hemel gevuld en komen zware regendruppels recht naar beneden, waarmee de safari voor deze dag eindigt.

Onze reis door Afrika was zo gepland dat we precies tussen de regenseizoenen door zouden laveren, maar de natuur heeft niet meegewerkt. De late regens in Soedan, en nu de vroege regens in Kenia, zullen onze voortgang er niet sneller op maken.

De temperatuur daalt tot 17 graden – de koudste die we sinds het noorden van Noorwegen hebben meegemaakt. We kunnen weinig meer doen dan zitten en kijken hoe de regen van de tenten naar beneden druipt en luisteren naar de blazende, piepende, snuivende en gorgelende pret van de nijlpaarden.

Later komen enkele van de plaatselijke Masai naar het kamp om een traditionele dans uit te voeren, die het verhaal van een leeuwenjacht vertelt. Na de dans vraag ik een van hen of dit alles nu verleden tijd is. Hij schudt beslist zijn hoofd. Ofschoon het in het reservaat officieel niet is toegestaan een leeuw te doden, namen hij en zijn mededorpsbewoners recentelijk het recht in eigen handen, toen een leeuw herhaaldelijk hun geiten had aangevallen. Ze joegen de leeuw op en doodden hem, niet met geweren maar met pijlen en speren. Zou hij zoiets opnieuw doen? Hij knikt, even beslist, maar vertelt dat de leider van hun volk nu door de opzichters is aangeworven. 'Dat maakt voor ons het leven moeilijker.'

DAG 98 – MASAI MARA

Word wakker met een bewolkte en druilerige hemel, wat slecht uitkomt aangezien we de dag beginnen met een ballonreis over het Mara.

Het is kil en nog donker als we bij de opstijgplaats aankomen, bij een plaatsje dat Little Governor's Camp heet. De opstijgplaats heeft wel wat weg van een groene Engelse dorpsweide, zoals die omgeven is door bomen en stenen huisjes met plaggendaken en manden die bij de deuren hangen. De regen is niet hevig genoeg om de luchtreis af te gelasten, en terwijl een mistroostig zonlicht doorbreekt, wordt de instructie gegeven om de omhulsels – ofwel de gaszakken – van de twee ballonnen te vullen. De omhulsels zijn gemaakt door Thunder and Colt uit Oswestry, uit een lap van tien-enhalve kilometer polyester, en worden geacht de grootste ter wereld te zijn. Tegen de tijd dat ze zijn opgeblazen met 30.500 kubieke meter lucht die tot 100 graden is verwarmd, zullen ze bijna 30 meter hoog zijn. De zon stijgt op tegen een achtergrond van brullende branders, hun lekkende, gele tongen en de trage opzwelling van de veelkleurige reuzen.

Elke ballon kan een dozijn mensen dragen en een bevreesde groep Engelsen en Amerikanen staat verzameld in de ochtendscheme-ring. Ik voel een scherpe steek in de achterkant van mijn been en als ik me omdraai om te krabben, zie ik dat iedereen hetzelfde doet.

'Safari-mieren,' zegt een Engelsman opgewekt, 'je hoeft ze maar aan te raken of ze bijten.'

Deze opmerking helpt niet bijzonder veel, aangezien een groot aantal mieren zich reeds tot het midden van mijn benen heeft omhooggewerkt en de grond bezaaid is met versterkingen. Als ik me van de mieren tracht te ontdoen, lijkt dit op het ondergaan van een reeks hele lichte elektrische schokken.

Uiteindelijk zijn de torenhoge ballonnen klaar en klimmen we in onze manden. Beide zijn op de traditionele manier van hout en riet gemaakt en in vakken verdeeld, zodat we er van binnen enigszins uit moeten zien als melkflessen in een krat. De meeste van mijn medepassagiers zijn Amerikaans, maar de piloot is zeer Brits.

'Mijn naam is John Coleman en ik ben deze ochtend uw piloot. Zoals u kunt zien heb ik drie strepen op mijn epauletten, één voor elke wasserij.'

Terwijl we langzaam omhoogrijzen en de donkere wouden bene-den zien liggen, blijft hij een stroom van dergelijke opmerkingen spuien.

'Maakt u zich geen zorgen, als u zich wat angstig blijft voelen. Ik ben altijd bang wanneer ik in de lucht ben. Kippen in de mand.'

De Amerikanen raken door dit alles een beetje van slag en zijn ook enigszins teleurgesteld, omdat het groot wild nauwelijks een ver-toning geeft op deze doorweekte ochtend.

Desalniettemin wijzen ze hoopvol.

'Hey, kijk die vogel daar!' 'Daar beneden, kijk, daar is een van die dingen...' Terwijl John Coleman boven de toppen van de bomen koerst, leren we van hem dat er van de nijlpaarden die ons 's nachts uit de slaap houden, zo'n 2500 in het reservaat leven, dat de long-

vis in de U-bochtvormige meren van de rivier de Mara in het droge
seizoen overleeft door zich in de modder te begraven en daar tijdens de regens weer uit te komen, en dat olifanten hun lichaam-
stemperatuur met 11 graden kunnen verlagen door enkel met hun
oren te flapperen.

Coleman stuurt de ballon naar beneden tot we bijna op de grond
zitten en scheert langzaam op dierenhoogte over de aarde. Omdat
hij niet veel ziet, stijgt hij weer naar 450 meter. Het ziet er allemaal
erg gemakkelijk uit, maar, zoals hij zegt, dit is een prima landje
voor een ballon, zonder lastige elektriciteitsdraden of prikkeldraad
en met een klimaat waarin je 350 dagen per jaar kunt werken. Het
enige gevaar is dat je naar Tanzania afdwaalt en daar moet landen.
Dat kan gemakkelijk gebeuren: onlangs is door de Tanzanianen
een ballon met een safarigezelschap aangehouden en gearresteerd
wegens illegale grensoverschrijding.

De landing is een beetje hortend en stotend, maar niet oncomfortabel, en dan scheidt ons nog slechts een kurk van een volgend
Masai Mara-champagneontbijt. Onze glazen met roze champagne
kleuren goed bij de poten van een wulpse struisvogel in de verte,
maar verder wordt onze 'vangst' van eieren met spek, worstjes en
croissants enkel gadegeslagen door een geel-gebaarde wouw, een
roofvogel die door een rij speren van de lange, lage ontbijttafel
wordt afgehouden.

Coleman besluit de gebeurtenissen met een toost op echtgenotes
en vriendinnen – 'Mogen zij elkaar nooit ontmoeten' – waarna we
weer eens een certificaat ontvangen.

Ik heb het gevoel alsof ik er al een dag werk op heb zitten, maar
als de bleke zon eindelijk het grasland begint te verwarmen en de
onvermoeibare Wendy ons op een volgende grootse natuurtocht
voert, is het nog geen 10 uur.

We keren terug naar de donga, dat het Swahilische woord is voor
de kleine, overgroeide kreek waar we gisteren de twee leeuwen zo
opvallend niet zagen paren. Vandaag staan de zaken anders.
Dezelfde leeuwin, andere leeuw, vermoedelijk de broer van de
falende minnaar. Dit keer zijn ze beide duidelijk in hetzelfde geïnteresseerd. Zij bekijken elkaar totdat, net als gisteren, het vrouwtje
opstaat en wegloopt. Als door een onzichtbare leidraad gedreven,
volgt haar partner en wacht hij tot ze gaat zitten. Dat is zijn signaal
om haar te bestijgen. Ze paren niet langer dan 25 seconden, onder
begeleiding van een laag gegrom en beten in de nek. Dan trekt het

mannetje zich terug en rolt het vrouwtje op haar rug. Na een betamelijke interval van negen of tien minuten begint de procedure
opnieuw.

Dan, van onder het kreupelhout vandaan, verschijnt nog een
leeuwin, die vier erg jonge welpen meevoert. (Wendy schat dat ze
ongeveer zes weken zijn en waarschijnlijk voor de eerste keer in
het vrije veld.) Eén blijft dicht bij zijn moeder, maar ziet er leven-
dig en avontuurlijk uit, twee andere volgen op de voet, maar nummer vier is duidelijk onder de maat en kan de andere niet bijhou-
den. Ondertussen, boven op de lage heuvel, zijn oom en tante het
weer aan het doen. Ze lijken nauwelijks op elkaar en op de indrin-
gers met een half dozijn telelenzen te letten. Verontrustender is dat
moeder zich op een gegeven moment geheel niet meer bewust van
haar vierde welp lijkt te zijn, die een heel eind achterop door het
lange gras stuntelt, maar precies als wij denken dat ze hem vergeten is, steekt ze haar kop omhoog, keert om, trippelt langzaam de
heuvel af, neemt het ondermaatse jong in haar bek en draagt het
terug naar het gezin. Het is een fascinerend gebeuren en we blijven er bijna een uur naar kijken. Op het eind heeft, als mijn telling
juist is, het gelukkige paar nog zes keer gecopuleerd.

Even later passeren we een statige optocht van giraffen, die als in
een vertraagde film door het landschap lijken te bewegen. Aan het
einde van de processie loopt moeizaam een kleinere, lamme giraf-
fe, die steeds verder achterblijft. Het ziet er deze keer niet naar uit
dat iemand hem komt helpen.

Wendy schudt haar hoofd... 'Ze gaan gewoon door, het is het overleven van de sterkste. Daarom is het waarschijnlijk beter als een of
ander roofdier voorbijkomt... ze kunnen ze niet doden als ze rechtop staan... maar zodra ze gaan liggen, slaan ze toe.'

Geboorte, voortplanting en dood. We hebben het vandaag allemaal
kunnen zien.

Ofschoon het niet echt regent, stapelen de grijze wolken zich op,
waardoor ze voor een vroege avondschemering zorgen. Truien
komen te voorschijn en het safaripersoneel steekt naast de rivier een
kampvuur voor ons aan. Ik drentel door de keuken. Een grote pizza
wordt in de oven geschoven. Patrick is druk bezig en ik sta hem
waarschijnlijk in de weg, maar ik kan hier niet weggaan zonder de
man gesproken te hebben die met Hemingway op safari is geweest.
Was Hemingway zo goed als hij beweerde te zijn? Patrick knikt.

'Hij moet bij de Amerikaanse cowboys hebben leren schieten. Veel mensen schieten in de buik of de poten, maar hij niet. Hij was goed.'

Sommige van Patricks andere beroemde metgezellen beschikten over minder natuurlijk talent. President Tito moest over het algemeen bijgestaan worden...'We hadden wat problemen... hij kon niet goed mikken.' Prins Charles, die hij op een safari per kameel begeleidde tot aan het Turkanameer, was zelf niet in jagen geïnteresseerd, maar andere jagers wel in hem.

'Hij ging op de rug van een krokodil staan, denkend dat het een steen was of een houtblok in het zand. Toen begon die krokodil te bewegen – de Prins was erg bang!'

Ik krijg de indruk dat Patrick naar de oude tijd verlangt, toen de risico's groter maar de gezelschappen kleiner waren; toen je at wat je ving en in het open veld sliep.

Nu het toerisme hier vaste voet aan de grond heeft gekregen, lijkt het alsof safari's een parodie op zichzelf zijn geworden. We kleden ons als jagers. We worden als blanke jagers behandeld en krijgen whisky bij zonsondergang en eieren met spek als ontbijt, maar we jagen met Canon-camera's vanuit degelijke voertuigen. Misschien dat bezoekers eens in staat zullen zijn dieren in het wild te bekijken, ervan te genieten en erover te leren zonder dat ze moeten doen of ze moderne Hemingways zijn.

Maar tot het zover is, worden we vertroeteld. Na het afscheidsdiner, een barbecue van hartenbeest en impala, voert het safaripersoneel een taart voor ons aan en dansen ze rond de tafel onder het zingen van 'Jambo Bwana'. Het lijkt allemaal een beetje koloniaal, maar ze hebben ons een prettige tijd bezorgd en ik geloof dat zij er evenzeer van hebben genoten.

DAG 99 – VAN MASAI MARA NAAR SERONERA

Vanzelfsprekend is de dag waarop we vertrekken beter dan die waarop we aankwamen – een heldere hemel en een mooie zonsopgang voor bij het scheren. Een copieus reizigersontbijt dat verse ananas, meloen, pap en cholesterol in diverse uitvoeringen bevat, en een hartelijk afscheid van Patrick, zijn equipe en in het bijzonder Wendy, die een uitstekende en informatieve metgezel en gids is geweest – en ons de juiste combinatie van wortel en stokslagen voorhield. Adressen worden uitgewisseld en gezinsvakanties op safari beloofd. Ofschoon we niet geheel van Abercrombie and Kent afscheid zullen nemen. Kalului en Kabagire hebben erin toegestemd ons door het Serengeti te begeleiden, waarna we de trein bij Dodoma in Tanzania kunnen nemen, dat 725 kilometer verder naar het zuiden ligt. Graig, een jonge, atletische Keniaan, zal Wendy's rol als probleemoplosser en dierengids overnemen. Graig is in Kenia geboren en opgevoed, een kind van blanke, Engelse ouders. 'Ze noemen ons hier vanille-gorilla's,' grinnikt hij.

We verlaten de Rivièra der Nijlpaarden om kwart over acht en gaan in zuidoostelijke richting naar de Tanzaniaanse grens.

Onze 30ste lengtegraad blijft ons ontwijken, omdat het Victoriameer met zijn onregelmatige en onvoorspelbare veerdiensten de westelijke route blokkeert. Het goede nieuws is vanochtend dat ik de stoffige, versleten kaart van 'Noordoost-Afrika en Arabië', die me zeven weken lang – vanaf Port Said – geleid heeft, kan verwisselen voor de frisse en ongerepte 'Centraal- en Zuidelijk Afrika'.

Ik heb het gevoel dat ze snel versleten zal zijn, aangezien we ons in zelden bezocht gebied begeven om de laatste zestienhonderd kilometer van onze kolossale omweg rond Zuid-Soedan te voltooien.

We kijken bijna even obsessief naar dieren als naar treinen uit, en als we na weinig meer dan een half uurtje rijden een jachtluipaard ontdekken, is weer een hiaat in mijn ervaring opgevuld. Hij is maar alleen, maar zijn aanwezigheid heeft een magnetiserend effect op de figuranten. Grazende Thomson's gazellen bevriezen in het midden van een kauwbeweging, impala's draaien hun kop en staren als gehypnotiseerd. Het heeft weinig zin om weg te rennen voor een dier waarvan de 'maximumsnelheid in noodgevallen' volgens mijn boek '110 km/u kan bedragen'. Het jachtluipaard lijkt op snelheid te zijn gebouwd. Zijn kop is klein, het lichaam lang en de krachtige poten zijn pezig en slank. Jachtluipaarden besluipen hun prooi met oneindige zorg en geduld en benaderen hem tot op enkele honderden meters, voordat ze aanvallen. De spanning is zo ingehouden, en de opbouw zo nauwgezet en langzaam, dat we tijdens de 15 minuten dat we toekijken enkel zijn oogballen zien bewegen.

Bij de grens zien we voor het eerst trekkende wildebeesten. Ze keren in lange colonnes terug naar het zuiden, nadat ze zich gevoed hebben met het korte overvloedige gras van het Mara. Ze lijken in een goed humeur. Ze duwen speels tegen elkaar, maken bokkensprongen, draaien in de tegengestelde richting en vertonen in het algemeen alle kenmerken van een groepje schoolkinderen op weg naar huis. Ik kan me niet voorstellen waarom deze zwaar geschouderde dieren met hun grijze vacht zo vrolijk zijn. Elk jaar sterft een kwart miljoen tijdens de trek. Sommige sterven een natuurlijke dood maar veel meer gaan ten onder doordat ze tijdens het oversteken van een rivier verdrinken, door slangenbeten (andere roofdieren laten die karkassen ongemoeid, omdat ze zien dat die gif bevatten) en door de jacht van de leeuw, het luipaard, het jachtluipaard, de serval en andere roofdieren.

Iets verderop stuiten we op twee hyena's, die met een stuk wilde-beest weg schuifelen. Ze zien er gewiekst uit, met hun ronde schouders en norse kop. Ik houd wel van ze. Ze krijgen nooit een mooie rol in een Disney-film, maar ze houden de boel keurig opge-ruimd en bovendien word ik nogal vertederd door het feit dat ze zo erg giechelen als ze een prooi doden, dat ze hun positie verra-den en door somberder dieren van hun prooi worden beroofd.

Vlak bij de Keniaanse grenspost is een stevig gebouwde, licht-blauwe vrachtwagen vastgelopen in de modder. Een groepje jonge blanken staat er treurig naar te kijken. Het zijn hoofdzakelijk Australiërs, Nieuw-Zeelanders en Britten op een avontuurlijke lan-geafstandstrip van Nairobi naar Harare in Zimbabwe. Hun aan-voerders zijn een kleine, glimlachende jongeman met een wilde haardos en een meisje dat Dave heet.

'Duits... gebouwd voor het Russische front,' zegt de jongeman ter-wijl hij met een moersleutel tegen het gestrande voertuig stompt.

Ondanks de lading weet Kabagire de vrachtwagen met zijn Landcruiser uit de modder te trekken. De reizigers stappen weer in en de vrachtwagen neemt traag en onstabiel de laatste meters naar de grens, waarbij hij een paar diepe sporen achterlaat, terwijl een baviaan de overblijfselen van hun kampvuur onderzoekt met de nauwgezette aandacht van een forensisch arts.

Nadat we de douane zonder ongelukken gepasseerd zijn, dalen we een heuvel af naar een brug over de Sand River en rijden we een rotsachtige helling op, voorbij het bord 'Welcome to Serengeti National Park'. Kudden olifanten, groter dan alle die we in het Mara hebben gezien, bevolken de goudbruine grasvlakte, die voldoen-de bomen bevat om ze van beschutting en voedsel te voorzien. Een gezinnetje wrattenzwijnen sprint voor ons over de weg, de staarten eensgezind omhoog. Nigel is bijzonder sentimenteel wat wrat-tenzwijnen betreft en de aanblik van baby-wrattenzwijntjes is bijna te veel voor hem. We zullen waarschijnlijk filmrolletjes vol met jonkies aantreffen.

13.20 uur Bij het grensstation Bologonja. Tussen stevige, stenen stutten, waarop massieve, gehoornde buffelschedels zijn geplaatst, bevindt zich een poort met 'Tanzania' erop geschreven. Dit is het eerste land waarvoor ik een poort heb aangetroffen, waardoor het land me sympathiek is. Het land is 360.000 vierkante kilometer groter dan Kenia, maar vergeleken met Egypte, Soedan of Ethiopië nog steeds een spierinkje. Het was eens deel van Duits Oost-Afrika, werd in 1962 de onafhankelijke republiek Tanganyika en verenigde zich in 1964 met de Republiek Zanzibar tot de naam op de poort.

We moeten drieëneenhalf uur wachten in de bungalow met plaggendak die de grenspost vormt, terwijl onze toegangspapieren uitgebreid met de hand worden geschreven, en we bevinden ons daar nog steeds als de landreizigers ons weer inhalen. Hun vrachtwagen heeft geen verdere defecten, maar ze moeten de motor laten lopen omdat de startmotor het begeven heeft.

Als we eenmaal door de poort zijn, blijken we ons in een bebost Hof van Eden te bevinden, met weelderig groen gras en kabbelende stromen, maar dat maakt spoedig plaats voor het eigenlijke Serengeti, een oppervlakte van bijna 150.000 vierkante kilometer aan struikgewas. In tegenstelling tot Masai Mara is het alleen voor wilde dieren bestemd. Er zijn hier geen kudden of herders. We stuiten op nog meer leeuwen, dit keer een tiental dat net een dier aan het doden is. Het slachtoffer is een wildebeest en als we ze genaderd zijn, hebben de mannetjes al gegeten en liggen hijgend in de schaduw, terwijl de vrouwtjes de resten ontleden. Een macaber koor van 30 tot 40 ruziënde gieren en maraboes staat op enkele meters afstand te wachten op de kliekjes.

Uiteindelijk begeeft een zeer jonge leeuw zich naar de maag, die nog intact is. Ofschoon ik het niet wil, raapt hij hem op, aangezien het alles is wat hem rest. Halfverteerd gras stroomt uit het ingewand als hij het tussen zijn voorpoten wegsleept, naar zijn eigen plekje.

De hoogtemeter op Basils horloge geeft 1750 meter aan als we de rivier de Seronera oversteken en een groene begroeiing van paraplu-vormige acacia's, mahonie- en vijgenbomen betreden, waartussen de grote, gladde rotsen opdoemen van de soort waar John Wayne de Indianen doorheen joeg. Ons hotel is rond een van deze rotspartijen gebouwd, zodat het de aangename verpozing verschaft om tijdens zonsondergang over de rotsen te wandelen en te kijken hoe het licht over het Serengeti zwakker wordt, terwijl een kolonie klipdassen – bontachtige diertjes zo groot als een konijn – op de achtergrond wegstuiven. Langzaam rijst de volle maan, terwijl de immense vlakte samenvloeit met een immense hemel.

DAG 100 – VAN SERONERA NAAR HET MANYARAMEER

Ik open de gordijnen om 7 uur en staar in de grote, nieuwsgierige ogen van een groene meerkat, die me met zijn neus tegen het raam gedrukt zonder te knipperen bekijkt. Ik geef hem een stevige berisping:
'Jij aap!'
Basil vindt dit erg grappig, maar we zijn dan ook al drie maanden op reis.
Het is een heldere, frisse, schitterende ochtend en ik kan haast niet geloven dat ik me levend en wel in het Serengeti bevind, op slechts enkele uren afstand van de Ngorongoro Krater, de op één na grootste ter wereld. Ik, een schooljongen uit Sheffield.
Precies op dat moment hoor ik vanuit de hal het onmiskenbare geluid van andere ex-schooljongens uit Sheffield.
'Schiet op Clifford!'... Een vroeg ochtendkoor van Yorkshire-accenten trekt naar het restaurant. Later zie ik hoe ze in een vloot van witte minibusjes worden geperst en naar de leeuwen worden gereden.
Vijfentwintig procent van Tanzania bestaat blijkbaar uit reservaatterrein, een hoger percentage dan waar ook in Afrika. In 1960 werkte mijn chauffeur Kalului hier en hij herinnert zich dat het Nationaal Park Serengeti werd ingesteld en jagers van de ene op de andere dag stropers waren geworden. Hij werd parkopzichter en verantwoordelijk voor het aanhouden van degenen die niet begrepen dat hun levensonderhoud nu dat van iemand anders was geworden. Later werd hij gids en hij heeft veel verhalen over net vermeden rampen. Ik had al opgemerkt dat Kalului, telkens wanneer we in het Serengeti stopten, de omgeving bijzonder nauwkeurig bekeek voordat hij ons uit liet stappen. Door ervaring heeft hij geleerd zeer voorzichtig te zijn.

Eens, zo herinnert hij zich, had hij de omgeving van een boom zorgvuldig onderzocht voordat hij daaronder een picknick organiseerde, om halverwege de picknick tot de ontdekking te komen dat zich in de boom een luipaard bevond dat zijn prooi aan het verslinden was. Iemand zag het, gilde, en dat bracht het luipaard naar beneden.

Ik beken hem dat mijn enige teleurstelling bij de safari de afwezigheid van neushoorn en luipaard is. Kalului tracht dit goed te maken door een verbazingwekkende dierentuin van imitaties: van luipaard tot neushoorn tot schildpad tot jakhals, parende wildebeesten en het dier dat hij zonder aarzelen als het gevaarlijkst van alle bestempelt: de buffel.

'De buffel jaagt vaak achter me aan...'

Ik vraag hem wat hij in een dergelijk geval doet. 'Ik vlucht... in een boom!'

Hij lacht breed, bijna alsof hij zich een vergeten genoegen van het leven herinnert.

Kalului, klein en pezig, met zijn energieke, goedgeluimde gezicht dat snel vechtlustig kan worden, is een te intieme metgezel geworden om hem mak aan een interview te kunnen onderwerpen, en als we hem voor de camera weten te krijgen, kaatst hij met veel plezier sommige van mijn vragen terug... 'En van welke stam ben *jij?*' vraagt hij.

'De Britse burgerklasse,' antwoord ik onwrikbaar. Toch heeft dit niet dezelfde bijklank als Akamba.

We rijden naar het zuidoosten en passeren het einde van de Olduvai Kloof, waarin Louis en Mary Leakey, en meer recent Donald Johanson, sommige van de oudste menselijke overblijfselen op aarde hebben gevonden, waaronder vlakbij in Laetoli een 3,6 miljoen jaar oud voetspoor, dat in versteende vulkanische as is geconserveerd.

Vanaf de vlakte klimmen we naar de rand van de Ngorongoro Krater, op bijna 2000 meter boven zeeniveau. Spectaculaire vergezichten ontvouwen zich, met aan de ene kant het Serengeti en aan de andere de reusachtige cirkel van de uitgedoofde vulkaan.

Een groep Masai-herders nadert vanaf de richel, voorafgegaan door het zachte, fijnzinnige getinkel van de koeienbellen – die Wendy 'Het geluid van Afrika' placht te noemen. Ze zijn jong, de meesten tieners, en indrukwekkend uitgedost met hoofdtooien van struisvogelveren, enorme houten oorbellen en mantels van intens purper en dieprood. Ze zijn zich niet onbewust van zichzelf. Ik merk op dat een van hen zijn kleding schikt in de weerspiegeling van het autoraam. Ook hun aanvankelijke vriendelijkheid en nieuwsgierigheid is niet amateuristisch. Als we een foto van hen willen nemen, of zelfs maar van de krater beneden hen, moeten we betalen.

We gaan over de weg op de richel verder. Overal langs de weg staan groepjes kinderen, die voorzien zijn van kralen, geverfde gezichten en speren en die bereid zijn om voor iedereen met geld een parodie op de Masai-dansen uit te voeren.

De Krater Herberg is een Spartaanse, keurig aangelegde verzameling hutten die lijkt op een legerkamp, maar eigenlijk is het een hotel met een van de mooiste vergezichten ter wereld. Beneden ons breidt zich de krater van 1,5 kilometer uit, met op de bodem een klein zoutmeer waaromheen bomen staan. Een pelikaan, met lui bungelende poten, zweeft in de thermiek. Het gebied binnen de krater ziet er minder donker, geheimzinnig en verlaten uit dan ik had verwacht. In feite zie ik zelfs iets wat verdacht veel op een parkeerplaats lijkt en ik zie zonder twijfel meer minibussen dan wilde dieren. Maar misschien is dat het effect van het bedrieglijk sterke bier dat mij geserveerd is. Ik bekijk de fles voor inlichtingen, maar hij heeft geen etiket – enkel de in reliëf gedrukte woorden 'Beer Only' aan de zijkant.

Een Keniase immigrant die voor het hotel werkt, geeft me een uitbrander omdat ik niet naar de krater afdaal.

'Het Achtste Wereldwonder,' verklaart hij, terwijl hij zijn handen naar het uitzicht uitstrekt, voordat hij me met een vernietigende blik fixeert... 'U hebt het gezien, maar u hebt het niet *ervaren.*'

De waarheid is dat ik begrijp wat hij bedoelt, maar dat ik een reiziger en geen toerist ben. Ik maak me meer zorgen over de afvaarttijden van de zeilschepen uit Zuid-Afrika dan over de vertrektijd van de volgende safaribus naar de bodem van de krater. Ik probeer de Zuidpool te bereiken, verdomme, en niet Tanzania.

Niet dat ik hem dat vertel. Hij zou eens kunnen vragen waarom. En dan hang ik.

We laten onwillig de op één na grootste krater ter wereld achter ons en dalen zuidwaarts door een dicht tropisch regenwoud, tot we ons in een netwerk van Mulu-dorpen bevinden, die door rode zandwegen in slechte staat verbonden worden.

Om 5 uur bereiken we onze bestemming voor de nacht, een ander hotel met een verbijsterend vergezicht, ditmaal vanaf de top van de Grote Afrikaanse Slenk over het Manyarameer. Een reeks korte, steile rivieren met namen die op mantra's lijken – de Yambi, Endabash, Ndala, Chemchem, Msasa, Mchanga en Mkindu – stroomt vanaf de spectaculaire westelijke valleiwand door een woud van croton, vijgen- en mahoniebomen in het lange, smalle meer dat zich 600 meter lager bevindt. De tuin van het hotel wordt gedomineerd door de heldere rode en groene paraplu's van drie Australische toortsbomen, waarvan de bloesem vanavond zelfs nog opvallender is tegen de leigrijze hemel van een dreigende storm. Vanaf mijn balkon zie ik de storm naderen, gordijnen van regen in zijn kielzog meeslepend. Dan doorklieft een bliksemvork de grijze mist, wordt het stof op de oevers gevangen door een plotselinge, felle wind en in wolken naar me toe geslingerd. De wind ratelt en beukt tegen het raam, dan komt de regen en na de regen een dubbele regenboog die boven de noordoostelijke oever welft.

Het leven binnen is nogal een teleurstelling. Het hotel is gevuld met westerse toeristen en het voedsel bestaat uit ongekruide kip, preisoep en geroosterd lamsvlees.

Ik val in slaap boven Hemingways *Green Hills Of Africa*, een goed geschreven, maar meedogenloos relaas over zijn jagersmoed. Je zou denken dat er niets gevaarlijkers in het Afrikaanse oerwoud rondliep dan onze Ernest, als hij er weer op uit was om zichzelf te bewijzen.

DAG 101 – VAN HET MANYARAMEER NAAR DODOMA

We hebben vandaag 400 kilometer voor de boeg, dus om 6.15 uur op voor een vroege start. Kijk over het balkon en zie bavianen over het terrein zwermen, die de siertuinen afbreken.

Vertrek één uur later, aan het eind van de hoteloprit rechtsaf slaand. Het safariverkeer gaat naar links en ik voel een tamelijk scherpe steek van spijt, omdat ik de dieren achterlaat.

Een ruig spoor, dat oncomfortabel rijdt, brengt ons naar de hoofdweg van Dodoma naar Arusha. Dat is een mooie, pas aangelegde verbindingsweg. Hij heeft zelfs witte markeringsstrepen. We razen er 24 kilometer lang overheen, tot aan de grote fosforfabriek te Minjingu. Ik weet dat het Minjingu heet omdat dit verscheidene keren op grote borden aan de weg staat: Hebt u al Minjingu-fosfaatkunstmest gebruikt? Hebt u een proefmonster meegenomen? En tenslotte: Minjingu wenst u Bon Voyage. Dat blijkt tegen te vallen. Mal voyage van Minjingu tot Dodoma, op een wegdek dat eens verhard was maar daarna is achtergelaten om te vervallen tot een gespleten puinhoop en gaten.

We hebben het opvallende landschap verlaten en denderen voort tussen strokleurige velden, waardoorheen we een glimp opvangen van naakte vlekken van asgrijze rots, met slechts af en toe een 'worstenboom', die het landschap verlevendigt met het lange, cilindrische fruit dat van zijn takken bungelt.

De dorpen zijn alledaags en arm, en men verbouwt er als hoofdproducten bananen, papaja's en tomaten. In het knooppunt Babati kopen we samosa en brood voor de lunch. Zelfs de kinderen lijken ons hier met behoedzaamheid te bekijken, een soort beschermend wantrouwen dat we elders alleen in Soedan hebben gezien, waar xenofobie het regeringsbeleid scheen te zijn. Wat is de kinderen hier geleerd? Ik weet dat Julius Nyerere zelfvoorziening en niet-gebondenheid heeft gepredikt, wat misschien nationale trots maar weinig in de zin van economisch zelfvertrouwen heeft opgeleverd.

Vijf of zes uren lang rijden we voort over een bochtige heuvelrug, die dichtbebost is met acacia's in schitterende kleuren: diepgroen, bleekbruin en goudgeel – een scheutje Vermont in de herfst. Dan rijden we over de vlakte en spelen de baobab-bomen de hoofdrol. Men vermoedt dat sommige 2000 jaar oud zijn. Ze zijn massief gebouwd, met een stamomtrek van 6 tot 9 meter en een bast die de kleur en structuur van geschutbrons heeft. De vogels houden ervan, uilen, neushoornvogels en buffelpikkers nestelen erin.

Tien uur nadat we het Manyarameer verlaten hebben, bereiken we eindelijk de rand van Dodoma, een stad van ongeveer 45.000 mensen die zelfs niet tot de tien grootste steden van Tanzania behoort, maar die precies in het midden van het land ligt. De stad wordt aangekondigd door een verweerd bord naast een kapotte weg, 'Welcome to Dodoma, Capital City'.

Deze streek is sterk beïnvloed door missionarissen. Op weg naar de stad stuiten we op detonerend ordelijke rijen wijnranken, die gekweekt worden door de paters van het Heilig Kruis en die Rode Dodoma produceren, waarvoor men mij waarschuwt.

Het Geloofscentrum van de Precious Blood Missionaries en de

Verzamelhal van het God's Bible College wenken naar mij met hun borden, evenals de New Limpopo Bar. We volgen een stuk vierbaansweg dat loopt langs het verfrissend bescheiden parlementsgebouw, de rooms-katholieke boekwinkel, het Paradise Theatre – Eliott Gould en Kate Jackson in *Dirty Tricks* – en het hoofdkwartier van de regerende CCM-partij (die directe banden heeft met het parlement), voordat we ons installeren achter de koloniale gevel van het Dodoma Hotel. Gezien het feit dat dit het beste hotel in de hoofdstad is, is het teleurstellend dat er geen warmwaterkraan is, maar op verzoek brengt men een emmer. In de openbare ruimte staan grote leunstoelen met lekkende vulling rond een oude John Broadwood-piano die de centrale C mist. Het voedsel is saai, maar het bier is koud en zeer welkom. Mijn bed heeft een reusachtig muskietennet, al moet ik de bediende erop wijzen dat het drie zeer grote gaten bevat. Hij glimlacht hulpeloos en haalt een antivlieg-spuitbus te voorschijn met de grootte van een bazooka, die hij zo overvloedig gebruikt dat ik ten minste tien minuten niet in de kamer kan ademen.

Vanavond is er disco in het hotel en het is tekenend voor mijn vermoeidheid dat de muziek me in slaap bombardeert.

DAG 102 – VAN DODOMA NAAR KIGOMA

Ik heb opgemerkt dat op alles in mijn kamer, van het grijze kussen waarop ik mijn hoofd niet durfde te leggen, tot de spiegel waarvoor ik me niet scheer omdat er geen warm water is, bedrukt is met een lang serienummer en de initialen TRC – Tanzanian Railway Company. Ik veronderstel dat dit toepasselijk is, aangezien ons lot vanaf hier tot Mpulungu in Zambia in hun handen ligt, 1300 kilometer door het hart van Afrika.

When nine year old or thereabouts... while looking at a map of Afrika, and putting my finger on the blank space then representing the unsolved mystery of the continent, I said to myself with absolute assurance and an amazing audacity which are no longer in my character now: 'When I grow up I shall go there'. De afgelopen nacht las ik deze woorden, terwijl de muskieten door de gaten in het net naar binnen stroomden. Ofschoon ze Joseph Conrads herinneringen aan zijn jeugd in Polen vormen, zouden ze ook een beschrijving van mijn eigen jeugdfascinaties kunnen zijn, met plaatsen zover van mijn huiselijke omgeving als ik me toen kon voorstellen. Het Tanganyikameer, het op een na diepste meer ter wereld (na het Baikalmeer), ligt in het midden van het Afrikaanse continent en is omgeven door bergen en jungle en God weet wat nog meer ik me – daar ben ik zeker van – in mijn jeugd kon voorstellen. Het is nu slechts een treinreis van een dag verwijderd.

Dodoma bevalt me. Het is niet mooi, maar de mensen zijn aardig. Tanzanianen zijn niet opdringerig, ze zijn niet nieuwsgierig of verwijtend of obsessief starend. Ze handelen rustig hun zaken af, waaronder de verkoop van houten fluitjes buiten het parlementsgebouw.

'Hoeveel? '

'400.'

'Ik heb maar 200.'

'Ik verkoop het aan u voor 300.'

'Ik heb maar 200.' 'Oké', 200.'

Dat is het soort sjacheren waar ik van houd.

Ik ontmoet een Engelsman, een professor die voorafgaand aan een investering van de Wereldbank Tanzania onderzoekt. Hij is wanhopig over het papierwerk dat hier nodig is om iets gedaan te krijgen. Hij schudt zijn hoofd in ongeloof:

'In dit land hebben ze het gezegde dat de bureaucratie op God lijkt. Ze is overal.'

De dienaars van God zijn zeker machtig hier. Religie lijkt de groei-industrie. Op een van de belangrijkste kruisingen staat het enorme gekoepelde neoklassieke kasteel van de Indiase christenen naast de opvallend moderne, roodbakstenen contouren van de lutherse kathedraal, die op zijn beurt tegenover de plompe en veelhoekige torens en koepels van de anglicaanse kerk staat.

De Engelstalige *Daily News* heeft een kop over sport met een bekende, bijna nostalgische bijklank. 'Woedende supporters gaan uitzinnig tekeer.' Voetbal is populair hier, zeker nu vanavond de Black Fighters uit Zanzibar het tegen de Railways uit Morogoro zullen opnemen, waarvan de spelers waarschijnlijk ergens op hun lichaam TRC hebben gedrukt.

Om tien minuten over twaalf wordt een grote metalen cilinder die buiten het kantoor van de stationschef in Dodoma hangt, hard geluid, waarna er dicht bij het spoor een gedrang ontstaat van leveranciers van noten, eieren, bananen, gedroogde vis, zoete aardappelen, rubberen sandalen, vers water, broden, speelgoed-vliegtuigjes en andere reisbenodigdheden. Eerst zien we geglim in de verte en dan doemt een diesellocomotief op met een rode baanschuiver en een kenmerkende gele V op de voorkant, die de sneltrein vanuit de haven van Dar es Salaam, 450 kilometer naar het oosten, binnenbrengt. Het is een enorme opluchting dat we hem zien. Deze trein en de boot over het Tanganyikameer zijn twee van de essentiële verbindingen op de reis. Geen van beide is gemakkelijk. We zijn wat onzeker over ons recht op zitplaatsen in de trein, omdat geen van onze boekingen bevestigd is, en inderdaad zijn al onze compartimenten bezet. Beleefd aandringen werkt niet. We kunnen enkel instappen en hopen dat de aanblik van de 30 dozen met filmapparatuur iemand zal vermurwen. Een emotioneel afscheid van Kalului en Kagabire, die vanaf de Ethiopische grens voor ons gezorgd hebben. Ik geef Kalului mijn Michelin-kaart – Noordoost-Afrika en Arabië – omdat ik weet dat hij die graag wil hebben.

De trein ziet er slecht uit. De meeste ramen zijn gebroken en dat is dan nog de eerste klasse. Er zijn, zeer attent, twee soorten toilet-ten, die op de deur als 'Type Hoog' (Europees) en 'Type Laag' (niet-Europees) worden beschreven. Zodra we op weg zijn, bereid ik me op het ergste voor en begeef ik me naar Type Hoog, om daar geheel niets aan te treffen. Type Hoog is verdwenen en heeft alleen een gat in de vloer achtergelaten.

Het is zeven uur 's avonds. Naar de restauratiewagen voor het avondeten. Warm en druk, maar de omgeving heeft iets ver-trouwds. Op een metalen plaat van de fabrikant staat 'BREL, Derby 1980'. Natuurlijk, deze gedeukte wagons die door het Oost-Afrikaanse oerwoud denderen, hebben exact hetzelfde ontwerp als het materieel van de Britse Intercity. Ze zien er weliswaar uit alsof ze hun tijd hebben gehad, maar ze zijn 30 jaren jonger dan die waarin veel Londense forenzen reizen.

Kip of vis met rijst en aardappelen. Rapmuziek van Run DMC weer-klinkt hard vanaf een naburige tafel en maakt het moeilijk mijn tafelgenoot te verstaan, die vertelt dat hij een voetballer is bij CDA Tabora. CDA staat voor Capital Development Authority. Geen gemakkelijke slogan om over het veld te schreeuwen.

We stoppen vaak en ik wilde dat ik niet in de trein had gegeten. Naast het spoor bevindt zich een feestmaaltijd – tafels gedekt met stoofschotels van kip, schalen met rijst en bonen, allemaal vers uit omvangrijke koekenpannen. Kebabs en levende kippen en zelfs een eend worden door de ramen ge- en verkocht. Tijdens elke halte was ik me bewust van een doordringend, klikkend geluid. Ik dacht dat het afkomstig was van krekels, maar nu zie ik dat het gemaakt wordt door kinderen die hun waren – sigaretten wellicht, of bananen – in de ene hand dragen en in de andere kleingeld waarmee ze rammelen om de aandacht te trekken.

Graig en Nigel staan met hun oren tegen de radio bij het raam en proberen, te midden van de kakofonie naast het spoor, een verslag uit Edinburgh op te vangen, waar Engeland tegen Schotland speelt in de halve finale van de Rugby Union World Cup.

Nigel keert zich plotseling van de radio af, met een blik van volledig ongeloof: 'Ze hebben naar het *nieuws* overgeschakeld!... Ze hebben naar het nieuws overgeschakeld met nog maar twee minuten speeltijd!'

Als we uit Itigi vertrekken, dat 160 kilometer van Dodoma ligt, verschijnt Mgebo, onze wagonbediende, een spookachtige verschijning in een blauwe tuniek en een witte pet. Hij draagt een vormeloos bundeltje van groen canvas waaruit hij mijn beddengoed ontwart, dat hij vervolgens met oneindige zorg en precisie uitlegt. Later zie ik hem zitten in een open deur van de trein, waar hij vriendelijk en nadenkend het hoofd van een jongeman naast hem streelt.

De nacht valt en de elektriciteitsvoorziening faalt. Voor het slapen lees ik met behulp van mijn zaklamp *Heart of Darkness*. Buiten is Afrika... 'Zijn geheim, zijn grootsheid, de verbazingwekkende realiteit van zijn verborgen leven...'

DAG 103 – VAN DODOMA NAAR KIGOMA

Droom over duizenden schuifelende voeten, gebabbel van onbekende stemmen, babygekrijs, kakelende kippen, zware voorwerpen die vlak bij me versleept worden, geratel en vloeken en vreemd geschreeuw. Mijn ogen zijn wijd opengesperd, maar ik kan niets zien. Mijn raam is dichtgetimmerd. Het lawaai duurt voort en wordt sterker.

Zonsopgang. In Type Laag, dat smerig is en aangekoekt met niet doorgespoelde uitwerpselen, staat op een bord: U wordt verzocht het water niet te verspillen en de toiletruimte niet te misbruiken. Er is geen water om te verspillen.

Iets aan de trein is deze ochtend veranderd. Om te beginnen is hij korter en daarnaast verschilt de restauratiewagen (de klok is niet op 1.05 uur maar op 8.10 uur stil blijven staan). Boven een ontbijt van gebakken eieren, gekookte aardappelen, brood, margarine en drie koppen zoete thee hoor ik de verklaring van mijn droom van de afgelopen nacht. Even na middernacht stopte de trein in Tabora, om te worden gehergroepeerd en in drie afzonderlijke treinen opgesplitst. Patti en Graig moesten drie uren op het perron door-brengen, zodat ze er zeker van konden zijn dat onze uitrusting niet noordelijk naar Mwanza of zuidelijk naar Mpanda vertrok. Het schijnt dat Patti een huwelijksaanzoek kreeg. Graig geen, helaas. Angela probeerde met haar zaklamp bij te lichten, totdat ze ont-dekte dat alle rangeermanoeuvres werden gecoördineerd met lichtsignalen.

Later naar de restauratiewagen voor een elfuurtje. Hij is dicht. Alle ramen zijn bedekt met een of ander materiaal. Medelijdende glim-lachjes alom. Niemand schijnt bovenmatig bezorgd, behalve ik. Ik probeer het een half uur later opnieuw, om te ontdekken dat de medelijdende glimlachjes zijn veranderd in oprechte vreugde over de voortdurende sluiting van het restaurant. Dan komt er een sol-daat naar buiten, het gezicht een en al glimlach.

'Het is een meisje,' verkondigt hij.

Vrijwel op het moment dat wij de 30ste meridiaan kruisen, voor het eerst sinds het Middellandse-Zeegebied, wordt in de restauratie-wagen van de sneltrein Dar es Salaam naar Kigoma een meisje geboren. Het is zonder twijfel het beste wat de restauratiewagen tot op heden heeft voortgebracht en ik beschouw het als een zeer goed voorteken voor de rest van onze reis.

Nu Mercurius zich geheel niet meer in retrograde bevindt, lijken de zaken, hoewel niet comfortabel, in elk geval soepel te gaan, want we rijden al in de namiddag in de laatste bocht Kigoma binnen, slechts drieëneenhalf uur vertraging op een reis van 27 uur. Een overdadige, dichte en zware hitte stroomt de open deuren binnen. Kinderen rennen uit bananen-, papaja- en mangobosjes om naar de trein te zwaaien. Mgebo zit op het trapje aan het eind van onze wagon en streelt onbewust het oor van zijn vriend. De verhoogde spanning en stress die arriverende passagiers gewoonlijk bevangt, is duidelijk afwezig.

Station Kigoma is een mooi, oud, koloniaal gebouw en ziet er met zijn bogen en loggia Noord-Italiaans uit. De voorname klok staat conform de beste TRC-traditie stil. Afdeling Nutteloze Feiten: op een bord boven een van de poorten zie ik dat stationschef in het Swahili 'steshinimasta' is.

Een man van middelbare leeftijd met een zachte stem rijdt ons naar ons logement in een goed onderhouden Toyota Corolla, met een overdrukplaatje van de paus op een van de ruiten. Hij blijkt zowel arts als taxichauffeur te zijn en biedt zijn verontschuldigingen aan, omdat hij niet de kortste weg naar het hotel neemt.

'Die bevat grote gaten, weet u.'

Tijdens de omweg stuiteren we over een spoor van rood zand en verspreiden we kuikens en geiten, tot we bij de lage, onbeduidende gevel van het Railway Hotel aankomen.

We laden voor de 53ste keer uit. Kigoma, hoogte 773 meter, bevolking 50.044 zielen, ligt met 29,36 graden oosterlengte op een steenworp afstand van onze koers. We hebben onze lange, gedwongen, oostelijke rondreis vanaf Khartoum in 30 dagen volbracht en hopelijk zijn we op tijd voor de onregelmatige maar vitale veerdienst naar Mpulungu en Zambia.

Clem, die zeer tevreden met zichzelf zou moeten zijn, verschijnt met een gezicht dat het tegenovergestelde laat zien uit de hotelreceptie. Blijkbaar weet niemand van onze boekingen af en ze hebben niet genoeg kamers voor ons. Kigoma is bepaald niet gezegend met alternatieve accommodatie, zodat dit een vervelende tegenslag is. Terwijl Clem en Angela zich inlaten met de trage onderhandelingen over reserveringen, loop ik door de kale en weinig uitnodigende lobby, waarna ik geconfronteerd word met het soort uitzicht dat het humeur verbetert, hoe slecht dit ook mag zijn.

Een trap met verbrokkelde betonnen treden leidt naar een grasachtige oever, bezaaid met tafeltjes en parasols, waarachter de golven van een uitgestrekt blauwgroen meer loom op een strand van grof rood zand kabbelen. Het Tanganyikameer, op deze plaats ingeklemd in een kleine baai tussen lage, grasachtige landtongen, strekt zich uit tot aan de mistige kliffen van Zaïre, dat eens de Congo was – *Conrads Heart of Darkness.*

Het is een adembenemende openbaring van schaal en ruimte, alsof ik een deur naar het hart van Afrika heb geopend.

'When I grow up I shall go there...'

Ik heb mijn kosmisch ogenblik gehad, maar nu moet ik de werke-

lijkheid onder ogen zien. Het Railway Hotel in Kigoma is niet het
hart van de duisternis. Het lijkt meer op een kruising tussen een
kroeg in Earl's Court en een inferieur Hiltonhotel. Op de dichte,
ongemaaide gazons zijn twee dozijn Australische en Nieuw-
Zeelandse trekkers gelegerd, die bier drinken. Een Japanse filmploeg is op het meer aan het werk en een gekwelde Europeaan
snelt langs ons met een stapel papier onder de armen.

Na enkele uren geduldig onderhandelen hebben we allen kamers
gevonden. Ze zijn gerangschikt in onaantrekkelijke, functionele
blokken die totaal geen recht doen aan de schitterende locatie. De
mijne heeft een klein bed met een raamwerk voor een muskietennet, maar geen net. Een betonnen vloer loopt door in een wasgelegenheid met een douche en een wastafel, maar geen warm water.
Mijn toilet is van het Type Hoog, maar de pot stroomt zachtjes en
aanhoudend over. Als een verdere bespotting van mijn dromen van
eenzaamheid en afzondering, is alles wat ik kan horen terwijl ik uitpak, een radio die de laatste seconden van het commentaar bij de
Rugby Union World Cup uitkraakt, gevolgd door een gebrul uit de
donkerte buiten aangezien Australië Nieuw-Zeeland verslaat.

Later nestel ik me met Conrad op mijn smalle bed en lees ik mezelf
in slaap bij het geluid van 'de klagende jammerklacht van de wil-
demannen' en het zachte geklots van een overstromende toiletpot.

DAG 104 – KIGOMA

Een dag van rust en herstel in het hotel. Ik heb de waterleiding
gerepareerd door een wc-borstel onder de vlotter te klemmen. Ik
onderzoek mezelf in de spiegel (serienummer TRC HOT GM NM
024) om te zien of ik drieëneenhalve maand reizen zonder bescha-
diging heb doorstaan. Ik staar in doffe, vermoeide ogen en zon-
verbrande trekken. Een verbleekte en verstarde gelaatsuitdrukking.
Ik zie eruit als een overlevende van een verschrikkelijke natuur-
ramp. Ik lach bij de gedachte en pas dan herken ik iets van mezelf.
Aan het ontbijt – omelet, gebakken aardappelen en sneden witbrood – verontschuldigt de manager zich voor het gebrek aan faci-
liteiten.

'We hebben de boilers en leidingen klaar staan, maar niemand
komt ze aansluiten'... Hij bet zijn gezicht met een zakdoek en
schudt zijn hoofd... 'Ze staan daar eenvoudig voor niets.'

Enkele Afrikaanse griezelverhalen tijdens onze omeletten... Graig vertelt ons dat volgens hem elektrische schokken het beste tegen slangenbeten zijn. Hij verhaalt over iemand wiens leven na een beet – van een soort cobra – gered werd door hem aan te sluiten op een buitenboordmotor.

'Verbind één hand met de aarde en de open draad met de beet. Vijf schokken in 15 seconden. O zeker, zijn haar stond overeind en hij vloog een halve meter van de grond, maar de dokters zeiden dat het zijn leven heeft gered.'

Vervolgens, nadat ik me ervan verzekerd heb dat het risico voor bilharzia klein is aangezien het water niet stilstaat en dat krokodillen zover niet komen, zodat ik alleen nog op hoef te passen voor zeeslangen, neem ik een behoedzame duik. Het water is helder en koel, de omgeving behoorlijk mooi. Geen zeilboten of watersporters die de rust verstoren. Alleen de nauwelijks waarneembare golfslag van een passerende kano beroert het kalme water. En ik kan aan mijn kleinkinderen vertellen dat ik in het Tanganyikameer heb gezwommen. Opdrogen in de warme zon met een koel safari-biertje. Aan de bar hangt een kleine Europeaan met een rechte rug, die 19 maanden op Antarctica blijkt te hebben doorgebracht. Heeft hij ervan genoten?

Hij trekt hevig aan een sigaret, elke gram nicotine eruit halend voordat hij antwoordt, waarbij zijn ogen tot spleetjes worden tegen een eindeloze uitblazing.

'Laat ich het so schtellen... het is iets wat je meegemaakt moet hebben.'

Hij kent het MS *Agulhas*, het schip waarmee we naar Antarctica hopen te gaan, en hij vraagt me zijn groeten aan de kapitein over te brengen. 'Zeker, wat is uw naam?'

'Doktor Brandt,' antwoordt hij na een onverklaarbare aarzeling. Ik vraag hem wat hij hier in Kigoma doet.

'Zwartjes leren de telefoon te gebruiken,' antwoordt hij bondig.

Aangezien ik niets beters te doen heb, begin ik hem ervan te verdenken dat hij bij een of ander vies zaakje betrokken is. Even later vermoed ik dat ik gelijk heb, als ik hem de manager hoor vragen, *sotto voce*, 'Nog nieuws?'

Dit is zonder twijfel de wereld van Conrad. Eindelijk een vleugje intrige en corruptie in het hart van de duisternis.

Het blijkt dat hij informeert naar de stand van zaken betreffende zijn toiletpot.

De manager spreidt hulpeloos zijn armen. 'We wachten erop...'
Maar Herr Doktor is niet in een stemming om mee te spotten.
'Waarom kunt u niet de toiletpot van 14 nemen en die in 15 plaatsen?'
Ik snel weg om te kijken of mijn kamer is afgesloten tegen eventuele toiletpotrovers.
We ronden een bizarre dag af met het eten van geitenstoofpot en het drinken van een Primus-bier uit Burundi in een plaatselijk restaurant, tijdens een stroomstoring. Onze gast is de arts-taxichauffeur, die William heet en die zichzelf heeft aangewezen als onze gids in Kigoma. Het restaurant, of tenminste het deel dat ik bij het niet-elektrisch licht kan zien, is eenvoudig en gemakkelijk, met een ouderwetse, haast bijbelse sfeer. Boven de deurpost hangt een groot, met de hand beschreven bord, als het uithangbord van een café. Ik veronderstel dat het de naam van het restaurant draagt en vraag William om een vertaling. 'Er staat: Betaal voor u vertrekt.' De geit is in elk geval uitstekend en, nog beter, niet het eigendom van de Tanzaniaanse Spoorwegen.

DAG 105 – KIGOMA

Nog één dag de tijd doden voor het veer vertrekt. Neem de boot naar Ujiji, een paar kilometer van de kust. Eens het bloeiende centrum van slavenhandel, maar ook de plaats waar Stanley en Livingstone elkaar in 1871 ontmoetten.
Op de plaats van deze historische ontmoeting staat nu een klein museum, in een goed verzorgde tuin op een heuvel boven de drukke kust. Een afschrikwekkend, lomp en grijs monument, 'opgericht door het Bestuur van het Tanganyika-gebied in 1927', staat onder twee mangobomen, die afstammelingen heten te zijn van die waaronder Stanley en Livingstone elkaar ontmoetten. Op het monument is een kaart van Afrika gekerfd, waarin een kruis is geciseleerd. Het is een grof en arrogant beeld. De enige andere bezoeker is een Engelsman uit Leicester, die erg rood en onbeschermd tegen de zon oogt. Hij is een vijftiger en besliste, nadat hij een boek over Cecil Rhodes' plan voor een spoorlijn van de Kaap naar Caïro had gelezen, dat hij de reis zelf zou maken. Voor vandaag had hij maar één ding in gedachten:
'Het enige waar ik naar uitkijk, Michael, is een koud pilsje.' Ik ver-

wijs hem naar het Railway Hotel in Kigoma.

In het museum heerst een luchthartiger sfeer, ondanks de neerslachtige, lege kamers en de oudbakken lucht. De meeste werken zijn van een plaatselijke leraar, A. Hamisti. Er hangt een reeks schilderijen over beroemde momenten uit het leven van Livingstone: Dr. Livingstone redt Chuma en anderen van de slavernij, Dr. Livingstone zittend onder de mangoboom en denkend aan de slavernij in Ujiji. Daarnaast zijn er twee levensgrote modellen in papier-maché, één van Livingstone, die eruitziet als Buster Keaton in een donkerblauw driedelig kostuum en die zijn platte pet afneemt voor een Stanley die meer wegheeft van Harold MacMillan in een lichtblauw safarikostuum en met een roze gezicht. Ze zijn eveneens het werk van A. Hamisti van de Middelbare School van Kigoma. Verder is er niets in het museum.

We rijden Ujiji uit over de Livingstone Street, slaan rechtsaf naar de Lumumba Road, en gaan terug via Mwanga – vestigingsplaats van de 'Vaticaanse Onderneming IJzerwaren Bevoorrading' en 'Super Vulcano Kleermakersbedrijf' – naar Kigoma's drukke hoofdstraat met rijen acacia's en mangobomen, die eveneens genoemd is naar Patrice Lumumba, een van de grote helden van de Afrikaanse Onafhankelijkheidsstrijd, die in 1961 werd vermoord.

Terug bij het Railway Hotel, een halfuur voor zonsondergang. Dit is een magisch moment, als de zon naar het meer zakt en de bergen van Zaïre, die altijd grijs in de mist zijn, zich verscherpen tot een diepzwart. Aan het meer verzamelen zich vanavond Australiërs en Nieuw-Zeelanders, Dr. Brandt, kaarsrecht en krachtig rokend, twee Nederlandse jongens, de Japanse onderwatercameraman en zelfs mijn vriend uit Leicester, om de zon te zien ondergaan, en voor enkele minuten lijkt elk geluid, zelfs het geschreeuw van de naakte kinderen die vlakbij in het water duiken, uit de verte te komen.

DAG 106 – VAN KIGOMA NAAR MPULUNGU

Naar de waterkant om 9 uur, om me te voegen in de rij voor de kaartjes voor het veer, dat eens per week naar Mpulungu vaart. Voor me in de rij staat Francis, een boer uit Karema – een van de haltes op de route over het meer. Ik leg hem uit wat we doen en, met meer moeite, waarom we dat doen. Hij luistert aandachtig voordat hij beleefd vraagt: 'En zal uw film de problemen die hij toont helpen oplossen?'

Van het MS *Liemba*, 800 ton, met lijnen die even strak zijn als de rug van een Pruisische cavalerie-officier, wordt gezegd dat het het oudste passagiersschip ter wereld is dat op een geregelde dienst vaart. Gezien zijn geschiedenis had het beter het MS *Lazarus* gedoopt kunnen worden. Het werd in Duitsland als oorlogsschip gebouwd, werd in stukken over land vervoerd en in 1913 op het Tanganyikameer geassembleerd. De Duitsers brachten het aan het einde van de Eerste Wereldoorlog tot zinken en het lag op de bodem van het meer tot de Britten het schip in 1922 naar boven haalden en herstelden. Het was als stoomschip in geregelde dienst tot het in 1978 tot een diesel werd omgebouwd. Na 80 jaar is het schip nog steeds de enige manier om vanuit Kigoma naar het zuiden of westen te gaan. Als we de afvaart van vandaag hadden gemist, zouden we vrijwel zeker de afvaart van Kaapstad naar Antarctica over een maand hebben gemist.

We vertrekken om 5 uur 's middags. De Australische en Nieuw-Zeelandse trekkers hebben het achterschip in bezit genomen, de plaatselijke bewoners krioelen op het boegdek of op de lagere, overdekte dekken, opeengehoopt met hun lading van dozen plastic sandalen, ananassen en zelfs Lion Brand Mosquito Coils – Vermijd Vochtige Plaatsen – maar accepteren uiterst vriendelijk de aanwezigheid van twee landrovers van blanke eigenaars, die de ruimte nog verder beperken. In ieder geval kunnen we ons allen beter af voelen dan de verscheidene honderden vermoeide en verwarde passagiers van de *Kamambare*, een schip dat zojuist is aangekomen vanuit Kalemie in Zaïre. Het zijn vluchtelingen voor de stammenoorlogen die onlangs in het land zijn ontbrand. Ze weten niet of de Tanzaniaanse autoriteiten hen zullen toelaten.

Een laatste blik op Kigoma vanaf het vertrekkende veer. Ik kwam hier en verwachtte dicht oerwoud, slangen, apen en moerassen. In plaats daarvan lijkt de stad in het midden van Afrika op een kleine haven bij een bescheiden Schots meer, met een spoorweg die schilderachtig tussen het water en de lage grasheuvels loopt – bemoedigend en comfortabel en alleen exotisch vanwege de felle veeg purper van de jacarandabomen aan het strand.

In mijn hut is weer kwistig met het stempel van de Tanzaniaanse Spoorwegen gestrooid. Hij zou airconditioned zijn, maar de ventilator ontbreekt. Er is een wastafel maar geen water, warm noch koud. Alle peertjes op één na zijn verdwenen.

Drie uur later zit ik weinig enthousiast voor een bord met rijst en een magere kippenpoot, als de toon van de motor een octaaf zakt en de nachtlucht binnen enkele seconden is gevuld met een groeiend geschreeuw van stemmen. Ze worden harder en hardnekkiger en zijn vermengd met het gespat van peddels en het gestoot van boten tegen de romp. Enigszins gealarmeerd begeef ik me op het dek, waar ik getuige ben van een uitzonderlijk tafereel. Overstroomd door het licht van de krachtige boordlampen krioelt een dozijn of meer kano's rondom de *Liemba* als maden rond een lijk. De kano's zijn gevuld met verkopers van allerlei soorten voedsel, families die met hun eigendommen aan boord proberen te komen en watertaxi's die mensen van boord willen nemen. Iedereen gilt om zich verstaanbaar te maken, terwijl vanaf de benedendekken een woud van handen zich uitstrekt en zwaait, gebaart, geld uitsteekt, sommige mensen aan boord helpt en anderen laat afdalen, naar de golvende massa boten beneden.

Elke boot wedijvert met zijn buurman om dicht bij de *Liemba* te komen. Zodra men een klein gaatje ziet, peddelt men woest en zeer vaak klimt de ene boot boven op een andere, totdat, onder kreten van protest, de boosdoener wordt teruggeworpen. Armen geven baby's hopelijk veilig door aan uitgestrekte handen. Kleine jongens hozen verwoed het water uit de boten.

Dit is zaken doen op zijn Afrikaans. De blanken kunnen enkel toekijken en fotograferen. Alles voltrekt zich met een drang die fascinerend, vermakelijk en uitputtend is. En later vertelt men mij dat wat eruitzag als een volwassen maritieme aanval, slechts een van de 15 haltes volgens schema is.

DAG 107 – VAN KIGOMA NAAR MPULUNGU

Aan boord van de *Liemba*, Tanganyikameer. De laatste dag van oktober in 1991. Een capsule Imodium genomen, als voorzorgsmaatregel tegen een eventueel gebruik van de toiletfaciliteiten. Ik weet dat het onverstandig is om mijn spijsvertering te beïnvloeden, maar het alternatief is te angstaanjagend om zelfs maar te overdenken.

Vóór zonsopgang heeft het geregend en als ik mijn hut verlaat, stap ik op het hoofd van een slapende gestalte, die gewikkeld is in een katoenen kleed en wollen sjaals. Ik had me niet in overvloedige Britse verontschuldigingen hoeven uit te putten, want hij wordt niet wakker. Een rij passagiers schuilt naast hem. Hun hoofden draaien naar me toe, defensief en onvriendelijk. Mijn warme en bedompte hut is niet het laatste snufje op comfortgebied, maar hij is eerste klasse, en ik weet dat wanneer ik terugkom van het ontbijt, de officieuze politiemannen aan boord deze mensen terug naar het benedendek zullen hebben gejaagd.

Later op de dag geeft de kapitein toestemming voor een interview. Zijn naam is Beatus T. Mghamba en hij woont op het brugdek, dat bijna altijd leeg is, afgezien van de reddingssloepen (gemaakt door Meclans Ltd. uit Glasgow in 1922), een vrolijk groepje dames en een stevig drinkende Engelsman. Op de afgesproken tijd voor het interview – ongeveer vijf uur in de namiddag – klop ik op de deur van kapitein Mghamba. Na enige tijd verschijnt een knappe, onbevreesde dame die duidelijk verrast is dat ik hier sta. Ik vraag naar de kapitein. Ze verdwijnt in de hut. Een flinke poos en enig gefluister later keert ze terug.

'Hij slaapt.'

Ze geeft geen krimp, en wanneer ik de onsterfelijke zin: 'Als hij ontwaakt, zeg hem dan dat de BBC op hem wacht' uit, gooit ze de deur voor mijn neus dicht.

Uiteindelijk verschijnt de kapitein, die na zijn dutje onverzorgd maar verrassend vrolijk is. Ik vraag hem naar de problemen bij het besturen van een 80 jaar oud schip.

'Het schip is groot, maar de motor is klein... manoeuvreren is een klein beetje moeilijk.' Hij haalt zijn schouders op. Hij heeft geen kaart van het meer.

'De *Liemba*', zo zegt hij, 'is geregistreerd voor 500 passagiers en 34 bemanningsleden, maar soms, in het zomerseizoen, als de mensen rondom het Tanganyikameer oogsten, kunnen het er meer zijn.'

'Hoeveel meer.'

'Tot duizend mensen.'

Op een van onze 15 halteplaatsen peddelt een bruiloftsgezelschap naar ons toe om de gasten te verwelkomen. Reusachtige felgekleurde vlaggen en banieren wapperen in de wind en ze zingen en reciteren luidkeels terwijl ze om het schip cirkelen. De tocht met de *Liemba* doet me denken aan de Hurtigrute-lijn, die ons drieëneenhalve maand geleden langs de Noorse fjorden voerde. In beide gevallen is de lijn de enige levensader voor gemeenschappen die via de weg of de lucht onbereikbaar zijn. Daar eindigt de overeenkomst. Ik kan me niet voorstellen dat de maniakale, ongecontroleerde uitbundigheid van de *Liemba* in de koude protestantse wateren van de Atlantische Oceaan lang overleeft.

Als we zuidwaarts gaan, komen enkele Zambianen aan boord. Morgen zijn er verkiezingen en ik ben tamelijk geschokt dat Kenneth Kaunda zo impopulair is dat hij wel eens onttroond zou kunnen worden, na 28 jaar aan de macht te zijn geweest. Ik had altijd de indruk dat hij een van de meest betrouwbare succesvolle en aanspreekbare postkoloniale leiders was, maar Japhet Zulu uit Chingola, die zichzelf als 'een eenvoudig zakenman' beschrijft, denkt dat Kaunda de economie heeft geruïneerd en zal niet op hem stemmen.

Tijdens de zonsondergang heeft een van de politiemannen die tussendekspassagiers van het bovendek jaagt, zijn hoed en laarzen uitgedaan en hij bidt richting Mekka – enkel door mij geobserveerd. Het tafereel van een gezagsdrager die zich volledig buigt voor een hogere autoriteit, is merkwaardig ontroerend.

DAG 108 – VAN KIGOMA NAAR MPULUNGU

Nog een Imodium ingenomen. Dat is beslist niet verstandig en het heeft wellicht bijgedragen tot het algehele gevoel van malaise wanneer we Zambia naderen. Het schip is na de nacht leeg geworden. Behalve de bemanning zijn alleen wij, Japhet en zijn vriend en de 25 trekkers over op de *Liemba*, als we de grens van ons 13de land passeren.

Een nieuw land en een nieuwe maand, onze vierde onderweg. De kleine gebreken van Tanzania beginnen me terneer te drukken, waardoor het vooruitzicht van een warm bad en schone kleren en een bed ver van de hitte en muskieten verlokkender is dan het netwerk van beboste baaien en eilandjes dat de kust van Zambia vormt.

'Het is de eerste dag van de lente,' hoor ik iemand zeggen als we aan de reling samenklonteren.

'Wees niet zo dom...' werpt een ander tegen. 'Het is november. De lente begint in september.'

Natuurlijk, het zijn Australiërs. Of Nieuw-Zeelanders. Als ik naar ze kijk, zie ik niet de gezichten van ontdekkers, maar die van bleke, vermoeide kinderen. Ze zien er eerder uit of ze verdwaald zijn op een liftreis van Sydney naar Brisbane of Auckland naar Wellington dan dat ze zich midden in Afrika bevinden. Ze wachten geduldig tot hun vrachtwagen in zicht komt, die over land uit Kigoma is gereden en voor hen op de kade klaar moet staan. Hun reis kost hun zo'n *f* 3000,- en ze tekenen in voor 9 weken. Ik bewonder hen. Het is niet de gemakkelijkste manier om de wereld te zien, maar wel een die ze zich het vaakst zullen herinneren.

We nemen afscheid van hen als we aan de smalle kade van Mpulungu van boord gaan. Als ik vanuit de verte omkijk, naar de korte, hoekige *Liemba* en haar kraan tussen de beboste kliffen, omgeven door stapels olievaten en bouwmaterialen, lijkt het op de opnameset bij een film van James Bond. Van het soort dat zo dadelijk de lucht in vliegt.

Nieuwe douane- en immigratiediensten om te passeren, een nieuw productieteam – Roger en Mirabel nemen het over van Clem en Angela – en nieuwe gidsen en klusjesmannen. Voor één keer voel ik te weinig energie om te reageren. De dichte, wollige hitte lijkt hier beneden aan het meer onontkoombaar en ik mis de openheid en ruimte van Kigoma.

Lunchtijd: voel me aardig opgeknapt. We zijn ondergebracht in een kleine verzameling ronde, stenen hutten in een boomrijke tuin. Alles wordt op kalme wijze beheerd door Denish, een Indiër met ongedwongen charme en een stralende lach, die voor een tiendaagse vakantie naar Mpulungu kwam en zo geboeid was dat hij bleef en een woning bouwde – voor zichzelf en voor iedereen die langs zou kunnen komen. De eersten die we zagen toen we binnenreden waren de trekkers, al in de weer met het opzetten van hun tenten en het wassen van kleren, en die zelfs al in de rij stonden voor het toilet en het dunne straaltje koud water dat de douche is.

Ik zit in de schaduw van een sinaasappelboom en word betutteld door Jake da Motta, een innemende, in Hongkong geboren Engelsman die, samen met zijn team, belast is met ons welzijn voor de komende dagen.

Hierboven, tussen de stenen hutten en de hibiscus en het zachte briesje, heeft Mpulungu een onverwacht Provençaals aspect aangenomen. Hetgeen spoedig ruw verstoord zal worden.

Na de lunch rijden we uit Denish' heiligdom weg en dalen we op een spoor dat zich rond de baai kronkelt, weg van de Provence en terug naar Donker Afrika.

Een mensenmenigte verdringt zich om een van de voornamere bungalows in een stadje aan het meer van met stro bedekte hutten, die slordig over een stuk van de helling zijn verspreid. Sommigen staan op hun tenen en rekken zich uit om iets door het raam te zien. Binnen, vertelt men, bevindt zich een effiti, een man die ervan beschuldigd wordt een zwarte tovenaar of heksenmeester te zijn en die de dood van vijf of zes mensen zou hebben bewerkstelligd. De tovenaar, of inganga, is in het huis van de man geweest en vond een leren fles waarin een mengsel van bloed en vergif werd aangetroffen. Men vermoedt dat de fles het bloed van de slachtoffers bevat.

De kamer waarin het onderzoek wordt gehouden, lijkt in eerste instantie helemaal niet sinister. Aan de ene kant, waar het bleke licht van een bewolkte hemel door een bewerkt ijzeren sierraam sijpelt, bevindt zich een met plastic bewerkte sofa en een bijpassende stoel. De vloer is van kaal beton, de muren zijn gepleisterd en grijs geverfd. Twee half leeggelopen strandballen hangen aan het plafond en aan een van de muren hangen foto's van voetballers en een kalender van BP Zambia. Op een kleine tafel liggen zes poppetjes, en ik merk op dat een ervan een blanke vrouw voorstelt, gewikkeld in een korte rok.

Ineengedoken in een hoek zit de beschuldigde, die er meelijwekkend en hulpeloos uitziet, met glazige ogen en een wezenloze blik. Hij draagt een dun bruin hemd en dito broek, zwarte mocassins en een opzichtig polshorloge. Hij lijkt griezelig veel op Nelson Mandela.

De tovenaar, dokter Baela, is een jongeman uit Zaïre. Hij heeft uitstulpende lippen en grote, trage ogen. Hij draagt een hoofdtooi van genetbont, een roze tuniek met zijn naam op de rug en een gesoldeerde zonnebril. In de ene hand houdt hij een hartvormige spiegel die met schelpen is afgezet, in de andere een kleine pot waarin een spiegel is geplaatst. Zijn helpers dragen witkatoenen kleding met rode kruisen erop.

Het komt mogelijk door de aanwezigheid van een camera dat ze er allemaal schaapachtig en onbeholpen uitzien, als kinderen aan het begin van een schoolvoorstelling.

Baela's acolieten verwijderen bruusk het horloge van het slachtoffer, scheuren zijn overhemd weg en maken een reeks merktekens op zijn lichaam. Een gedraaide hoorn met geld aan de onderkant wordt op zijn hoofd gezet en een mand met een wit kleed erin wordt drie keer om hem heen gevoerd. Twee jongemannen – eerder kinderen – treden naar voren en maken met smoezelige scheermesjes incisies in zijn nek en schouders. Dunne straaltjes bloed sijpelen uit de wondjes. Hij wordt ondervraagd, maar staart leeg terug, waarna hij een snee over het voorhoofd krijgt. Ze wrijven wat poeder in de wond, waardoor hij terugwijkt. Ze houden hem vast, rollen zijn broekspijpen op en maken sneden aan de buitenkant van zijn knieën en tenen. Op de muur achter hem bevindt zich een tekst in een verweerde lijst: Ware liefde duurt eeuwig. Het bloedende slachtoffer wordt ingewreven met zalf en in zijn hoek achtergelaten, terwijl Baela en zijn bende naar buiten gaan om door de BBC te worden geïnterviewd.

Bevrijd van de zonnebril zijn dokter Baela's ogen rood en waterig. Hij rookt een erg lange sigaret en heeft een schelle, eentonige stem. Ik vraag hem of hij kan zeggen of ik kwade geesten herberg, waarop hij, met behulp van een tolk, concludeert dat ik last heb van wat vertaald wordt als een 'kwade schaduw'. Het is de schaduw van een vrouw.

Met zijn merkwaardig hypnotiserende, monotone stem vraagt Baela of hij de verschijning van mijn vrouw ziet. Ik vraag hem haar te beschrijven. Zijn antwoord:

'Niet lang, een beetje dik,' vrijwaart Helen, maar verhoogt enkel de verwarring. Dokter Baela blijft herhalen dat mijn leven in gevaar kan zijn en ik zal worden bestolen, maar dat hij me een medicijn kan geven dat elke kwade invloed zal 'uitdrijven'.

Dit alles lijkt op papier lichtelijk belachelijk, maar Baela, die zichzelf als een heler en niet als een tovenaar beschrijft, heeft enige successen in het dorp geboekt. Het feit dat ik omringd ben door een paar honderd mensen die geloven in elk woord dat hij zegt, brengt me voldoende van mijn stuk om mijn schaduw en medicijn veel serieuzer te nemen dan ik verwachtte. Zijn recept is een stuk boomschors dat hij uit een koffer haalt, met de instructie het op een afgezonderde plaats te snijden, verpoederen en me ermee te wassen, waarbij ik iets moet achterhouden om in beide neusgaten te stoppen.

's Avonds, terug bij Denish, koken Jake en zijn collega Paul Murphy, een magere, pezige Zambiaan die in Engeland geboren is, een verrukkelijke maaltijd voor ons terwijl een hevige onweersbui losbarst. Ik drink te veel wijn, die ik sinds Kenia niet meer gehad heb, en voel de behoefte om me na deze uitzonderlijke dag te ontspannen.

Terwijl de regen door de bomen slaat, praat ik met Paul over de problemen in Zambia, nu de verkiezingen aan de gang zijn. Naar zijn mening heeft het land discipline nodig. Het liberalisme, in de westerse betekenis, werkt niet in Afrika. Hij haalt Malawi aan als een voorbeeld van de manier waarop het wel moet.

Ook ontmoet ik Chris en Jean Bigereaux, die aan 300 mensen werk verschaffen in de voornaamste bedrijfstak in Mpulungu: vissen. Het gesprek komt op malaria.

'Als je het voor de eerste keer hebt, wil je het nooit meer krijgen. Je wilt alleen maar dood,' zegt Chris.

Denish beaamt dit, waarna hij zegt dat hij nu vier keer per jaar een malariaaanval verwacht te hebben.

Mijn geest is beneveld tegen de tijd dat ik de tent bereik die ik met Basil deel. Als ik uiterst zorgvuldig naar binnen probeer te gaan om hem niet wakker te maken laat ik mijn zaklamp vallen, struikel over dokter Baela's medicijn en trek bijna het muskietennet naar beneden.

DAG 109 – VAN MPULUNGU NAAR SHIWA

Ik moet wel opmerken dat het toilet waarop ik het grootste gedeelte van de nacht doorbreng, de Overwinning heet. Een nacht der overwinning voor mijzelf en voor de heer Frederick Chiluba, de nieuwe president van Zambia. Ik hoop maar dat hij zich beter voelt dan ik. Acute maagkrampen en diarree hebben me vanaf 2.00 uur uit de slaap gehouden. Ik hoor het geluid van muziek uit de stad beneden, het geblaf van Denish' honden aan de poort, doordringend hoesten uit een van de trekkerstenten en, later, kraaiende hanen.

Op de Overwinning, om 5.30 uur 's ochtends, staat mijn lichaam op instorten. Ik weet niet zeker of ik eerder koud zweet heb gehad. Wellicht is dat de reden dat ik de tintelingen in mijn handen, de rillingen en de oncontroleerbare stroom van transpiratie zo alarmerend vind, om eerlijk te zijn zelfs angstaanjagend. Vijf minuten lang heb ik geen idee wat er met me gebeurt. Mijn vingers verstijven en ik ril en schud en baad in mijn eigen zweet. Is dit niet waarover we het gisteravond gehad hebben? Begint malaria op deze manier? Wat gebeurt er met onze reis als ik iets ernstigs heb? 'Van pool tot Mpulungu' heeft niet dezelfde allure. Het moet de kwade schaduw zijn... Ik had me nooit in Baela's wereld moeten verdiepen. Wij begrijpen deze niet en hadden ons afzijdig moeten houden.

Deze wirwar van zorgen speelt door mijn hoofd tot de aanval voorbijgaat. Basil geeft me een trui en duikelt uit zijn uitgebreide farmaceutische collectie enige tabletten op. Het ontbijt bestaat uit thee, Ryvita-crackers met honing en een lichtelijk misselijk makende oplossing van water en rehydratiepillen.

Ik bekijk de tuin van onze herberg. Deze ochtend ziet alles er anders uit – het watervat waarbij ik gedurende het grootste deel van de nacht geduldig gewacht heb op genoeg water om de Overwinning door te spoelen – de trekkers, die uitgeput pakken voor een nieuwe dag vol ongemak – de vliegen die om de honden zoemen.

Denish heeft zijn best voor ons gedaan. Hij heeft zijn herberg gebouwd voor zichzelf en een enkele passerende reiziger, niet voor de 35 mensen van de afgelopen nacht. Ik vind het jammer dat ik hem vaarwel moet zeggen, maar ben blij dat ik Mpulungu achterlaat.

De weg verschaft alom bewijs van de euforie die gevolgd is op Chiluba's overwinning op Kaunda, die verpletterend blijkt te zijn geweest. Mannen, vrouwen en kinderen heffen hun handen in de vinger-en-duim-groet van de MMD – de Movement for Multi-Party Democracy. Ik ontwaar een groepje dorpelingen die gekluisterd zijn aan een radio onder een overhangende mangoboom en luisteren naar Kaunda's redevoering bij zijn aftreden.

Ik herinner me Japhet op de boot, die vertelde dat, welke kant ook zou winnen, er 'geen geweld zou zijn... Zambianen houden daar niet van.' Paul ziet dit als een negatieve eigenschap. Er zijn 8 miljoen Zambianen en hij beweert dat alles hier verbouwd kan worden, maar de economie ligt in puin doordat de mensen te gemakkelijk en berustend zijn.

We gaan het Modern Kwacha Relax Hotel in Kasama binnen, waar ter ere van Chiluba het bier rijkelijk vloeit. Zijn foto is boven de bar gehangen. 'Op zo'n man hebben we 7 jaar gewacht!' roepen ze.

Mijn warme en koude zweetaanvallen hebben zich gelukkig niet herhaald, maar ik ben erg zwak en bedank beleefd voor de festiviteiten. Maar zodra ze merken dat we van de BBC zijn, verdringen ze zich om geïnterviewd te worden en verander ik van een ziektegeval in een verslaggever. Hun boodschap is dezelfde: vertel het Britse volk dat voor Zambia een nieuwe dageraad is aangebroken, een dageraad met een open en niet-corrupte regering. Niemand lijkt precies te weten hoe de politieke verandering moet uitmonden in werkelijke verandering. De Wereldbank wordt genoemd, maar daar gaat het niet om. Het gaat erom dat we de wereld vertellen dat de democratie heeft gezegevierd. Als we hun vertellen dat we het de wereld zullen meedelen. maar niet eerder dan na een jaar, verandert hun enthousiasme in ongeloof. Het BBC-nieuws zendt pas na een jaar uit? Ik voel me niet sterk genoeg om het allemaal uit te leggen, zodat we verder gaan en hen achterlaten bij hun bier en hun vreugde.

De rit verder zuidwaarts naar Mpika bestaat uit 209 kilometer vlak Molumba-bos, waarvan veel is gekapt en gebruikt voor brandstof en bouwmaterialen. De weg is verhard en snel, hoewel het donker is als we aankomen bij de uitzonderlijke schuren van rode baksteen, de plattelandshuisjes uit de boeken van Hardy en de puntige poorthuisjes van Shiwa – een Engels landgoed in hartje Afrika. John en Lorna Harvey en hun zoon David ontvangen ons hartelijk en Davids hond Deeta neemt mijn hoed aan.

Mijn gestel heeft de dag doorstaan zonder in te storten, maar na de zegen van een heet bad keren de maagkrampen terug en ik ga naar bed, niet in staat om te eten.

DAG 110 – SHIWA

Halverwege de nacht, als herhaaldelijke krampen me dwingen de badkamer te blijven bezoeken, ervaar ik een nogal irrationele angst om me in één kamer te bevinden met het stuk boomschors van dokter Baela. Ik zie het op de tafel liggen, bij mijn aantekenboekjes en kaarten, en ofschoon ik weet dat het onzinnig is, kan ik het niet laten het ding de schuld te geven van de onfortuinlijke wending van het lot. Maar ja, Mercurius bevindt zich niet voor het einde van de maand in retrograde, zodat ik daaraan niet de schuld kan geven.

In de ochtend voel ik me sterker en beter in staat de schors recht in de ogen te kijken. Ontbijt van toost en zelfgemaakte jam aan een reusachtige tafel van mukulungu-hout, die ontworpen is door de vader van Lorna Harvey – Sir Stewart Gore-Brown, de man die Shiwa heeft geschapen.

Sir Stewart kwam in het begin van de eeuw naar het land als lid van de commissie Grensbepaling om, behoorlijk letterlijk, de kaart van Afrika te tekenen, of in ieder geval het deel van het continent dat grensde aan Belgisch Congo en Rhodesië. Hij bleef om het Shiwa-huis te bouwen, tussen 1928 en 1932, in een eclectische Europese stijl met torens en puntige daken en een volgens de regels Engelse tuin. In een artikel over het huis uit 1964 vatte het tijdschrift *Horizon* zijn prestatie samen:

'Shiwa werd geleidelijk het pronkstuk van Noord-Rhodesië, waar een hoffelijke edelman, met een vaardigheid voor diplomatie, zijn landgoed met welwillendheid en een ijzeren hand bestuurde.'

Op het graf van Sir Stewart, dat boven op een heuvel op anderhalve kilometer van het huis staat, met uitzicht op het door bossen omringde meer van Shiwa Ngandu, is de naam Chipembele gegraveerd. Ik vraag Lorna naar de betekenis.

'Het betekent neushoorn, wat zijn Afrikaanse naam was... een neushoorn valt aan maar stopt plotseling, en hij was precies zo... hij werd bijzonder kwaad op je, maar vijf minuten later vroeg hij je om een lening...'

John Harvey vond dit een duidelijk voordeel.

'Als politicus was hij een geduchte persoonlijkheid. Hij was een soort Churchill, walste over iedereen heen en kreeg zijn zin.'

Hij was een feodaal heerser, in de woorden van Lorna... net als in Europa kwamen de tuinlieden en andere mensen door de achterdeur, niet door de voordeur,' maar hij had moest niets hebben van de apartheid die in Noord-Rhodesië bestond. 'We werden opgevoed met het denkbeeld dat je iemand respecteerde vanwege zijn leeftijd, niet vanwege de huidskleur.'

John vermoedt dat de invloed van Sir Stewart heeft bijgedragen aan het afwenden van zowel een oerwoudoorlog van de soort die Zuid-Rhodesië verwoestte als terrorisme op de schaal van de Mau-Mau in Kenia. Uiteindelijk verloor hij echter de politieke steun van de Afrikanen doordat hij een bevoogdende oplossing voorstond, die inging tegen het zelfbestuur dat ze wensten. Hij stierf in 1967, maar Shiwa is vol van zijn aanwezigheid – niet slechts in de boeken en foto's en portretten en neushoornmotieven op balken en metselwerk, maar ook in de geest. De vlag wordt nog steeds elke dag gehesen en gestreken op het balkon van de bibliotheek en de arbeiders op het landgoed worden nog steeds elke ochtend om 7.00 uur door een trommel op appel geroepen.

's Avonds aan het diner bij de Harveys praten we over het aandeel van de vrachtwagenchauffeurs op de lange afstand in de verspreiding van aids in Afrika, over het schandalige feit dat landbouwchemicaliën die in Europa verboden zijn nog aan Afrika worden verkocht, en over bijgeloof en tovenarij. David Harvey, die in het zuiden van het land boert en zo nuchter is als je van een landbouwkundig ingenieur mag verwachten, respecteert tovenaars en heeft van ze gebruikgemaakt. Hij zag met eigen ogen een tovenaar zich een weg banen door een rij landarbeiders, van wie er één van stelen werd verdacht. Hij raakte de schouder van elke man met zijn stok aan en toen hij een man beroerde brandde de stok in zijn vlees en bleef daar vastzitten. De man bekende.

Veel publieke personen geloven blijkbaar in bezweringen en talismannen. Zelfs Kaunda, het nuchtere product van een missieschool die zich op een kilometer of drie van hier bevindt, werd zelden gezien zonder een bepaalde witte zakdoek. President Mobutu van Zaïre begeeft zich nooit naar buiten zonder zijn stok.

Terug in mijn kamer neem ik de schors van de tafel en stop hem in mijn tas. Op de bodem.

DAG 111 – SHIWA

Nog in leven. De krampen nemen af maar verstoren nog steeds de nacht. Patti voelt zich duidelijk slecht en vertoont ondanks het innemen van pillen de symptomen van malaria: koorts, malaise, rillingen met transpiratie en hoofdpijn. Als ik in Dawood kijk, denk ik dat ik van geluk mag spreken, totdat ik lees dat, ofschoon de incubatietijd die op een muskietenbeet volgt minimaal vijf dagen is, *het wel een jaar kan duren* voordat de symptomen verschijnen, met name als antimalariamiddelen zijn gebruikt.

Vandaag zien we meer van het landgoed, van het eigen modelpostkantoor compleet met een rode brievenbus – de postdirecteur zegt dat hij zich dood verveelt en niet kan wachten tot hij wordt overgeplaatst – tot de school, waar kinderen geleerd wordt te bouwen en te dakdekken met behulp van plaatselijke materialen, maar volgens John, hun leraar, essentiële zaken als boeken, tafels en pennen ontberen.

Ondertussen drijft David Harvey 2000 stuks vee door het water. Dit moet eenmaal per week gebeuren om de teken te doden, die dodelijk kunnen zijn. Afrika lijkt zichzelf voortdurend op te eten – van wurgbomen tot veeteken tot slangen en jachtluipaarden en *Anopheles*-muskieten, alles knaagt aan elkaar. Zelfs terwijl we praten, knagen witte termieten aan de houten raamwerken van de gebouwen. David vermoedt dat elke houten woning, tenzij deze beschermd is tegen de verslindende mier, na twee jaar moet worden herbouwd.

Zelfs Shiwa vecht, ondanks alle voorzorgen die genomen zijn en het geld dat is gespendeerd, om te overleven. De Grote Man is heengegaan en John en Lorna worstelen met alle taken nodig om een landgoed te onderhouden in een land met 150 procent inflatie. Ze hebben de houtvesterij, de veehouderij, eieren- en gevogelteproductie geprobeerd, maar niets heeft lang standgehouden. John hoopt dat de regering de zaken zal verbeteren en tot het zover is, organiseren Lorna en hij Shiwa-safari's om gebruik te maken van de toeristische mogelijkheden van de wilde dieren op hun land.

Aan het einde van de dag neemt John me mee naar het meer. Het is een rustige plek, onaangetast door menselijke ambitie en de wisselvalligheid van het lot. Ik voel dat hij hier gelukkig is, voor één moment bevrijd van de last om de droom van een ander levend te houden. Ik speur om me heen, op zoek naar het wild waarop hij zijn laatste hoop heeft gevestigd. Een reiger scheert gracieus over het water, een pluvier met een halszak gilt in de lucht en een spoor van nijlpaardenpoten loopt door de modder het water in, dat het okerrood van een volgende zonsondergang weerkaatst.

DAG 112 – VAN SHIWA NAAR KASANKA

Ontwaak na weer een oncomfortabele nacht. Mijn spijsverteringsstelsel is nog steeds weerspannig. Ik was graag weer volledig hersteld, voordat ik weer poolwaarts ga. Patti is er veel erger aan toe. Hoge doses chloroquine hebben de koorts weggenomen, maar de hoofd- en maagpijn niet. Ze vertrekt voor ons om een bloedtest in het ziekenhuis van Chilonga te ondergaan.

We nemen afscheid van de Harveys, die erg gul met hun tijd en gastvrijheid zijn geweest. Op de uitgangsweg passeren we een andere erfenis van het kolonialisme van Gore-Brown. Dat is het ziekenhuis van het landgoed, dat in 1938 is geopend. Nu is het gedegradeerd tot een kliniek en veel van de gebouwen liggen er verlaten bij, met de ingestorte daken naar de hemel geopend en afgedankte bedden roestend tegen de muur. Maar het is nog steeds bruikbaar en bij de tijd. 'Sex betovert, aids vermoordt. Houd u bij één seksuele partner', staat er te lezen op een poster aan de kantoormuur, waarvan een van de verpleegsters het portret van Kenneth Kaunda verwijdert.

Vandaag is het vaccinatiedag en 200 vrouwen en kinderen komen zich laten inenten tegen kinkhoest, polio, tuberculose, tetanus en mazelen. Ze zijn onberispelijk gekleed, de kinderen in bewerkelijk gebreide jassen met kappen en sommige vrouwen in jurken van tweed en met hoge hakken, ondanks de temperatuur van 33 graden. Maar het verval van deze plaats, de geur van stof en vuil en het zoete zweet van de mens zijn onvermijdelijk. Afrika is de moeite waard, maar veeleisend.

Een saaie rit naar het zuiden langs bomen en kreupelhout. Bij een tankstation in Mpika maak ik voor het eerst kennis met een merk crackers met de luisterrijke naam 'Eet-Sum-Mor'. Terwijl we door het woud stuiteren en draaien, slaagt Nigel erin het commentaar op te vangen van de Rugby World Cup Final tussen Engeland en Australië. Hoe vaker Australië scoort, des te zwakker wordt de ontvangst. Ditmaal klaagt er niemand als ze afbreken voor het nieuws. We komen voor de nacht weer eens bij een kamp aan, nu in het kleine Nationale Park Kasanka, dat beheerd wordt, onder een contract voor 10 jaren, door een joviale, enthousiaste en avontuurlijke Engelsman genaamd David Lloyd, die eens over een verschrikkelijke hoop geld beschikte, maar het meeste verloren heeft tijdens de organisatie van luxueuze safari-vakanties in Zaïre. Zijn herberg, gesitueerd naast een klein meertje met veel riet, is schoon en goed onderhouden en dankzij een overvloed aan kikkers muskietvrij. Ik leer hier meer over nijlpaarden dan tijdens het volledige verblijf aan de Mara-oever in Kenia. In dit gebied werd zoveel gestroopt, vertelt David, dat toen hij het park in 1986 overnam, er nog slechts twee of drie nijlpaarden over waren.

'Ze lieten zich de eerste twee jaren in het geheel niet zien – dodelijk beangst.' Nu zijn er in totaal 15, waarvan er zeven of acht afkomstig zijn van de oorspronkelijke drie. Ik vraag hem naar de uitzonderlijke geluiden van het nijlpaardenblaasorkest in Kenia. David vertelt me dat elke grom iets betekent. Nijlpaarden zijn zeer intelligent, met meer dan 100 afzonderlijke geluiden in hun vocabulaire.

Voor het avondeten beslis ik dat de tijd is gekomen om te doen wat ik al te lang heb uitgesteld. Voor het geval dat. Niet dat het iets om het lijf heeft, stel je voor. Ik haal Dr. Baela's boomschors uit mijn tas, snij er een stuk af met mijn Zwitsers zakmes, verpulver het, kies met zorg een afgezonderde plek uit en wrijf het poeder voor het douchen over mijn gehele lichaam, waarbij ik iets voor mijn neusgaten achterhoud. De resultaten komen onmiddellijk. Ik nies 25 minuten lang zonder dat ik kan ophouden. Niemand, noch Jake noch David noch een van hun helpers, schijnt te weten wat voor speciale stof ik zojuist geïnhaleerd heb, maar voor de eerste keer sinds ik Mpulungu heb verlaten, voel ik me goed genoeg om werkelijk van het eten te genieten.

Naar bed. Het geluid van lage stemmen rond de resten van het vuur en brulkikkers op het meer. Boven een heldere, intense hemel met sterrenlicht. Geen weerkaatsing van iets anders. Pure hemel. Pure, nachtelijke hemel.

DAG 113 – VAN KASANKA NAAR LUSAKA

Op een bepaald moment in de nacht word ik wakker door een forse wind. Hij hijgt en zucht met een onuitsprekelijke droefheid rond de hut. Ik lig wakker en denk aan de komende dag. Als alles goed gaat zijn we morgenavond in Lusaka, dan de Victoria Falls en uit wat ik gehoord heb, blijkt dat onze moeilijkheden daarna over zijn. Zimbabwe en Zuid-Afrika zijn comfortabel, efficiënt, verwesterd. Akuna Matata. Geen probleem. Wild, oncomfortabel, onbegrijpelijk Afrika maakt plaats voor getemd en keurig Afrika – hete baden en gekoelde biertjes, airconditioning en dagelijkse kranten, Franse wijnen en creditcards. Nu ik hier lig, luisterend naar de klagende wind in een hut aan het meer in een woud, voel ik een hevige droefheid bij het vooruitzicht dat ik alles wat ik de afgelopen maanden heb meegemaakt, achter moet laten en dat ik terug moet keren naar een gesteriliseerde wereld – waar alles uit de tweede hand, via televisie en kranten en marketingbureaus, wordt gedistribueerd.

Het volgende dat ik hoor is een klop op de deur en een zachte stem van buiten:

'Half vijf, mijnheer.'

De zonsopgang onthult een grijs geschakeerde hemel als gevolg van de storm van vannacht en een smalle oranje strook boven de boomtoppen aan de overkant van het meer. Opnieuw een afscheid en verder over het rotsachtige spoor door het park in de richting van Lusaka, de hoofdstad van Zambia, die 480 kilometer verder ligt. We hebben 17 van de afgelopen 18 dagen getrokken en gefilmd, zodat iedereen weer ouderwets uitgeput is. De bloedtest van Patti kon geen definitief uitsluitsel geven, omdat haar medicijnspiegel na alle pillen te hoog was, maar men dacht in het ziekenhuis dat de symptomen op malaria wezen. Ze is op het moment te zwak om te werken, maar ze moet wel reizen, hoewel ze platgedrukt op de achterbank van een minibus niet op de snelste manier zal herstellen.

Onze eerste ervaring met de Zambiaanse Spoorwegen, op de trein van Kabwe naar Lusaka, is niet veelbelovend. De trein is laat en als hij eenmaal is aangekomen, is hij zo onwillig om te vertrekken dat hij door een klaaglijke boodschap via de intercom moet worden aangespoord:

'Wil Sneltrein Twee zich van het perron verwijderen, zodat Sneltrein Een kan binnenrijden.'

Dat helpt tenslotte, maar de voortgang blijft pijnlijk traag. Het interieur van de in Japan gebouwde wagons verkeert in een vreselijke staat. Alle ventilatoren zijn gebroken en de bekleding is gescheurd en versleten. De spoorbaan is slecht onderhouden, waardoor de voortgang niet alleen oncomfortabel, maar ook traag. Niet dat ook maar één van de passagiers zich daar iets van aantrekt. Ze zitten kranten en religieuze teksten te lezen, terwijl de wagons slingeren en stampen. Een vriendelijk heer, die mijn opwinding bemerkt, leent me zijn exemplaar van de *Zambia Daily Mail.* Deze staat vol met kruiperige advertenties waarin staatsmaatschappijen Chiluba feliciteren met zijn overwinning. 'De Verenigde Busmaatschappijen van Zambia zeggen: bravo MMD. Het uur is gekomen.' Een hoofdartikel van een zekere Leo J. Daka, met de kop 'Zambia, hoe nu?' is minder gedwee:

'Zambia,' schrijft de heer Daka, 'is een ziekenhuis met de burgers als patiënten. Toen we onder de kolonialisten leefden, hadden we geen zorgen van groot belang, nu, met de onafhankelijkheid die door mede-zwarten verkregen is, vraag ik me af of dat nog zo is. Het punt is dat onze leiders geestelijk niet in orde zijn.'

Dat een dergelijk stuk in ieder geval gedrukt kan worden, is een van de betere punten van Zambia. Het is ironisch dat een van de prestaties van Kaunda – de vestiging van een tweepartijenstaat en een vrije pers – het instrument van zijn ondergang moest zijn.

DAG 114 – VAN LUSAKA NAAR LIVINGSTONE

We gaan Lusaka in en uit zonder veel tijd om iets mee te krijgen. Het hotel is karakterloos en efficiënt. Patti is van haar medicijnkuur tegen de malaria af en gaat merkbaar vooruit. En de *Times of Zambia* brengt nauwelijks te geloven nieuws over het tempo van de Grote Sprong Achterwaarts in de Sovjet-Unie. Het verslag, doorgeseind vanuit Sint-Petersburg (dat voor ons pas drie maanden geleden nog Leningrad was) bericht dat Groothertog Vladimir Romanov, erfgenaam van de troon van Rusland, voor het eerst in de Sovjet-Unie is gearriveerd.

We vertrekken vroeg en verlaten Lusaka via de Saddam Hoessein Boulevard. We slingeren van onze 30ste lengtegraad vandaan in de richting van Livingstone, dat weer zo'n 480 kilometer naar het zuidwesten aan de Zambiaanse zijde van de rivier de Zambesi ligt.

Aan de hoofdstraat van Livingstone bevinden zich lage, vervallen gebouwen met veranda's in koloniale stijl. Geldwisselaars schieten naar voren zodra ze een buslading toeristen zien, waarbij ze hun beroep suïcidaal uitoefenen door pas op het allerlaatste nippertje uit de weg te springen.

Ons hotel heet 'Musi-o-Tunya', de plaatselijke naam voor de Victoria Falls die 'De rook die dondert' betekent. Het is modern maar wordt onzeker beheerd. Vanuit een tralieraampje hoog in de muur drijft een rioollucht mijn badkamer binnen. Maar ik mag niet klagen, want ik heb tenminste een badkamer. Wat ik niet heb zijn mijn koffers. Het personeel van het Lusaka Hotel vergat ze uit mijn kamer te halen, maar er wordt een onderzoek ingesteld. Afgezien van mijn kleren, die vervangbaar zijn, bevinden mijn met veel moeite samengestelde dagboeken en aantekeningen op band zich zonder toezicht op 480 kilometer afstand. Maar ach, dokter Baela's schors vergezelt ze.

DAG 115 – LIVINGSTONE

Een wandeling van een kleine kilometer door de goed bevloeide tuinen van het hotel voert me naar het Stroomopwaartse Pad, dat leidt naar de kalme wateren van de Zambesi. Ze stromen rustig, vanwege het droge seizoen, naar een waterval van 75 meter. In maart en april treedt de rivier buiten zijn oevers en stroomt, zoals de brochure het beschrijft, 'het grootst bekende gordijn van vallend water', anderhalve kilometer breed, in deze reusachtige kloof van basaltrots, die gevormd is door afkoelende vulkanische lava.

Ik wandel, niet gehinderd door hekken of waarschuwingen voor wat dan ook, over een rivierbedding, die door de werking van steen en water gebeeldhouwd is tot een vreemde en wonderbaarlijke honingraat van boorgaten en spleten en kanalen en bassins, naar de uiterste rand van de Falls, waar wat van de rivier rest, onschuldig naar de leegte stroomt. Ik trotseer een misselijkmakende hoogtevrees, ga zo dicht mogelijk bij de rand staan en tuur eroverheen. Ver, ver beneden versnellen de vallende stromen tot een inferno en slaan tegen de gespleten zwarte rots met fonteinen van schuim, waarna het water voorwaarts stormt, terugstroomt en zich opnieuw tegen de klif werpt. Het schuim dat het afval van deze grootse botsing tussen rots en water vormt, wordt in alle richtingen geslingerd en vliegt door zijn eigen vaart hemelwaarts, hoog boven de top van de kloof. In het regenseizoen kan deze wolk – De rook die dondert – op meer dan 30 kilometer afstand worden waargenomen. Deze trok dan ook in 1855 Livingstone naar de Falls, klaarblijkelijk de eerste blanke man die er een blik op wierp. Als ik me, met tegenzin, omdraai om me over het rivierbed naar huis te begeven, waardeer ik voor één keer de ontspannen, wanordelijke willekeur van Zambia, die me zonder drukte of heisa ongehinderd toegang verschaft tot dit gigantische, betoverende spektakel.

Door deze ervaring kan ik zelfs, zonder mijn hoed op te willen eten, accepteren dat mijn bagage weliswaar gelokaliseerd is en het vliegveld van Lusaka heeft bereikt, maar niet op een vliegtuig is gezet.

Mijn T-shirt bevindt zich in een dusdanige toestand dat ik het niet voor een derde dag kan dragen, zodat ik het in de week zet en gekleed in kleren van Basil voor het avondeten aantreed. Het is visdag in het restaurant en al de obers hebben strooien hoeden op.

Jake vraagt waar de vis vandaan komt.

'Amerika,' is het trotse antwoord.

'Amerika? Hoe komt die vis *hier*?'

'Via de zee...'

DAG 116 – LIVINGSTONE

De ochtendkrant bericht dat president Chiluba Zambia's 27-jaar durende noodtoestand heeft opgeheven. De politie heeft opdracht gekregen alle wegversperringen te verwijderen (nog steeds gebruikelijk in landen als Soedan, Ethiopië en Kenia) en diverse volmachten tot onderzoek en detentie zijn beknot.

Voor mijzelf en de ploeg een dag vol nieuwe ervaringen. Op zaterdag is het wildwatervaren en we verzamelen ons bij het zwembad om in te tekenen, waarbij we de organisatie dienen te vrijwaren van elke aansprakelijkheid en we ondanks alles opgewekt proberen te kijken. Basil is bijzonder zwijgzaam. Hij is met zichzelf overeengekomen dat de fotografische mogelijkheden zwaarder wegen dan het feit dat hij niet kan zwemmen. Maar dan ook maar een klein beetje zwaarder. Fraser heeft uren gestoken in het ontwerpen van een waterbestendige opnamemethode voor mijn schreeuwen, gillen en kreten. Zijn uitvinding bestaat uit het hullen van de bandrecorder, batterij, microfoon en alle bedrading in een verzameling condooms. 'Nooit in mijn leven heb ik er zoveel op één dag gebruikt,' beweert hij.

Nigel heeft een kleine, waterbestendige camera in een reusachtig tuig, dat als een papegaai op zijn schouder zit. Patti moet een van de zeer weinigen zijn die is gaan wildwatervaren in dezelfde week waarin ze een malaria-aanval heeft ondergaan.

De organisator van de expeditie is een kleine, magere, gebaarde Amerikaan met de naam Conrad, die een intense, en volgens sommigen zelfs manische, blik in zijn ogen heeft, verzacht door een grage lach. We worden voorzien van reddingsvesten en vervolgens geïnstrueerd door Heidi, weer zo'n Amerikaanse die het klaarspeelt de meest vreselijke informatie met een ontwapenende, geestdriftige vrolijkheid te brengen. Het meeste dat ze vertelt, heeft te maken met wat we moeten doen wanneer – en niet als – we van de boten in het water worden geslingerd.

'Laat jezelf gewoon gaan. Probeer niet te zwemmen... Als je boven water komt, haal dan goed adem voor je weer kopje onder gaat.'

Aan het einde van deze toespraak voelen mijn benen als pap en ziet Basil lijkbleek. We kiezen onze reddingsvesten en gaan naar de rivier. Noch Conrad noch Heidi heeft ons voorbereid op de afdaling in de kloof, wat een halfuur durende klauterpartij, in aanzienlijke hitte, over gladde en glibberige rotsen betekent. Onder de beste omstandigheden is dit al zeer moeilijk, maar met onze film-uitrusting is het dermate zwaar dat we in een staat van fatale uit-putting bij de boten aankomen.

We stappen in de bemoedigend stevige, op zware condities gebouwde rubberen vlotten, die gemaakt zijn door Avon te Engeland. Acht per vlot, met een bestuurder die op een centraal kruis van planken zit. We varen de rivier op, dwergen in vergelij-king tot de steile rotswanden en basalten pieken. De Zambesi stort, als hij zich door de kloof kronkelt, over een twintigtal stroomver-snellingen, waarvan we de eerste tien onder de knie zullen probe-ren te krijgen.

Mijn metgezellen zijn plaatselijke bewoners, van wie enkelen gelukkig weten wat te doen. Onze bestuurder Alex, een lange, zwarte Zambiaan, repeteert met ons de techniek die bekend staat als hoog-wisselen en die schijnt in te houden dat men zijn lichaam zo ver als in de boot mogelijk is naar voren werpt om de neus laag te houden, zodat we niet omslaan door de kracht van het water. Na één oefening bewegen we over het bedrieglijk kalme en bedaarde meer tussen de Falls en stroomversnelling nummer één, die het vlot van de cameraploeg het eerst zal nemen. Heidi houdt ze op koers. Basil zit ineengedoken achterin, bijna op de bodem van zijn vlot, en klemt zich vast aan alles waaraan hij zich maar vast kan klemmen. Heidi voert ze langzaam naar de monding van de ver-snelling. Ze moet het vlot in de juiste positie opstellen. Als ze tevre-den is, laat ze het vlot voorwaarts glijden en in de stroomversnel-ling komen. In een paar seconden versnelt het als een raket, wen-telt, draait, snijdt in een tegemoetkomende golf en verdwijnt voor een moment in een spectaculaire uitbarsting van schuim, voordat het in veilig water te voorschijn schiet.

Wanneer ik het anderen zie ondergaan, vergroot dit enkel het gebonk van een toch al overwerkt hart. Pas als we zelf door de stroomversnelling vliegen, ons op Alex' bevel 'Duik!' naar voren werpen en de stimulans van een volledige onderdompeling erva-ren, begin ik me te ontspannen en zelfs te vermoeden dat het wel eens leuk zou kunnen zijn.

Stroomversnelling vijf is het spectaculairst, met een steile val van meer dan acht meter. Vrolijkheid en opwinding maken plaats voor vermoeidheid, als we verder gaan over enkele langere, maar min-der steile afdalingen. Ik veronderstel dat de maximumtijd die we op één stroomversnelling doorbrengen, niet meer dan 45 seconden bedraagt, maar in deze tijdspanne is een enorme hoeveelheid actie verpakt en de stroom van nerveuze energie kan alleen maar vrijkomen door de longen uit je lijf te schreeuwen.

De pure opluchting bij het bereiken van de tiende en laatste versnelling, met een dag filmen die erop zit en het avondlicht spelend op de wanden van de kloof, verleidt me ertoe Iets Heel Doms te doen.

De bemanning van mijn vlot weet me ervan te overtuigen dat één ervaring nog wonderbaarlijker is dan wildwatervaren: het zwemmen, of eerder het je laten meevoeren door een stroomversnelling. Ik informeer naar de krokodillen die we eerder in de kloof hebben gezien. Geen probleem, die vermijden stromend water. Ik informeer naar de rotsen. Geen probleem, diep onder het wateroppervlak. Zo groot zijn hun enthousiasme en mijn vreugde het tot dusverre overleefd te hebben, dat ik me overgeef aan een gevaarlijke gril van natuurlijke impulsiviteit en met hen van het vlot in het water van stroomversnelling nummer tien spring.

Zodra ik de boot verlaat, weet ik dat ik een fout heb gemaakt. De stroming is snel en er is geen manier om mijn voortgang te beheersen. Een halve minuut raas en tol ik voort, totdat ik hulpeloos onder het water van een tegemoetkomende golf word gezogen. Ik sla tegen wat niet alleen ontegenzeglijk een rots is, maar ook een bijzonder scherpe en absoluut niet meegevende rots.

De kracht van de botsing wordt opgevangen door het lage gedeelte van mijn rug, dat Goddank door mijn reddingsvest en waarschijnlijk ook door Frasers bandrecorder wordt beschermd. Ondertussen knalt mijn kuit tegen een andere rots, die daar ook niet had mogen zijn. Al wentelend door de klap worstel ik me naar het wateroppervlak, gedreven door een machtig en onbedwingbaar gevoel van verontwaardiging. Daardoor ben ik in staat 'Stelletje rotzakken!' te brullen en een mondvol Zambesi in te nemen, voordat ik weer verdwijn.

Mijn metgezellen zijn al aan land en staren in de verte met een gelukzalige gelaatsuitdrukking, als ik me eindelijk uit de stroming heb gevochten en de rotsige oever opklauter. Ik wil het feestje niet bederven en dus blijf ik glimlachen als we een begin maken met de langzame beklimming van de kloof, tevreden in de wetenschap dat wàt ik mezelf ook heb aangedaan, Frasers condooms intact gebleven zijn.

Als we terug zijn, dient zich een ander probleem aan: één van mijn twee ontbrekende koffers is aangekomen, de andere is door Zambian Airways zoekgemaakt, en niemand schijnt enige hoop te hebben dat hij nog gevonden wordt.

Welke noodlottige invloed in Zambia ook aan het werk is geweest, hij heeft tot het einde toe aangehouden.

DAG 117 – VAN LIVINGSTONE NAAR VICTORIA FALLS

Ik slaap een uur met behulp van twee tabletten paracetamol, daarna nog twee tot drie pijnlijke en onrustige uren, terwijl ik vecht tegen een plakkerige warmte (de airconditioning heeft totaal geen effect) en een stekende pijn in mijn borstkas, telkens wanneer ik me om probeer te draaien. Omstreeks 3 uur geef ik het op en manoeuvreer mezelf onhandig uit bed, waarna ik probeer te bepalen wat mijn ontbrekende koffer bevatte. Zaklampen, mijn favoriete laarzen, mijn favoriete trui, mijn persoonlijke dagboek (en niet, godzijdank, mijn aantekenboeken). Wat tot mijn grote opluchting ook is verdwenen, is Dr. Baela's schors. Ik voel me onmiddellijk weer iets beter.

Om 9 uur 's ochtends passeren we de Zambiaanse douane en gaan we naar de Victoria Falls Bridge, die een onderdeel van de grens met Zimbabwe vormt. Deze is bijna 90 jaar geleden gebouwd en bestaat uit een weg, een spoor en een voetgangersbrug en alleen voor vandaag uit nog iets meer dan dat. Een groepje mensen is van plan zichzelf aan een eind elastiek van de brug te werpen, voor wat, volgens de organisatoren – een team dat Kiwi Extreme is geheten – de eerste bungi-sprong in Afrika zal zijn. Byron, de leider van de groep, die wereldrecordhouder is met een sprong van 240 meter, vertelt me dat bungi het Indonesische woord is voor het soort rubberen weefsel dat ze daar tijdens sprongen gebruiken. Aangezien ik gisteren mijn leven bijna aan de Zambesi heb afgestaan, voel ik niet de geringste verleiding om me ondersteboven in een kloof te werpen, maar een ander voelt dat wel. Dat is Conrad onze organisator van gisteren. Hij lijkt mager en zwak naast de bonkige, witte mannen in T-shirt met opgedrukte biermerken, die het grootste deel van de springers uitmaken, en hij lacht nerveus als ze een rode handdoek om zijn enkels wikkelen, waarover ze vervolgens zorgvuldig het touw bevestigen. Slechts aan zijn voeten gebonden klimt hij op de reling van de brug, bevochtigt zijn lippen, mompelt iets – ik geloof dat het 'vaarwel' is – en stort zich naar voren, weg van de brug. Als hij springt, spreidt hij zijn armen, zodat hij in Christushouding een vrije val van zo'n 100 meter naar de rivier beneden maakt. Dan, als hij een zekere dood tegemoet lijkt te gaan, bevriest hij voor een fractie van een seconde, waarna hij snel naar ons terug begint te keren.

We laten Conrad op en neer stuiteren in de Zambesi Kloof en gaan Zimbabwe binnen.

Zimbabwe is 18 jaren jonger dan Zambia en heeft onlangs 10 jaar onafhankelijkheid onder leiding van Robert Mugabe gevierd. Aan de muur van Douaneloods A hangt een oude reliëfkaart van het land, waarvan het woord 'Rhodesia' met typex is verwijderd en 'Zimbabwe' eroverheen is gekrabbeld. De oude hoofdstad, Salisbury, is ingenieuzer gerecycled – een strookje plakband met 'Harar' erop is over 'Salisbur' geplakt, zodat er Harary staat. Misschien hadden ze niet verwacht dat de onafhankelijkheid zo lang zou duren.

We arriveren bij het Victoria Falls Hotel, een onberispelijk schoon, witgekalkt complex met rode daken en glanzende, groene gazons. De cadeauwinkels aan Zambiaanse zijde waren erbarmelijk leeg, maar hier zijn de schappen gevuld met allerhande pluizige rommel, hoewel er geen boek of krant te bespeuren valt.

De kamer is comfortabel en efficiënt ingericht. De tapijten zijn zacht en de gordijnen zijn bedrukt met een bloemetjespatroon. Het geheel geeft het gevoel van een goed uitgerust bejaardentehuis.

De prijs voor deze zacht gemeubileerde verwennerij is een herintrede in de wereld van regels. Bij de 'I Presume' Bar hangt een bord dat de gasten verzoekt zich tussen '19.00 uur en 23.30 uur' te kleden in 'Nette vrijetijdskleding. Geen spijkerbroeken. Geen T-shirts. Geen gymschoenen.'

Een aangename maaltijd in de openlucht, maar omgeven door massatoeristengezichten. Roger en de anderen vertrekken snel om naar het casino te gaan, maar als ik eindelijk naar mijn bed strompel, zie ik ze allen met zure gezichten in de 'I Presume' Bar zitten. Blijkbaar zijn ze stuk voor stuk uit het casino verbannen wegens ongepaste kleding. De portier pikte ze er één voor één uit: Roger, sandalen; Paul de chauffeur, gymschoenen; Basil, canvas schoenen en Nigel, spijkerbroek. Het doet pijn, maar ik ga tenminste met een grijns naar bed.

DAG 118 – VICTORIA FALLS

Ik word voor een röntgenfoto naar het plaatselijke ziekenhuis gebracht. Dit is het soort ziekenhuis waarover je droomt als je na drie uren wachten wegdoezelt in een Londense eerste-hulpafdeling. Het is pas één maand in gebruik, smetteloos schoon, goed uitgerust en vrijwel leeg. De dame van de röntgen heeft zo weinig te doen dat ze, voor ze me helpt, het boek dat ze aan het lezen is moet wegleggen – een dunne paperback van een zekere Dr. James Johnson met de titel *Durf gedisciplineerd te leven – toegevendheid werkt niet*. Na vier foto's is ze tevreden, zodat ik de diverse studies van mijn borstkas mee kan nemen naar de dokter. Deze constateert een haarscheurtje en schrijft enkel paracodeïne voor om me in slaap te helpen.

Nigel, die de hele tijd al zei dat hij een gescheurde rib vermoedde, is meevoelend maar realistisch:

'Je kunt er niets aan doen. De pijn zal verdwijnen... in ongeveer zes weken.' Mijn grootste fout is dat ik het niet voor de camera heb gedaan. Nu kraak ik de hele verdere weg naar de Zuidpool en iedereen zal denken dat het de ouderdom is.

DAG 119 – VAN VICTORIA FALLS NAAR BULAWAYO

Een telex als een donderslag is vanuit Kaapstad aangekomen. Er zijn geen hutten op de *Agulhas* te krijgen – het Zuid-Afrikaanse bevoorradingsschip dat ons middel van vervoer naar Antarctica zou zijn. Het schip is volledig bezet door wetenschappers en onderzoekspersoneel. Toch moeten we op de een of andere manier door naar de pool. Het is ondenkbaar dat we zo ver gekomen zijn, maar ons doel niet bereiken. Telefoontjes naar het kantoor in Londen om de *Agulhas* nogmaals te controleren en om naar een alternatief te zoeken. Ondertussen gaat het leven door en dat betekent inpakken en wegwezen, voor de zoveelste keer.

Op de weg door de hoteltuinen naar de receptie staat een groep toeristen als versteend onder een laag dak van mangobomen, waarop een troep bavianen uitzinnig tekeergaat en de rood-getuniekte portiers onder zich bombardeert met stokken, takken en half opgegeten mango's. Hoe weinig kost het toch om iemand op te vrolijken.

We verzamelen ons bij Station Victoria Falls omstreeks vijf uur 's middags, om de nachttrein naar Bulawayo te nemen. Evenals al het andere in de stad verkeert het station in een onberispelijke staat. Het is een laag, elegant juweeltje in Oudgriekse stijl: deuren in fris hemelsblauw met bijpassende details, een siervijver op het perron, palmen, rode jasmijn en opvallend rode, zwierige bomen.

De trein rolt een uur te laat binnen, maar is het wachten waard. De wagons zijn uitgedost in een waardige, nogal ongebruikelijke combinatie van bruin en roomgeel, de verbonden initialen 'R.R.' – Rhodesian Railways – zijn op de ramen en spiegels van de oudere wagons gegraveerd. De donkere compartimenten van mahoniehout bevatten foto's van wilde dieren, de Falls en andere attracties in Zimbabwe. Het verleden wordt hier ijverig in stand gehouden, in tegenstelling tot Zambia, waar zelfs het heden niet in stand gehouden wordt.

Het verschil tussen de beide landen is een belangrijk onderwerp voor Elisabeth, een spraakzame Zimbabwaanse die bijna onbewust een straal deodorant aanbrengt, terwijl ze tegen mij, Angela en een bijzonder hoffelijke Zambiaan praat.

'Zambianen zijn...,' ze zoekt naar het woord, 'zo nederig. Misschien komt dat door hun armoede.'

De Zambiaanse heer glimlacht welwillend, daarbij eerder geduld dan nederigheid ten toon spreidend.

Enkele minuten later komt een bediende langs om me te vragen of alles naar wens is.

'Waar komt u vandaan, mijnheer?' vraagt hij. 'Londen.'

Hij wijst naar zijn das.

'Hebt u een speldje? Dan doe ik dat op mijn das.'

Ik bied mijn verontschuldigingen aan omdat ik geen speldje heb, waarop hij breed lacht, een kruis slaat en verdwijnt. Ik heb mijn kaart nog niet te voorschijn gehaald om de route te bekijken, als de deur opnieuw open glijdt en er een bediende met een afvalzak verschijnt. Dit land heeft een bijzonder onAfrikaanse obsessie voor properheid. In de gang op weg naar het restaurant bevindt zich een onderstreepte instructie van de Zambiaanse Spoorwegen, die ons dringend verzoekt: 'Niet in de gangen spuwen'.

Het is donker als we Hwange bereiken, of Wankie, zoals het vroeger genoemd werd. Dit is een belangrijke mijnstreek, wat wellicht de reden is dat een aantal stoomlocomotieven nog steeds in bedrijf is.

DAG 120 – BULAWAYO

Vanaf het moment dat onze trein met een kalm gangetje door een gat in een wal en langs de groet 'Welkom in vriendelijk Bulawayo' is gerold, onderga ik de illusie dat ik me in Surrey *circa* 1958 bevind. Rangeerlocomotieven dirigeren goederenwagons en grote, gele diesels rijden de sneltreinen uit Plumtree en Mafeking binnen, waarvan de wagons bestaan uit gevernist hout en daken met licht-kappen.

Er *zijn* dingen veranderd – Selborne Avenue heet nu Leopold Takawira Avenue, Rhodes Street heet nu George Silikunda Street, en Grey Street, Birchenough Road en Queen's Road zijn alle onder de naam Robert Mugabe Way gebracht maar dit is nog steeds een stad van kostscholen en bowlingclubs. Als de blanken beweren dat de stad multiraciaal is, bedoelen ze de vermenging van Schotten, Ieren, Duitsers en Zuid-Afrikanen. Er zijn cricketvelden en zelfs een Ascot Paardenrenbaan. De winkels aan de hoofdstraat zijn Brits, uit het pre-Tesco tijdperk, met namen als Haddon and Sly, Townsend and Butcher, Stirling House, Forbes and Edgars, terwijl enkele, zoals Kaufmanns en A. Radowsky, opgericht in 1907, een joodse invloed onder de eerste pioniers verraden. De straten zijn gevuld met Morris Minors, Hillman Minxes, Ford Anglia's en stevi-ge oude fietsen met bagagedragers aan de voorkant, en bij Mikles Store begint vandaag de 'Vroege K'mis verkoop'. Niet alles is com-fortabel en rustgevend – een onheilspellend bord in het centrum verzoekt: Bespaar water. Nog maar voor 22 weken water binnen onze dammen. Maar na Soedan, Ethiopië, Tanzania en Zambia knijp ik me in de arm om mezelf ervan te vergewissen dat ik niet droom en dat Bulawayo geen product is van mijn door paracodeï-ne gedrogeerde geest. Deze avond is er een onweersbui met een hoeveelheid regen die de watervoorraden met een dag of twee moet verhogen. Na de regens, die een hete en vochtige dag beëin-digen, is de lucht vol gevleugelde insecten, die massaal harakiri plegen tegen de ruiten. Paul zegt dat het vliegende mieren zijn die uitvliegen om een partner te vinden, ergens een gat te graven en te broeden. In heel Afrika worden ze blijkbaar gegeten, gewoon-lijk gebakken.

DAG 121 – BULAWAYO

Water is niet het enige schaarse artikel in Zimbabwe. Een verslag in de *Bulawayo Chronicle* van deze ochtend is getiteld: Tekort aan bijbels.

'De plotselinge uitbarsting van religieuze organisaties tijdens de laatste vijf jaar lijkt de voorraden bijbels die in plaatselijke talen geschreven zijn, te overbelasten. Religieuze leiders zeggen dat de toevloed van pinksterkerken, afgescheiden groepen van de heersende stroming der Rooms-katholieke kerk, tot een verhoogde vraag heeft geleid.'

Bij de Bulawayo Bowling Club daarentegen daalt de vraag. Pearle Sheppard, de secretaris, wijt dit aan de onafhankelijkheid. 'Veel mensen hebben het land verlaten... we hadden bijna 400 leden... nu zitten we onder de 200.'

Als we starten met filmen, maakt Pearle zich zorgen over de verkeerde indruk die een groot bord, dat ons bij het clubhuis begroet, bij ons zou kunnen wekken: BBC. Laat uw spullen niet op de veranda slingeren voor de dieven.

'O jeetje, nee, BBC staat voor Bulawayo Bowling Club,' verklaart ze verontschuldigend.

Ondanks de saaie, druilerige namiddag bevinden zich zo'n 20 spelers op de velden. De mannen zijn iel, met een rechte houding en grijze haren. De vrouwen zijn over het algemeen, ofschoon zeker niet allemaal, mollig en zoals te verwachten jonger dan de mannen. 'De leden zijn zeer representatief voor de bevolking, mensen uit alle lagen en van alle leeftijden en zo, iedereen komt hier bowlen.'

Ik vraag Pearle of de club ook zwarte Afrikanen als lid heeft.

'Eh... we hebben er geen, nee. Eigenlijk zijn de Afrikanen niet zo geïnteresseerd in bowlen. De enige zwarte bowlers die we in Bulawayo hebben, behoren tot de Bowlingvereniging voor Blinden... Het is werkelijk fantastisch zoals sommigen van hen spelen, omdat ze niets kunnen zien en toch aanwijzingen kunnen begrijpen, en soms spelen ze ongelooflijk goed.'

Een Schotse vrouw is de huidige Zimbabwaanse nationale kampioen. Vandaag is ze op het veld, breed en zongebruind, met een zwierig gedragen hoed en permanent een brandende sigaret. Ze moedigt haar tegenstanders stevig aan:

'Mooie worp, Doris... Oh, wonderbaarlijk gericht, Ethel, goed gespeeld!'

Als haar beurt komt, werpt ze de bowlingbal met één hand, met haar sigaret in de andere. Wanneer de bal de sierlijkste der bogen beschrijft, recht ze haar rug en trekt ze langzaam en bedachtzaam aan haar sigaret, terwijl ze de bal aanspoort verder te gaan, 'Kom op, jochie... kom, kom, kleintje.'

Ongeveer 58 kilometer buiten Bulawayo, in het gematigd spectaculaire en historisch zeer boeiende gebied van de Matopos Mountains, ligt de man begraven wiens vooruitziendheid, vastberadenheid en onverzadigbare ambitie een land schiepen dat 57 jaar lang zijn naam droeg, tot het in 1980 Zimbabwe werd. In zijn korte leven heeft hij een enorme invloed op geheel zuidelijk Afrika gehad – hij ontgon landbouwgronden, stichtte goud- en kopermijnen en richtte verbindingslijnen op. Toen hij in 1902 in Kaapstad stierf, bracht zijn eigen persoonlijke trein, ontworpen door de Pullman Maatschappij uit Amerika, zijn lichaam naar Bulawayo. Hij werd 49 jaar oud en had precieze instructies in zijn testament gegeven: 'Ik bewonder de grootsheid en de verlatenheid van de Matopos in Rhodesië, en derhalve wens ik daar begraven te worden... op de heuvel die ik placht te bezoeken en die ik 'Het zicht op de wereld' noemde... in een rechthoek die in de rots van de heuveltop dient te worden uitgehakt, bedekt met een eenvoudige koperen plaat, waarop deze woorden: Hier liggen de resten van Cecil John Rhodes.'
Negentig jaren later, ondanks de dreigementen van Mugabe dat hij het lichaam zou opgraven en terug naar Londen zou sturen, ligt Rhodes nog steeds exact volgens deze woorden op deze plaats. Het gebied is nu een Nationaal Park, een controversiële beslissing, die inhield dat de plaatselijke bevolking onder dwang moest vertrekken en die de beschuldiging door het Nbedele-volk tot gevolg had dat hun heilige plaatsen werden ontwijd.
Het graf ligt boven op een grote, gladde schedel van kaal graniet, omringd door een ring van reusachtige keien, sommige wel 6 meter hoog, die aan de uiterste rand van de heuvel in een de zwaartekracht trotserende hoek lijken te zijn vastgevroren.
Aangezien we in Zimbabwe zijn, is het niet toegestaan zonder officiële toestemming de heuvel te beklimmen.
'Het is niet toegestaan alcoholische dranken mee naar het graf te nemen. Geen radio's. Geen lawaai. Geen huisdieren,' zegt het bord verder.

Het uitzicht over een gevarieerd en onregelmatig landschap van rotsstapels, ronde heuvels en lange, gladde hellingen met schadu-wrijk bos is bijzonder mooi. Bij ondergaande zon creëert het weg-stervende licht een warme, lichtgevende glans op de rode en gele mossen tegen de rotsen.

Om wat tegenwicht te bieden aan de doordringende invloed van de blanke cultuur, breng ik de avond door in de Umtshitshimbo Biertuin van het Waverley Hotel, waar een band met de naam Southern Freeway een concert geeft.

De Umtshitshimbo Biertuin is een soort tuin die Vita Sackville-West niet als zodanig zou herkennen. Betonnen tafels en stoelen staan op cementen blokken en het enige groen bevindt zich op de muur: een reeks ruwe muurschilderingen die taferelen op het Afrikaanse platteland afbeelden – kampvuren, dranklokalen en bavianen die aan hun achterste krabben. Vooraan bij het podium heeft zich al een menigte verzameld. Ze zitten er bijzonder dichtbij, met hun bier in rijen op het podium. Muziek van een bandje schalt uit de luidsprekers en mensen dansen.

Af en toe wordt de muziek onderbroken voor een lang bericht van overheidswege, dat waarschuwt voor het gevaar van aids maar waar niemand naar luistert.

Het bier – Black Label, dat men uit de fles drinkt, of Castle – wordt vaak versterkt met sterke drank. Een literfles gin lijkt het populairst. Tegen de tijd dat Steve Dyer en zijn band het podium bestijgen, is de menigte rusteloos en wankelt ze een beetje. Als ik de menigte bekijk, zie ik geen enkel blank gezicht, afgezien van onszelf, één oude man, een magere blonde jongen en Steve Dyer zelf, die bij deze gelegenheid nogal in mineurstemming en op zijn hoede lijkt te zijn. Maar als de band eenmaal losbarst, reageert de menigte aan-stekelijk en uitbundig, vooral wanneer een indrukwekkende diva met de naam Thandeka Ngoro het podium in bezit neemt. Ze is een opvallende verschijning met een krachtige stem, waarvan ze mis-schien vindt dat deze meer geschikt is voor La Scala in Milaan dan voor de Umtshitshimbo Biertuin.

DAG 122 – VAN BULAWAYO NAAR DE SOUTPANSBERG

Op om 6 uur, om te pakken en Bulawayo te verlaten voor ons laat-ste Afrikaanse land. De volgende grote steden in het zuiden zullen

Pretoria en Johannesburg in Zuid-Afrika zijn.

Het gaat nu allemaal erg snel. We kunnen grote afstanden afleggen op de rechte, geasfalteerde wegen hier en er is weinig afleiding onderweg. Vandaag pogen we weer zo'n 650 kilometer dichter bij de pool te komen.

7.15 uur: Bulawayo Busstation. Voor een republiek die gesticht is en geleid wordt door een overtuigd marxist, vertoont Robert Mugabes Zimbabwe een uitzonderlijk respect voor het vrije ondernemerschap. Onder de ontelbare busmaatschappijen bevinden zich Sun-Shine Coaches, Hit-Man Buses, de Hwange Special Express en – een bijzonder fraaie naam – de Dubies Megedline Omnibus Service. Verkopers van allerhande reisbenodigdheden, van afrokammen tot bollen touw om de bagage op te binden, cirkelen rond de bussen.

Lunchtijd: na een lange en weinig opwindende ochtendrit per bus en minibus, door eentonige kilometers droog bos, hebben we Beitbridge bereikt, een onbeduidend grensstadje, dat echter onlangs nog een gooi naar roem deed door te figureren in de film *Cry Freedom*, want het was het punt waar Donald Woods verkleed als priester uit Zuid-Afrika ontsnapte. (Nu ik zie hoe bijbelvast Zuid-Afrika is, begrijp ik dat dit een perfecte vermomming was.)

Na een mixed grill in de Beitbridge Inn, aan de Zimbabwaanse kant, rijden we over de Limpopo Zuid-Afrika binnen.

Ik wilde dat ik wat langer bij de Limpopo kon blijven stilstaan, want net als de Ngorongoro Krater, het Tanganyikameer en de Zambesi is de Limpopo een van de meest mysterieuze en evocatieve van alle Afrikaanse namen. Ik wilde dat ik kon zeggen dat ik erin gezwommen had (zoals in het Tanganyikameer en de Zambesi), of tenminste erin gepeddeld, of dan tenminste iets dichter bij de nijlpaarden was geweest die zich in het rode en modderige water wentelen. Maar de rivier heeft het lot ondergaan van alle rivieren die nationale grenzen zijn geworden – het is er gevaarlijk. En nergens gevaarlijker dan aan deze grens tussen de door blanken bestuurde economische reus van het zuiden en het zwarte Afrika in het noorden. Ofschoon de apartheid in hoog tempo wordt ontmanteld, bewaken duizenden meters vlijmscherp prikkeldraad, de twee 3 meter hoge stalen hekken van plaatgaas, de wachtposten en de torens met zoeklichten die met een tussenruimte van 20 meter staan, de Republiek Zuid-Afrika tegen de wereld en de Limpopo tegen zijn fans.

Het Zuid-Afrikaanse douanekantoor heeft een vloer van vierkante tegels, moderne en efficiënte airconditioning, computers en getinte ramen. De muren zijn beplakt met posters, maar deze tonen niet de mooie plekken van het land. In plaats daarvan laten ze zien, onder het motto: Kijk en red een leven, hoe je een SMB-kleefmijn kunt herkennen, en verder een PMN (TMM) antitroepenmijn, een TM 57 landmijn en de granaten M75, F1 en RGD5.

Buiten onderzoeken de eerste blanke soldaten die we in Afrika hebben gezien, de voertuigen die de grens overgaan. Ze lijken een ongedisciplineerd, lummelig troepje, met ongezonde gezichten en rode ogen. Ze hebben hier hoofdzakelijk met handelsverkeer te maken – er passeren hier weinig personenwagens. Enkele Afrikaanse vrouwen steken hun duim omhoog voor een lift op een van de grote vrachtwagens die tot Wheels of Afrika of Afrika Trucks behoren, als deze langs de controlepost knarsen met kobalt en koper uit Zambia en Zaïre.

Clem heeft niet alleen een BMW voor me gehuurd, maar zelfs een witte BMW. Niet bepaald een tactvolle manier om het land binnen te gaan, maar als je al vier maanden en 14 landen onderweg bent, grijp je elk extraatje dat je tegenkomt. Ik controleer mijn route op de kaart, steek Bob Segers *The Fire Inside* – mijn hardste en energiekste bandje – in de cassettespeler, start lichtjes de motor en zoef zuidwaarts naar Transvaal. De economische transformatie van het grillige, ongeregelde en onverkrijgbare naar het comfortabele, bruikbare en het 'niets is onmogelijk', die zich inzette bij de Victoria Falls en versterkt wordt in Zimbabwe, is nu compleet.

DAG 123 – VAN DE SOUTPANSBERG NAAR JOHANNESBURG

Na een warme nacht in een motel bij Soutpansberg (Zoutpanberg), waarbij mijn gescheurde rib alleen geen pijn deed als ik rechtop zat, zijn we weer op weg en rijden via een reeks tunnels door de geplooide, opgeheven bergketen die deel uitmaakt van de Drakens Berge. Als ik me niet vergis zijn de Verwoerd Tunnels (genoemd naar dr. Hendrik Verwoerd, eerste minister en onwrikbaar voorstander van de apartheid, in 1966 vermoord) de eerste tunnels waar we tijdens een reis van bijna 20.000 kilometer doorheen komen. Vijfenzestig kilometer verderop word ik er, enigszins verrast, aan herinnerd dat een gedeelte van Zuid-Afrika in de tropen ligt, wanneer we een groot, modern en met chroom bedekt monument passeren, dat de kreeftskeerkring markeert.

Hoe anders waren de omstandigheden toen we negen weken geleden de tropen binnengingen. Van het Wadi Halfa-veer naar een BMW.

We bereiken Pietersburg, voor het passerend oog schoon, goed onderhouden en welvarend, en komen door steden waarvan de namen, zoals Potgietersrus en Naboomspruit, hun oorsprong aangeven. Deze ligt in de jaren die volgden op de Grote Trek van 1837, toen 10.000 Afrikaanstalige boeren, die niet met de Engelsen konden samenleven, de Kaap verlieten en naar het noorden trokken. Nu zijn het trotse gemeenschappen geworden, die zichzelf met gewichtige betonnen borden aankondigen. Hotels en winkelgalerijen staan achter gevels van nepbaksteen en de parkeerplaatsen staan vol met BMW's als de mijne. De sancties schijnen hier weinig overlast te hebben veroorzaakt.

We rijden verder naar Pretoria, over weer zo'n immense en spectaculaire Afrikaanse vlakte. Deze heet het Hoge Veld. De vierbaanssnelwegen zijn in goede staat en niet druk. Gezwollen cumuluswolken stapelen zich op in een uitgestrekte hemel.

Als we in Pretoria aankomen, op zo'n 320 kilometer van onze slaapplaats van gisteren, zijn we ruim op tijd voor de grote voetbalwedstrijd van vanmiddag. Christopher, de zwarte chauffeur van de minibus waarin we zijn overgestapt, raakt steeds geagiteerder als we het Atteridgeville Super Stadion naderen. Atteridge is zwart gebied, zegt hij, en is voor ons niet veilig. Wanneer ik naar de kleurlingenwijk kijk, die op een heuvel is geplaatst en bestaat uit een kerk en een hoop bakstenen huizen met aflopende daken van golfplaat, begrijp ik niet waar hij zich druk over maakt. De straten zijn niet geveegd en men zou wel eens een of twee bomen mogen planten, maar niemand balt zijn vuist naar ons. Als we het stadion naderen, wordt het verkeer drukker en raakt Christopher buiten zichzelf. Het is niet veilig hier, er zijn allemaal zwarte mensen hier en wij weten toch wat ze op een plaats als deze met blanke mensen doen? Ze vermoorden ze.

Plotseling nemen zijn angsten af. Hij heeft diverse blanke gezichten gesignaleerd, in de rij voor kaartjes voor de wedstrijd. Allemaal levend en gezond.

We volgen een dure auto het terrein op. 'Soweto BMW' staat op de sticker op de achterruit. De toegangsprijs is vijf rand – ongeveer drie gulden, wat niet slecht is als je bedenkt dat dit de halve beker-finale is tussen het plaatselijke team, Sundowns, en de titelhouder, Jomo Cosmos uit Johannesburg.

De status van voetbal is hier betrekkelijk laag, zodat de Sundowns opgepropt in een minibusje arriveren en zelf hun slagzin dragen, waarvan helaas één letter ontbreekt: Sundowns. The Sky is the Limi.

Voor zover ik weet is het Jomo Cosmos-team het persoonlijke eigendom van Jomo Sono, de Pele en Charlton van het Zuid-Afrikaanse voetbal. Het is de afgelopen negen jaren geleid door een Schot uit Arbroath met de naam Ray Matthews. Ik krijg het privilege om zijn opwarmpraatje in de kleedkamer te horen. Hij spoort zijn spelers aan in een zwaar Schots accent, dat zijn 20 jaren in Zuid-Afrika niet laat vermoeden.

'Mothale, jij speelt Minkhalebe aan... Masinka, jij dekt Singiapi...'

De spelers knikken allemaal dat ze het begrijpen. Ik vraag hem of hij denkt dat zijn praatje veel uitwerking heeft. Hij haalt zijn schouders op, waarbij zijn nek helemaal lijkt te verdwijnen.

'Het is als praten tegen kinderen. Er valt niet te zeggen hoe ze tijdens de grote gebeurtenis zullen spelen.'

Zijn team, negen zwarten en twee blanken, rent over een veld dat ondanks het watertekort opmerkelijk groen is. Een betonnen wering omringt het veld. Daarop staan graffiti-slogans als: Viva Joe Slovo, ANC leeft, ANC heerst en Verpletter de kapitalisten naast advertenties voor Caltex, Shell en Philips. Onder 'Socialisme sterft' heeft iemand 'nooit' toegevoegd.

De eerste helft is nogal een geploeter. De rust komt als een bevrijding, op meer dan één manier. De bovenste rij van de open tribune wordt een geïmproviseerd urinoir, vanwaar een zacht buitje van gouden regen van 12 meter hoogte naar beneden daalt.

Er vertoont zich weinig politie en de menigte plaatselijke bewoners gedraagt zich goed, ondanks een gemakkelijk doelpunt van het team van Ray Matthews. Iedereen, inclusief de voetballers, lijkt vrij van de norse aanstellerij die eens zo kenmerkend was voor het Engelse voetbal.

Na 55 kilometer over moderne snelwegen zijn we in Johannesburg – de hoofdstad van Transvaal, met 1,6 miljoen inwoners. Hoog-torenende, ondoordringbare blokken van staal en glas reiken naar de hemel. Als we wachten in de met muzak gevulde lobby van het

Johannesburg Sun Hotel, kijkt Nigel hulpeloos naar het chroom en de beschutte planten en de waterfonteintjes en vraagt:
'Wat is er met Afrika gebeurd?'

DAG 125 – JOHANNESBURG

'... Het is zomer! Maak er wat van met de Trimrite Trimmer. Slechts 179 rand!... Dit is Hoge Veld Stereo op 94,95 *Eff*-Em... 22 tot 23 graden hier... echt weer voor het zwembad!'
Een novembermaandagochtend in Johannesburg. De wolkenkrabbers komen na het weekend weer tot leven en er ontstaan verkeersopstoppingen op de autowegen, zoals in elke grote stad ter wereld. Wij rijden naar het zuidwesten, de stad uit, om een plaats te bezoeken die op geen enkele andere stad ter wereld lijkt.
Soweto, 19 kilometer ten zuidwesten van Johannesburg, omvat 33 kleurlingenwijken met een totale bevolking van 3,5 miljoen. De eerste gebouwen verrezen in 1933 en er werd een wedstrijd gehouden om te beslissen over de naam. Verwoerdville was een van de onwaarschijnlijke kandidaten, maar Soweto – South Western Township – werd gekozen. Het is een kille en functionele naam voor een kil en functioneel doel – het herbergen van goedkope werkkrachten zonder stadsrechten, die de minerale rijkdommen van het gebied moeten delven. Die rijkdom vloeide, overbodig te vermelden, terug naar Johannesburg en niet naar Soweto, hetgeen de reden is dat het contrast tussen de twee zo choquerend is. De horizon van Soweto wordt niet door enige vorm van begroeiing onderbroken. Rij aan rij spreiden de eenvoudige huizen van één verdieping zich uit over de kale, onaanzienlijke heuvelruggen. De straten liggen vol met niet-opgehaalde vuilnis, waarin soms zojuist op straat zelf de brand is gestoken. De rest wappert en dwarrelt in de wind. In de stations, van waaruit elke morgen honderdduizenden arbeiders naar de stad vertrekken, wordt op het moment gepatrouilleerd door bewakers met Armalite-geweren, na een stroom van gewelddadige aanslagen op de passagiers. Alle mensen die het zich kunnen veroorloven, zijn overgegaan op het gebruik van de alomtegenwoordige minibussen, die privé-bezit zijn en waarmee de stad bezaaid is. De verhalen over het Inkatha-geweld zijn misselijkmakend. Ze hebben de angst in de stad verhoogd. Zoals iemand me vertelde: 'Toen Mandela werd vrijgelaten, droeg ieder-

een T-shirts met ANC erop. Nu zie je er niet één meer.'

Dit is de grimmige eerste indruk van Soweto, maar zodra je verder kijkt dan de fysieke verschillen, voorbij de schandelijke ongelijkwaardigheid tussen de kwaliteit van de leefomgeving in de beide steden die zo dicht bij elkaar liggen – en zo afhankelijk van elkaar zijn – is er een veelheid aan tekens van leven en hoop. Ik ben hier om een gezin in Soweto te bezoeken, dat vroeger in Londen naast ons woonde en dat onlangs toestemming kreeg om terug te gaan naar het eigen land. We worden begeleid door een Sowetaan met de naam Jimmy, die een goed inkomen verdient met rondleidingen door de streek. Jimmy zit vol met grappen – hij vertelt me dat BMW in Soweto 'Break My Windows' betekent – en is afwisselend alleraardigst, sympathiek, kortaf, spraakzaam en zakelijk. Hij is professioneel en tracht te overleven. Hij serveert ontbijt in zijn huis, dat totaal niet lijkt op het traditionele beeld van het krot met een blikken dak.

We benaderen het via poorten van bewerkt ijzer en pas geplante jacarandabomen. Binnen bevindt zich een compleet uitgeruste keuken, met modern comfort en foto's en schilderijen aan de muren. Hij is bijzonder trots op een gesigneerd exemplaar van een Robert Carrier-kookboek.

Terwijl we ons ontbijt nuttigen, handelt hij aan de telefoon voortdurend zaken af. Wanneer Roy, de tuinman, deze ochtend een halfuur te laat arriveert, onderbreekt hij een gesprek net lang genoeg om hem een publiekelijk standje te geven.

'De kater op maandagochtend,' geeft Jimmy te kennen, als de berispte Roy verdwijnt, 'de mensen hier drinken het hele weekend aan een stuk.'

Ik vraag hem of er blanken in Soweto zijn.

'O zeker... 20 procent van de taxi-ondernemingen hier zijn in handen van blanken... een hoop blanken werken bij de energiecentrale... daar is een gebied dat Power Park heet en een hoop blanke inwoners heeft...'

Als we Jimmy's huis verlaten, is Roy hondenpoep van de gazons aan het scheppen.

Jimmy's buurt – de nieuwe wijk Diep Kloof, die ook bekend staat als Prestige Park – bestaat vooral uit door architecten ontworpen villa's met jaloezieën, dubbele garages, gemaaide gazons en borders van bloeiende planten. Mercedessen steken lui uit garages met afstandsbediening en één herenhuis kan bogen op het hoogst bereikbare in de chic van Soweto – een blanke lijfwacht. Deze huizen verrezen in de laatste vijf jaar en zijn gekocht door zakenlieden, artsen en advocaten. Eén was voor een man die jaarlijks 150.000 rand verdient in de vleesindustrie; een ander kost dominee Chikane 800.000 rand (f 480.000,-).

'Geld verdienen in de naam van de Heer,' mijmert Jimmy als we erlangs rijden.

Op ons aandringen, en zoals ik opmerk met een tikje verveling, laat hij ons de andere kant van Soweto zien, een sloppenwijk die bekend staat als Mandela Village. In de verte, voorbij de blikken daken en de straten zonder riolering, doemen de lange, rechte contouren van de afvalbergen van de goudmijnen op.

Elke vijf minuten wordt in Soweto een baby geboren, zegt Jimmy. 50 procent van de bevolking is onder de 16. Vele duizenden van hen leven in dit soort omstandigheden, in geïmproviseerde hutjes die in één avond worden opgezet en die gemaakt worden van alles waar hun bewoners ook maar de hand op kunnen leggen. Branden komen veelvuldig voor en het enige sanitair wordt gevormd door enkele plastic toiletten, die door de gemeenteraad zijn verschaft. De hutten bestaan uit één kamer, met soms de luxe van een bij de vuilnis gevonden gaspit of oude autostoel. Vaak zijn de muren van binnen behangen met bladzijden uit advertentiebladen of modetijdschriften. Driedelige kostuums, televisies, douches, koelkasten en al de andere dingen die de bewoners zich niet kunnen veroorloven, vormen zo de constante achtergrond van hun leven.

Het effect van de 'maandagkater' is te zien bij een aantal trieste figuren die over de sintelpaadjes tussen de hutten strompelen, maar de kinderen zijn nieuwsgierig en bekijken ons met wijd open ogen, glimlachen snel en zijn gemakkelijk aan het lachen te maken. Het is bijna ondraaglijk om over hun vooruitzichten in het leven na de denken – weggevoerd uit de eenvoudige, zware maar traditionele manier van leven in een lemen hut in het oerwoud, naar een even zwaar, maar plotseling veel minder eenvoudig leven.

Nadat ik het onwezenlijk beste en het deprimerend slechtste van Soweto heb gezien, ben ik toe aan een beetje alledaagsheid – een dosis oprechte vriendschap die niet wordt bedolven onder plannen en statistieken. Ik neem mijn toevlucht tot de wijk Orlando om de Gwangwa's te zien. Omdat zij uit Zuid-Afrika verbannen waren wegens lidmaatschap van het ANC, namen Jonas, musicus en mede-componist van de muziek voor *Cry Freedom*, zijn vrouw

Violet en hun twee kinderen de wijk naar vele steden, waaronder Londen. Ik had nooit gedacht dat ik hen in hun eigen huis zou zien en de verrukking bij de hereniging is grandioos. Violet omarmt me zo hartelijk bij het weerzien dat ik vrees dat nog een van mijn ribben zal barsten, en op hun binnenplaats bevindt zich de, zoals men mij verzekert, traditioneel Afrikaanse groet: 'Welkom Michael, bij ons Gwangwa-gezin' – getekend in gedroogde koeienstront.

Violet biedt haar verontschuldigingen aan voor de afwezigheid van Jonas: 'Hij is bij een bespreking met Nelson Mandela.' Dat is nog eens een excuus. We gaan lunchen in een shebeen, de oorspronkelijke naam voor een illegale drankwinkel, die nu gebruikt wordt als een redelijk betamelijke voorkamer in een naburige straat, waar, onder het genot van een legaal blikje Castle-lager, Violet over de terugkeer naar huis praat.

Na acht jaren van huis vindt ze de streek slechter geworden – 'vijfenzeventig procent van de mensen kan zich de nieuw gebouwde huizen niet veroorloven' – een groeiende middenstand en toenemend geweld en onzekerheid, maar ze ziet het gevaar van de teruggekeerde banneling die de achtergeblevenen vertelt hoe ze hun leven moeten inrichten. Haar reizen rond de wereld weerspiegelen mijn eigen gevoelens: 'In de meeste landen die je bezoekt, zie je dat de mensen gastvrij willen zijn, ze zijn trots op hun land, weet je, hoe dan ook, of ze nu rijk of arm zijn, ze willen dat je je welkom voelt en ze willen je laten zien hoe ze leven, en ik denk dat dit hier ook zo is.'

Later ontmoet ik Jonas – nog een korte maar hevige schok tegen de borstkas – die terugkeert van zijn bespreking. Ik vraag hoe Mandela was. Jonas glimlacht: 'Hij heeft nog steeds een krachtige handdruk.' Jonas is bijna 30 jaar weggeweest en nog steeds verdoofd door de terugkeer, 'mensen die ik sinds de jaren zestig niet meer gezien had, komen naar me toe en schudden mijn hand.'

Als ik hem vraag of hij een verschil bespeurt bij de mensen, knikt hij zeer bevestigend.

'Ze zijn nu recht van rug, weet je... daarvóór liepen ze met het hoofd naar beneden, lieten ze zich zo gemakkelijk koeioneren.'

En met deze optimistische opmerking verlaten we Soweto. Het laatste dat ik hoor van Hoge Veld Stereo, '94,95 *Eff*-Em', is dat Terry Waite is vrijgelaten.

DAG 126 – JOHANNESBURG

De eerste goede nachtrust – vijf ononderbroken uren – sinds mijn onderdompeling in de Zambesi. Waarschijnlijk maar goed ook, want vandaag belooft geen rustige dag voor het lichaam te worden. We gaan in een van de goudmijnen afdalen waarop de rijkdom van Johannesburg en in feite die van geheel Zuid-Afrika is gebaseerd. Het goud vormt eenderde van de exportinkomsten van het land en de opbrengst van kolen, platina, uranium en andere delfstoffen die in de rijke ertslagen gevonden worden, verhogen deze bijna tot tweederde. De exploitatie van een nieuwe mijn kan 20 miljard rand (12 miljard gulden) kosten. Het is derhalve niet verrassend dat de mijnbouw strak en door blanken geleid wordt.

De Western Deep Mines, geëxploiteerd door Anglo-American, een van de zes privé-ondernemingen die samen 95 procent van de goudproductie beheersen, wordt bijna pathologisch schoon en netjes gehouden. Ondanks het watertekort geven sproeiers de gazons rond de kantoren een mals buitje en mannen met prikstokken verwijderen het afval in de goten.

We worden vlot en efficiënt ontvangen, als patiënten in een duur privé-ziekenhuis, en naar de ontvangstkamer geleid, waar koffie en taartjes worden geserveerd onder de scherp omlijnde, strenge blikken van de directeuren van Anglo-American, wier omlijste foto's de enige versiering vormen. Dan worden we naar een kleedkamer gebracht, waar elk onderdeel van onze kleding vervangen dient te worden door een kledingstuk van de maatschappij. Aldus komen we enkele minuten later weer naar buiten als Western Deep-bezoekers, in witte overalls, veiligheidshelmen en rubberlaarzen.

Martin de Beers, stevig gebouwd en besnord in de stijl van een cricketspeler op het zuidelijk halfrond, begint aan een lange en zonder twijfel rituele public relations-reclametekst, terwijl men ons van helmlampen en batterijen voorziet.

De Western Deep Mine staat in het *Guinness Book of Records* als de diepste indringing in de aardkorst – 3773 meter. In het komende jaar zal dit overtroffen worden door een nieuwe schacht, die onder de 4000-meter grens zal komen. De mijn is vereerd met een postzegel van 30 cent als een van de drie grootste technologische prestaties in Zuid-Afrika sinds 1961, samen met de harttransplantaties van Christian Barnard en een machine die de energie van golven aanwendt. Op elk moment werken er 7000 mensen beneden het aardoppervlak en het kost 4 uur om ze allemaal naar beneden te brengen. Het arbeidsleger bestaat voor 72 procent uit gastarbeiders, van wie het grootste deel uit Siskei en Transkei komt (de 'thuislanden' die in de geest van de apartheid zijn opgericht, om de Bantoes aan te moedigen zich gescheiden te ontwikkelen), maar ook uit Mozambique – 'zeer vreedzaam, ze zijn de enige mensen die zich vrijelijk vermengen met alle andere stammen'. Martin vertelt liever zelf dan dat hem vragen gesteld worden. Ik voel de verborgen woede, die waarschijnlijk een stuk dichter aan de oppervlakte ligt dan al het andere in de Western Deep.

Afgezien van de tuinmannen hebben we nog geen zwarte gezichten gezien. Ik veronderstel dat ze allen onder de grond zitten. We proppen ons in een lift om ons bij hen te voegen. Deze ratelt en klettert naar het binnenste van de aarde met een snelheid van 70 meter per seconde. Nog een vorm van vervoer die we aan onze lijst kunnen toevoegen. Twee kilometer lager worden we in een wereld gezet die bijna even smetteloos is als de voorafgaande. Het ruikt er naar vers cement – als in een zojuist gebouwde ondergrondse parkeergarage. Ik vraag Martin of dit een modelmijn is, het paradepaardje van de maatschappij.

'Dit is standaard voor Anglo-American, de modelmijn is South Mine. Daarbeneden rijdt iedereen in landrovers rond.'

Op deze diepte is de temperatuur omstreeks 50 graden, zodat Anglo-American de aardkorst tot een maximum van 28,5 graden moest afkoelen... 'de grens die het laboratorium voor menswetenschappen heeft vastgesteld.'

Tot dusverre is alles merkwaardig gewoon en de omgeving schoon en ruim. Dan komt er vrij plotseling een keerpunt, waar de ondergrondse parkeergarage tot speleologie wordt en alle cosmetica van Anglo-American de realiteit van de mijnbouw niet meer kunnen verhullen.

De schacht vernauwt zich tot een glibberige doorgang in de rots, die gevuld is met water. Het enige licht komt van mijn helm en steunpunten voor de voeten zijn niet makkelijk te vinden. Een klim over een overstroomde berg keien leidt naar een engere kamer. Door het geluid van de drilboren kan ik de aanwijzingen moeilijk horen en ik kan niet langer rechtop staan. De airconditioning is ver weg, zodat de temperatuur stijgt en het zweet begint te stromen. We kruipen voorzichtig verder in een door mensen gemaakt hol, dat nauwelijks een meter hoog is. Daar zijn gehurkte mijnwerkers bezig tegen het werkfront van de rots. Er heerst een enorme hitte en een verschrikkelijk kabaal als de drilboren in werking zijn. Groepjes van drie mannen werken aan het werkfront in temperaturen boven de 30 graden, zes uur per ploeg. Een bedient de boor, een ander controleert de apparatuur en een derde leidt water in het gat om het stof neer te houden. Een vierde man, de enige blanke van de ploeg, is de mijningenieur. Hij moet het werkfront controleren en de stroken die geboord moeten worden in rode verf aangeven. Ik ben nu dicht genoeg bij het gouderts om een hand uit te steken en het aan te raken. Het glinstert niet. Het goud bevindt zich hier in een kolenlaag. In feite lijkt het gouden lint van een tiental centimeters breed, dat bezet is met wit kwartsieten kiezels tegen een zwarte achtergrond van kalksteen en lava, meer op zwarte pudding.

Voordat we Western Deep verlaten, krijgen we een beperkte toegang tot het Heilige der Heilige – Goudmachine Nummer 2 – waar bij temperaturen van 1600 graden zich een van de oudste, meest betoverende en mysterieuze processen der geschiedenis voltrekt: de zwarte pudding verandert in goud. De beveiliging is streng, een stalen plaatgaasdeur wordt achter ons gesloten. De gewapende veiligheidsmensen controleren elke camera-instelling en Nigel krijgt strikte instructies:

'Als u ook maar iets aan de westkant filmt, wordt uw camera geconfisqueerd.' De spanning stijgt als de kroes langzaam naar boven draait en de gesmolten stof begint te stromen.

'Is dat goud?... Is dat goud?' blijven wij beginnelingen vragen, maar de experts schudden hun hoofd, terwijl ze door de groene oogkappen kijken, waarmee ze de kwaliteit van het gesmolten erts kunnen vaststellen. De eerste minuten verschijnen enkel slakken. Ik had me van de rivieren van Lapland moeten herinneren dat goud zich altijd op de bodem bevindt. Dan komt een lichtere, wittere stroom naar boven en iedereen slaakt een zucht van verlichting als elke gietvorm zich vult met goud tot een waarde van ƒ 450.000,-.

Men belooft mij dat als ik één baar kan optillen, ik deze mag houden. Maar ze hebben er tot nu toe op deze wijze slechts één verloren.

Als we terugkeren van Western Deep, door een landschap dat bedekt is met littekens – platte grijze afvalbergen van 15 meter hoog en gele en witte puinvlakten van honderden meters lang – probeer ik het antwoord te vinden op één vraag. Waarom is goud nog steeds zo gewild, zo begerenswaardig dat monsterlijke technologische prestaties als de Western Deep Mines ervoor in het leven worden geroepen? Niemand heeft een bevredigend antwoord.

Terug in het hotel bel ik mijn zoon op, die vandaag zijn 21ste verjaardag viert, en ik realiseer me dat ik nog steeds zeer ver van huis ben en nog een lange weg te gaan heb.

Onze toekomstige voortgang is nog steeds onzeker. De *Agulhas* blijft onverminderd volhouden dat er geen plaatsen zijn en het enige alternatief is om Antarctica vanuit een geheel andere richting te benaderen, zoals Australië, Nieuw-Zeeland of de punt van Zuid-Amerika. Maar we hebben geboekt op de Blue Train naar Kaapstad en aangezien reserveringen van deze exclusieve sneltrein bijna even kostbaar zijn als de goudstaven die ik eerder heb trachten op te tillen, lijkt het zinloos om onze reis door Afrika niet af te maken, zelfs als we bij God niet weten waar hij naartoe leidt.

DAG 127 – VAN JOHANNESBURG NAAR KAAPSTAD

's Nachts nog steeds hevig ongemak in mijn rug. De tijd heelt, blijft men mij verzekeren, maar enige hulp zou niet onwelkom zijn. Een opgewekte en hoffelijke apotheker in Johannesburg beveelt arnica, een homeopathisch middel, en tabletten beendermeel aan. Ze voegen zich bij de groeiende voorraad pijnstillers, die het gewicht van de tas die in Lusaka is verloren nu zo ongeveer compenseren. Station Johannesburg is om 10.15 uur 's ochtends verlaten, afgezien van een verspreid groepje passagiers met hun dragers, die boeken naast het bord 'Bloutrein Hoflikheids Diens'. De Blue Train-dragers moeten de mooiste ter wereld zijn, met hun blauwe jasjes, grijze pantalons met een messcherpe vouw en leren schoenen die glanzend als een spiegel zijn gepoetst. Helaas hebben ze allen zure gezichten, alsof ze allen aan kiespijn lijden, maar als onze man ons in een lift leidt, maakt hij duidelijk waarom hij zo knorrig is.

'Excuses voor de stank,' hij draait zich om om de deur te sluiten. 'Het zijn de nikkers. Ze pissen overal op.'

Een groep medereizigers wordt op een stuk tapijt samengeperst, bij een speciaal ingesteld controlegebied in het midden van een verder groot en leeg perron. Ze lijken een beetje zenuwachtig en kwetsbaar, alsof mensen die de Blue Train nemen door deze eigenschap 's werelds meest geschikte mikpunt voor dieven zijn geworden. Sommigen bestuderen het informatiebord, dat details verschaft over de onbeschaamde luxe die ons te wachten staat

'Nette vrijetijdskleding tijdens de lunch, elegante kleding aan het diner.'

Pijnig mijn hersens af voor iets in mijn garderobe dat met een op hol geslagen verbeeldingskracht als elegant betiteld kan worden. Dit mislukt.

Twee azuurblauwe diesellocomotieven, die de 17 in combinatiekleuren uitgevoerde wagons vanuit Pretoria meevoeren, nemen soepel de bocht van het perron en glijden kalm uit tot stilstand, waarna fleurige stewards naar voren komen om voor elke deur bijpassende tapijten uit te rollen, met de letter 'B' als monogram.

En zo gaat het verder. Mijn compartiment heeft een glazen afscheiding, groot en dubbel beglaasd – airconditioning, tapijt, een eigen radio en thermostaat, een halve fles champagne, een krant en een elektronisch te bedienen zonnescherm.

Net voor 11.30 uur fluistert een hese, vrouwelijke stem via de intercom: 'De Blue Train staat klaar voor vertrek,' en nauwelijks merkbaar rijden we uit Johannesburg, in de verwachting de 1500 kilometer naar Kaapstad in 22 uur te overbruggen. Voor de eerste keer sinds Tromsø begeven we ons ten westen van onze 30ste lengtegraad. We zullen deze niet meer tegenkomen tot ik, ijs en weder dienende, de Zuidpool bereik.

Een versleten kastanjebruin-en-witte plaatselijke trein passeert ons, met als bestemming de stad. We meerderen snelheid terwijl we door smoezelige stations als Braamfontein en Mayfair komen – waarvan de perrons zijn bevolkt met zwarten in hoofddoeken en truien – en versnellen nog meer tijdens het passeren van chiquere buitenwijken als Unified en Florida. Dit is de comfortabelste trein die ik ooit heb meegemaakt. Door de combinatie van airconditioning, de dikke beglazing en de tapijten van wand tot wand lijkt het alsof de passagier zich in een hermetisch afgesloten capsule bevindt, waardoor hij in staat is de buitenwereld te beschouwen terwijl hij er zelf geheel van is gescheiden – wellicht een onbewust model van het apartheidssysteem, dat slechts vijf maanden geleden officieel is afgeschaft.

Er bevinden zich 92 mensen in 17 wagons – in tegenstelling tot de 4000 mensen in 18 wagons op de Nile Valley Express. Niemand mag op het dak meereizen. Bij de Zambiaanse Spoorwegen was in de restauratiewagon geen eten te krijgen, op de Blue Train tel ik tijdens de lunch 13 stuks bestek. Terrine van kingclip (een plaatselijke vis) en Kaapzalm worden opgediend als we door het uitgestrekte, vlakke plateau van het Hoge Veld rijden. Land van graan en goud. Heel ver weg worden de bergen verduisterd door een onweer.

De *Johannesburg Star* draagt meer bewijs aan voor de snelheid waarmee het land de jarenlange isolatie te boven komt. Zuid-Afrika mag voor het eerst sinds 30 jaar aan de Olympische Spelen deelnemen. Er is een advertentie die de hervatting van de vluchten van de South African Airways naar New York aankondigt en een bericht dat Richard Branson hoopt om de Virgin Airways in 1993 naar Johannesburg te brengen. Ondertussen spoeden geüniformeerde bedienden zich discreet over de tapijten in de gangen, om kleren op te halen die geperst moeten worden. Muzak dartelt lichtjes door de rustige atmosfeer en wordt af en toe onderbroken door treinmededelingen: 'U kunt nu aan de coupézijde naar neushoorns uitkijken.' We zoeken allen zonder succes naar neushoorns. Alles wat ik zie zijn telegraafpalen.

'Tja, we schijnen vandaag geen geluk te hebben.' Walsen van Strauss worden aangezet.

Maar ze geven niet makkelijk op. Walsen van Strauss worden uitgezet. 'Dames en heren, u kunt nu aan de gangzijde naar flamingo's uitkijken.'

Neem een douche voor het diner, pak mijn das voor alle doeleinden om dat ondefinieerbare vleugje elegantie toe te voegen en slenter naar de bar. De ramen zijn zo groot, met minimale tussenschotten voor maximaal zicht, dat je het vreemde gevoel krijgt boven het landschap te zweven zonder vervoermiddel. Fraser zegt dat hij een auto op zich af zag komen op een weg naast het spoor en dat hij instinctief naar de andere kant ging. Arme oude sul.

Basil heeft barman Matt aan het werk gezet om de perfecte martini te maken, maar na drie pogingen drinkt Basil er toch maar een op. Matt doet de verrassende mededeling dat de luidruchtigste toeristen die hij ooit heeft meegemaakt, Zwitsers waren.

'Zwitsers zijn luidruchtig?'

Hij krabbelt een beetje terug: '...Goed, niet luidruchtig, maar ze hebben een goede dronk.'

Een magnifieke zonsondergang over de stad Kimberley, dat erop kan bogen 's Werelds Grootste Door Mensen Gemaakte Gat te bezitten. Op een gegeven moment waren er 30.000 uitzinnige diamantzoekers tegelijkertijd in het gat aan het graven. Toen het in augustus 1914 werd gesloten, was het 1065 meter diep met een doorsnede van anderhalve kilometer.

Ik ontmoet enkele medereizigers. Een paar uit Yorkshire, wiens dochter een wijngaard op de Kaap beheert, een Zwitserse reisleider (Zwitserse en Duitse toeristen zijn het talrijkst), een dame van de Ierse Raad voor Toerisme, die denkt dat ze in Zuid-Afrika vergelijkbare problemen hebben met het aantrekken van toeristen – prachtige landen met politieke problemen – en een exotisch stel, zij Colombiaanse en hij Duitser, die in Gabon werken. We halen weer eens de oude koe van de malaria uit de sloot. Hun opvatting is dat de pillen even slecht als de ziekte zijn, omdat ze de spijsvertering en de ogen behoorlijk ernstig aantasten.

Gelukkig is mijn spijsvertering voor eenmaal in orde, als ik me door de restauratiewagen begeef naar de berg geslepen glas die op me wacht.

DAG 128 – VAN JOHANNESBURG NAAR KAAPSTAD

5.30 uur: word gewekt met kokend hete thee in een wit porseleinen pot. Voor de eerste keer sinds Victoria Falls heb ik zonder pijnstiller kunnen slapen en voor de eerste keer in Afrika heb ik goed kunnen slapen in een trein. Nu heb ik spijt dat ik zo enthousiast gevraagd heb om bij zonsopgang gewekt te worden.

We reizen door de Karroo, een weids landschap van kale bergen en vlakten met struikgewas, dat zijn naam heeft gekregen van het Hottentot-woord dat 'dorstland' betekent. Aangespoord door deze informatie begeef ik mij naar de restauratiewagon, langs het treinpersoneel dat al de deurklinken aan het poetsen is.

We zijn nu dicht bij het einde van Afrika. Achter een opeenvolging van sterk geplooide bergen ligt Kaapstad, de rijkste uithoek van een rijke provincie. Het aardse paradijs. Ik zit en kijk naar de zon die de bergen verwarmt en laat mezelf nostalgisch terugvoeren naar een zonsopgang in augustus, toen we vanuit het Middellandse-Zeegebied er binnenvoeren en het licht van Afrika voor de eerste keer zagen. Het is nu eind november en hoogzomer is gewijzigd in een vroege lente. Ik weet niet precies wat voor me ligt, maar ik voel een plotselinge golf van optimisme dat alles ten goede zal keren. Afrika heeft ons op elke mogelijke manier getest en op de proef gesteld en, gehavend en gekneusd als we zijn, we hebben het overleefd. Mijn kinderen noemen deze momenten bij mij 'Vaders gelukzalige aanvallen', en terwijl we uit een 18 kilometer lange tunnel een indrukwekkende, uitgestrekte kom van land gevuld met wijngaarden binnenglijden, voel ik dat deze enige tijd kan duren.

Het grootse landschap van Afrika komt hier tot een overweldigende climax. Torenhoge, mistig-blauwe bergketens – de Matroosberg, de Schwartzbergen en de Hex – gaan als toneelgordijnen uit elkaar om de slotscène van de Tafelberg en de uitgestrekte Atlantische Oceaan te onthullen. Het is een adembenemend vertoon van natuurschoon, dat onze vermoeide harten sneller doet kloppen.

DAG 130 – KAAPSTAD

Gisteren stond ik op Kaap de Goede Hoop, een lage stapel rotsen gebeukt door de zee en bezaaid met reuzenwier, en deze ochtend zit ik boven op de Tafelberg, een steile klip die 1050 meter boven Kaapstad uitrijst. Het is een warme lentemorgen, de rotsklipdassen paren waarheen we onze camera ook richten en het overweldigende vergezicht reikt tot aan Kaapstad, waar het warme water van de Indische Oceaan samenvloeit met het koude water van de Atlantische. Alles bij deze kuststrook is op grootse schaal uitgevoerd. De golvende rollers die binnenstromen na duizenden kilometers open zee, de lange witte stranden en de hoge, gespleten wanden van kale rots die de stad in het oosten omgeven – Tekenheuvel, het Leeuwenhoofd, de Twaalf Apostelen en de Tafelberg zelf. Een frisse bries waait vanuit zee, die in combinatie met de zon en het uitzicht een oververmoeid lichaam loutert en weer versterkt.

Als je neerkijkt op deze indrukwekkende natuurlijke haven, is het ironisch om eraan te denken dat deze welvarendste hoek van Afrika een forse klap van een van de armste moest verwerken, toen De Lesseps 130 jaar geleden een kanaal door de Egyptische woestijn ging aanleggen. Opeens beschikten de handelsschepen uit India en het Oosten over een kortere, comfortabelere en beter beschermde route naar Europa, waardoor het 200 jaar durende monopolie van Kaapstad, als bevoorradings- en onderhoudsbasis voor de Oost-West-scheepvaart, werd beëindigd. Vandaag is er weinig bedrijvigheid in de haven met als schrijnende uitzondering een stevig onderzoeksschip met een rode romp, dat de laatste voorbereidingen voor een achtdaagse reis naar Antarctica maakt. Met een sterke verrekijker kan ik de naam op de romp net lezen – MS *S.A Agulhas*.

Ofschoon er slechtere plaatsen dan Kaapstad zijn om in opgesloten te zijn, is het goede nieuws dat we ons na enige koortsachtige internationale telefonische activiteit een alternatieve route naar Antarctica hebben verschaft via de stad Punta Arenas in zuidelijk Chili. Het slechte nieuws is dat we het volgen van de 30ste lengtegraad nu kunnen vergeten, net als reizen over land of zee. Er staan slechts twee wegen open: naar Antarctica vliegen, of het opgeven.

DAG 133 – SANTIAGO, CHILI

Santiago. Dinsdagochtend. Het kostte ons bijna drie maanden om de 10.000 kilometer van Afrika in de lengte te overbruggen en maar 48 uren om de 10.000 kilometer van Zuid-Afrika naar Chili te overbruggen.

Ook zijn we, na dit alles, onze uiteindelijke bestemming niet dichter genaderd. Santiago en Kaapstad liggen beide op de 33ste zuidelijke breedtegraad, op zo'n 6750 kilometer van de Zuidpool. Er zijn meer overeenkomsten. Beide steden hebben een gematigd klimaat en doen duidelijk Europees aan, omdat ze de stijl en smaak van de vroege kolonisten weerspiegelen – Spaans in Chili en Brits in Kaapstad. Beide produceren goede wijn. Beide hebben een recent politiek verleden van geweld, onderdrukking en internationaal ostracisme. De vader en twee broers van Patricio, onze gids en klusjesman in Santiago, werden in 1973 gearresteerd en gevangengezet omdat ze president Allende steunden – de socialistische voorganger van generaal Pinochet – en Patricio zelf werd van de universiteit gestuurd vanwege zijn politieke opvattingen. Hij is niet langer verontwaardigd en ziet zichzelf ook niet als iemand die het bijzonder slecht getroffen heeft. Pinochets politie arresteerde 250.000 verdachte aanhangers van Allende, hield hen tot drie maanden lang gevangen in de nationale sportstadions en van 2000 van hen is nog steeds geen spoor. Chili heeft nu een hervormingsgezinde, liberale president, Patricio Aylwyn, maar de vermisten zijn niet teruggekeerd en Pinochet is nog steeds opperbevelhebber van het leger.

Het is deze ochtend zonnig aan de voet van de Andes, met temperaturen tot boven de 20 graden, en de militaire kapel paradeert voor het Moneda, het gedetailleerde presidentiële paleis in koloniale stijl. De naam betekent 'de Munt' en daarvoor is het in 1805 oorspronkelijk ontworpen. Negentien jaar geleden pleegde president Allende op deze plaats zelfmoord, nadat het gebouw met raketten uit Hawker Hunter-jagers was bestookt, wat door Pinochet en zijn rebellerende leger bevolen was.

Een goedgedrilde wisseling van de wacht vindt plaats, en dan, zonder veel voorbereiding of zwierige gebaren, barst de zestig man sterke militaire kapel los in de onmiskenbare tonen van 'Happy Birthday To You'. Niet slechts één refrein, maar een lange symfonische variatie die een kleine menigte ongeveer vijf minuten lang in een raadsel gevangen houdt. Men neemt aan dat het voor de president is, maar niemand weet het zeker.

We gebruiken de lunch in een schitterende, overdekte markt, die van buiten uit een klassieke gevel en van binnen uit een versierde en elegante gietijzeren constructie bestaat. De landbouwproducten zien er overvloedig en vers uit met asperges, aardbeien, avocado's, kersen en ananassen en een veelzijdige en exotische keus aan zeevissen, in het bijzonder kommeraal en dingen die picorocos heten, vreemde, blinde en rubberachtige wezens die in rotsen leven. Als je ze wilt eten, moet je de rots erbij kopen en deze vervolgens enkele minuten in kokend water houden. Piures, een zo mogelijk nog minder aantrekkelijke delicatesse, lijken op een koeienvla onder water en bevatten een aantal kwaadaardig uitziende, oranje parasieten, die Patricio hogelijk aanbeveelt.

'Puur jodium...'

'Jodium? '

Hij knikt enthousiast:

'Zeer goed voor de seks.'

Het leek me altijd al een goed idee om restaurants in een voedselmarkt te plaatsen en mijn maaltijd met Patricio in het Marisqueria Donde Augusto is een van de betere. Goed eten, goede wijn en een kennismaking met de Pisco Sour.

Pisco is een eau-de-vie die wordt geserveerd met eenderde citroensap, wat eiwit en een hoop ijs. Het is fris en behoorlijk sterk. Terwijl we eraan nippen, komen muzikanten langs, die spelen op traditionele instrumenten als de quena – een aantal pijpen, bij voorkeur van bamboe maar nu van plastic – en een charrango, een 10-snarig instrument, bij voorkeur van de schubben van een gordeldier, maar nu vanwege ecologische redenen van hout. Het geluid draagt ver en is, volgens Patricio, zo oud en traditioneel dat Pinochet de instrumenten probeerde te verbieden, omdat ze te veel voor 'links' zouden staan.

We nemen de kabeltrein voor een panoramisch zicht over de stad, dat verkregen wordt vanaf een heuvel die gekroond is met een 12 meter hoog beeld van de Onbevlekte Ontvangenis. We volgen een bord met 'A la Virgin' en klauteren paden en trappen op, om er enkel achter te komen dat de Maagd gesloten is. Naar binnen turend kan ik een kleine kapel ontwaren. De buitenmuur is op grote schaal versierd met uitspraken die van weinig religieus gevoel getuigen: Norma! Te Amo!, Mejay 2000, Depeche Mode en het intrigerende Gladys y Dario 1-08-91.

Boven me staat de stalen Maagd, die in 1908 in Frankrijk gegoten is en die hierheen is gebracht 'Ter viering van het 50-jarig bestaan van het dogma van de Onbevlekte Ontvangenis'. Ze heeft haar armen uitgestrekt, haar hoofd licht opgericht en staart met haar ogen in de verte en ik neem maar aan dat je zo bent als die vorm van conceptie plaatsvindt.

DAG 134 – VAN SANTIAGO NAAR PUNTA ARENAS

6.30 uur in de ochtend. Het is 9 graden als ik het hotel verlaat en voor het eerst sinds noordelijk Noorwegen een warm overhemd en een trui draag. We dragen uitpuilende tassen met Antarctische kleren bij ons, die overijld uit Londen zijn overgevlogen. Santiago Airport is druk, zodat we, met zijn zessen en 41 stuks bagage die ingeklaard moeten worden, weinig vrienden maken in de rij voor Lan Chile's vlucht naar Concepcion en Punta Arenas.

Punta Arenas, op het puntje van Zuid-Amerika en slechts een kilometer of drie varen van Tierra del Fuego, is een plek waar niemand van onze bereisde ploeg ooit eerder geweest is. Omdat we onze plannen in Kaapstad zo plotseling hebben omgegooid, is zelfs Clem, die zoveel mogelijk van onze route heeft verkend, niet bekend met de komende 6500 kilometer.

Terwijl we wachten om aan boord te gaan, kunnen we enkel spe-
culeren en afgaan op de geruchten over wat ons te wachten staat.
Er zijn maar weinig feiten waarop we ons kunnen baseren. Er
bestaat een organisatie met de naam Adventure Network – of in
ieder geval: ze beantwoorden telefoontjes, accepteren boekingen
en hebben een briefhoofd op hun postpapier – en ze beweren dat
ze directe vluchten vanuit Punta Arenas naar een Antarctische basis
bij Patriot Hills hebben en vanaf die plaats verder luchtvervoer naar
de Zuidpool kunnen verschaffen. Het feit dat niemand van ons de
Patriot Hills op geen enkele kaart kan vinden, draagt bij aan de verwarring. Een onrustzaaier brengt ons bezoek aan Patric Walker in
Lindos in herinnering.
'Wanneer zou Mercurius zich weer in retrograde bevinden?' 'Eind
november... begin december was dat...'
Het omroepsysteem komt weer tot leven. 'Lan Chile vlucht 085
voor Concepcion en Punta Arenas is gereed om aan boord te gaan.'
Ik kijk voor het laatst naar het bord met bestemmingen. Het is 27
november. Het eerste, enigszins verontrustende kenmerk van de
vlucht is dat het vliegtuig een Boeing 707 is, een uitstekend lucht-
voertuig, dat echter door de maatschappijen waarmee ik de laatste
tijd gereisd heb niet meer gebruikt wordt.
Als we opstijgen, wordt in de hut een tekenfilm van Walt Disney
vertoond.
Het is maar een kleine sprong naar de stad Concepcion, maar het
landschap verandert al. De heuvels zijn steil en zitten vol holen en
de smalle dalen die naar zee aflopen, zijn groen en bebost. Terwijl
we naar de aankomsthal taxiën, adviseert een stem door de intercom ons aan boord te blijven. Ons verblijf op dit vliegveld zal
ongeveer 20 minuten bedragen.'
Zeveneneenhalf uren later zijn we nog steeds in Concepcion. We
hebben gekaart, boeken gelezen, bier en koffie gedronken, zijn
zelfs met de bus naar een hotel in het centrum gereden voor een
treurige instant-lunch. Patti en Fraser hebben tijd gevonden om te
winkelen – ofwel middenstandstherapie, zoals zij het noemen. Ik
heb een wetenschapper ontmoet, die kustonderzoek in Antarctica
gaat verrichten. Hij heeft al op de Zuidpool gestaan. Het was er 50
graden onder nul... 'waardoor je de adem wordt benomen, die je
toch al zo weinig hebt. Je bevindt je op 3300 meter.'
Ik had me nooit gerealiseerd dat de Zuidpool behalve guur, ongast-
vrij en het halve jaar donker te zijn, ook nog eens zo hoog als een

top in de Alpen was. De oorzaak van ons oponthoud, afgezien van Mercurius, blijkt te maken te hebben met de 707, waarvan ik het gevoel heb dat hij op het laatste moment voor iets anders in de plaats is gekomen. Toen de motoren opnieuw gestart moesten worden, bevond zich op Concepcion Airport geen generator die krachtig genoeg was om de noodzakelijke hoeveelheid stroom te leveren. Uiteindelijk worden de motoren opnieuw gestart, zodat we in de late namiddag opstijgen. Ditmaal begeeft de airconditioning het en als we ijzige toppen en gletsjers onder ons zien, grenst de temperatuur aan boord aan die in Soedan.

Ergens beneden ons eindigt de Trans-Amerikaanse Verkeersweg en daarmee alle wegverbindingen naar Punta Arenas. De lange Chileense kustlijn verbrokkelt tot een adembenemend spectaculaire formatie van bergachtige eilanden, zee-engten en fjorden, maar het dikker wordende wolkendek biedt kwellend weinig doorzicht. Om half acht, in het tiende uur van wat een vlucht van tweeëneenhalf uur had moeten zijn, draaien we in een hellende bocht over de Straat van Magellanes en dalen over kale weiden naar Carlos Ibanez Airport, Punta Arenas. We hebben de 53ste zuidelijke breedtegraad bereikt. Ik zou me hier thuis moeten voelen, ik ben opgegroeid op 53 graden – in het noorden natuurlijk. Door deze gedachte realiseer ik me de omvang van de reis die nog voor ons ligt. Punta Arenas is weliswaar de laatste halte voor Antarctica, maar het ligt nog steeds even ver van de Zuidpool als Sheffield van de Noordpool.

DAG 136 – PUNTA ARENAS

Word wakker van het alarmsignaal van een auto, dat me voor een gelukzalig moment laat denken dat ik in Londen ben. Mijn bewustzijn verandert de omgeving langzaam in de benauwende, kale muren van een kamer in Hotel Cabo do Hornos, Punta Arenas, Chili. Het Hoornkaap Hotel is een romantische naam voor een niet-romantisch, rechthoekig stuk steen van acht verdiepingen, dat met zijn gele, bakstenen muren en een laag puntdak op een heuvelrug staat, waar het de benedenstad van Punta domineert.

Ik heb gisteren een ansichtkaart naar mijn dochter gestuurd, tegen wie ik wanhopig graag had willen liegen dat mijn kamer uitkeek over Tierra del Fuego. Basils kamer kijkt uit op Tierra del Fuego, maar aan mijn kant van de gang kijken we uit op het hoofdplein met zijn bomen met naamplaatjes, die even keurig en trots onderhouden worden als die van een Frans provinciaal stadje en beschermend gegroepeerd zijn rond een opzichtig bronzen standbeeld van Ferdinand Magalhaes. De grote man staat, één voet op een kanon, boven op een sokkel en naast hem houden zwoegende zeemeerminnen de schilden van Spanje en Chili hemelwaarts. Patagonië is aan de ene en Tierra del Fuego aan de andere kant getekend, samen met een bronzen reliëf van Magalhaes kranige kleine scheepje, dat zich een weg tussen die twee baant. Zo werd Magalhaes in 1520 de eerste westerling die vanuit de Atlantische Oceaan de Stille Oceaan op zeilde. Degene die het standbeeld ontwierp, wilde het daar niet bij laten en voegde nog twee Indianen toe, die zich aan Magalhaes' voeten werpen. Men gelooft hier dat degene die de teen van een van de Indianen kust, veilig uit Antarctica terugkeert. Sinds dr. Baela's schors ben ik door allerlei soorten bijgeloof van streek gebracht, zodat ik de teen een vluchtig zoentje geef.

Nog vlug even wat winkelen in Punta. Vanwege een gebrek aan onderbroeken begeef ik me naar een veelbelovend warenhuis, waar ik erachter kom dat ik niet in Afrika ben en de mensen geen Engels spreken. Ik neem mijn toevlucht tot gebaren. Dat gaat niet best, de verkoopster haalt een lange broek te voorschijn. Mijn volgende gebaar is een schaamteloze tekening. Ze bloost een beetje en komt vervolgens met een riem aanzetten. Nu ben ik ten einde raad. Vertwijfeld steek ik mijn hand in mijn broek om haar het kledingstuk zelf te tonen, waarop ik achteraf ontdek dat ze toch Engels kan spreken, al is het enkel maar om te gillen: 'Nee!... niet hier!'

We gaan naar het naburige Navigantes Hotel om onze mede-poolreizigers te ontmoeten en onze instructies in ontvangst te nemen, alvorens we morgen vertrekken.

Sommigen zijn intimiderend, goed gekwalificeerd. Graeme Joy, een intelligente, humoristische Nieuw-Zeelander, is naar de Noordpool geskied. Hij heeft daar 56 dagen over gedaan en ze hadden regelmatig sporen van ijsberen gezien.

'Dat hield ons samen,' grinnikt hij, '... niemand wilde achterop raken.'

Hij leidt een groepje van zeven Australiërs en Nieuw-Zeelanders die van plan zijn Mount Vinson te beklimmen – een berg van 4800 meter, het hoogste punt op het continent Antarctica. Voor sommigen van hen is dit de laatste van een reeks expedities om de hoogste top van elk continent te beklimmen. Graeme wordt bijgestaan door Peter Hillary, de zoon van Sir Edmund, de eerste man die de Mount Everest heeft beklommen.

Een vrouw in het groepje, een Australische arts, is met een licht toestel van Californië naar Sydney gevlogen, over de VS en Europa. Ze praten veel over onafhankelijkheid en het testen van jezelf. Een Australische advocaat en directeur van een maatschappij citeert Peter Hillary als zijn inspiratiebron:

'Het is de uitdaging om te onderzoeken waar je eigen grenzen liggen en tot het uiterste van die grenzen te gaan.'

Ik ben opgelucht als ik Rudolph W. Driscoll – Rudy graag – ontmoet, een rustige, ietwat sombere Amerikaan, die al een reis naar de pool had geboekt toen wij aankwamen. Rudy heeft geen bergen beklommen of in lichte vliegtuigjes gevlogen, maar sinds zijn scheiding tien jaar geleden is hij met een Russische ijsbreker (en 89 anderen) op de Noordpool geweest en heeft hij de Trans-Siberische spoorlijn bereisd.

'Mijn zoon zei: "Vooruit vader, ga er eens uit". En dat heb ik gedaan.'

De rest van het gezelschap bestaat uit Japanners – drie keurige en identiek geklede bergbeklimmers en een groepje dat een vriendelijk en ruigbehaard heer met de naam Shinji Kazama verzorgt en bijstaat. Kazama-San, zoals zijn team hem noemt, gaat proberen om als eerste per motorfiets naar de pool te reizen. Eerder is hij met een motorfiets de Mount Everest tot 5000 meter opgereden. Hij heeft een assistent, Antonio, en een onberispelijk geklede filmploeg van drie mensen.

In Engeland vonden veel mensen dat ik geschift was om te proberen over land van pool tot pool te reizen. Hier, in de lounge van Hotel Navigantes in Punta Arenas, houd ik mezelf voor de geestelijk evenwichtigste in dit vertrek. Dat wil zeggen: met uitzondering van de plaatselijke directeur van Adventure Network, die geen wildeman met een baard of een magere en verweerde lange vent is, maar een tengere, fijnzinnige en aantrekkelijke Schotse met een zachte stem, die Anne heet.

Ze deelt de instructies uit, waarbij ze ons vertelt dat Adventure Network, en een transportafdeling met de schitterende naam Antarctic Airways, in 1983 werden opgericht door twee Canadese bergbeklimmers en 'een ervaren Antarctische piloot, Giles Kershaw'. Ze vermeldt dit laatste zonder een spier te vertrekken, wat niet makkelijk kan zijn, aangezien Kershaw – volgens allen een dapper man en een buitengewone persoonlijkheid – ongeveer een jaar geleden door een ongeluk stierf. Ze was toen 18 maanden met hem getrouwd.

In 1985 richtte Adventure Network een permanente basis op bij Patriot Hills, op 78 graden zuiderbreedte.

De belangrijkste gevaren in Antarctica, zo waarschuwt ze ons, zijn de koude en de wind en de sneeuw. Blootgesteld lichaamsoppervlak raakt snel bevroren en sneeuwblindheid is pijnlijk en zo opgelopen. Een sneeuwstorm kan op elk moment ontstaan, dus 'reis altijd in een groep'. Als we morgenochtend het hotel verlaten, moet ieder alles wat hij nodig heeft, zelf bij zich dragen of aanhebben: 'U moet een onafhankelijke eenheid zijn en in staat zijn zelfstandig te werken, mocht het vliegtuig op een willekeurige plek in Antarctica moeten landen.'

Ze verzekert ons dat op de basis permanent een arts aanwezig is. Zijn naam is Scott, 'en zijn vaardigheid in open-hartoperaties is heel behoorlijk,' roept een grappenmaker die achteraan zit.

'Zijn slagingspercentage is minder goed,' komt het antwoord.

Als ik naderhand met Anne praat, ben ik verrast te horen hoe weinig mensen er maar op de Zuidpool zijn geweest. De Zuidpool, hoger, kouder en minder toegankelijk dan de noordelijke, bleef, nadat Scott hem in 1912 verliet, 44 jaren zonder bezoekers. De US Navy landde er in 1956 en sindsdien zijn er altijd wetenschappers op de pool aan het werk, maar verder hebben weinig buitenstaanders een bezoek gebracht. Anne schat dat Adventure Network in de zes jaren van vluchten op Antarctica niet meer dan 25 of 26 mensen helemaal naar de pool heeft gebracht.

Hierdoor voel ik me nog uitzonderlijker, maar ook nog banger, als ik even later uitkijk over de veelkleurige daken van deze compacte, karaktervolle stad en mijn lijstje voor de laatste keer naloop.

DAG 137 – PUNTA ARENAS

Op het vliegveld, maar er is slecht nieuws. Onze piloot Bruce Allcorn, een breed geschouderde Canadees met witte haren en baard en 25 jaren vliegervaring in Antarctica, waarvan 3 jaar op deze plaats, buigt zich over de computer in de meteorologische kamer. Hij gebaart dat ik moet komen en wijst vier lagedrukgebieden tussen hier en Patriot Hills aan. Enkele dagen geleden bevonden zich negen weerfronten in het gebied. Hij schudt zijn hoofd. 'Dit gebeurt op geen enkele andere plaats in de wereld. Als jullie in Europa een dergelijke weerkaart zagen, zouden jullie allemaal verhuizen.'

Hij vreest dat het weer erg nat is en de combinatie van nat weer en grote hoogte leidt tot ijsvorming. Bovendien is het belangrijk om 'goed zicht' op de bergen te hebben. Wat hij in feite bedoelt, is dat hij enkel gelooft wat hij kan zien. Er is hier geen geleide navigatie. In feite wordt het gebied beneden de 60ste breedtegraad niet eens bestreken door satellieten. Dit alles maakt dat Bruce graag ziet waar hij naartoe gaat.

Hij introduceert zijn co-piloot, Louie:

'Hij is een volledig gediplomeerd stuntman, weet je.'

Een jeugdig, hoekig en knap gezicht. Ogen die onverstoorbaar terugkijken.

Deze twee behoren tot het elitekorps, net als ieder ander aan de rand van Antarctica.

'Dus... we vertrekken niet vandaag?' vraag ik Bruce. 'We vertrekken absoluut niet vandaag.'

'Morgen?'

Bruce haalt zijn schouders op: 'Morgenochtend om 7.00 uur sta ik hier weer... omstreeks 7.30 uur besluiten we.'

Ik moet naar hem hebben staan kijken als een hond die op zijn eten wacht. Hij wil me niet teleurstellen, maar kan niet verdragen dat ik op die manier naar hem kijk.

'Vijf tot tien dagen uitstel is heel gebruikelijk... met dat weer... laat je niet ontmoedigen.'

Terug naar het Cabo do Hornos met zijn klagerige boodschap in de lift: Druk Alstublieft Niet Meer Dan Eenmaal Op de Knop. Ik bevind me in Niemandsland. Helemaal opgetuigd, maar de Zuidpool is gesloten. We bezichtigen een naburige kolonie pinguïns, maar er steekt een fikse storm op en Nigel kan niet filmen. Na een slechte paella vroeg naar bed. Onbeduidende zorgen houden me uit de slaap. Wat gebeurt er als we hier tot Kerstmis vastzitten? Heb ik wel genoeg onderbroeken gekocht? Bevindt Mercurius zich nog steeds in retrograde?

DAG 138 – VAN PUNTA ARENAS NAAR PATRIOT HILLS

Het is al december. Kerstkaarten. Verlanglijstjes. Feestjes. De telefoon gaat. Mijn betraande ogen ontmoeten de wekker, terwijl mijn hand de hoorn zoekt. Het is 7.15 uur en een stem vertelt me dat we vanmiddag naar Antarctica vertrekken. Trek mijn ultrawarme onderhemd en -broek aan, mijn spijkerhemd van Gap, mijn trouwe broek van Engels leer, dikke wollen trui, twee paar sokken, Asolo-laarzen en tot slot mijn jas gemaakt door RAB in Sheffield. Bel naar huis om te zeggen dat ik naar de Zuidpool vertrek. Niemand thuis. Laat een boodschap achter op het antwoordapparaat:

'Ben naar de Zuidpool. Doeiii!'

Naar ik hoop voor het laatst, druk ik 'Niet Meer Dan Eenmaal de Knop In' en neem eens te meer afscheid van het behulpzame personeel van het Cabo do Hornos. Ze schijnen eraan gewend te zijn om als springplank voor Antarctische ontdekkingsreizigers te fungeren en zullen onze kamers vanavond nog vrijhouden voor het geval dat.

Terwijl we Punta Arenas uit rijden, halen we diverse Australiërs met een kater op en komen langs Unisex Pamela en Unisex Modieuze Kapsalon en de Club Hipico – 'Paardenrennen eens per week'. Iemand vermeldt de vaak geciteerde statistiek dat Punta Arenas meer bordelen per hoofd van de bevolking heeft dan elke andere stad in Zuid-Amerika, en een plaatselijke Chileen is verbaasd dat ik de Rosse Buurt niet bezocht heb... de hoerenkasten, zoals zij ze noemen. Ze vormen een opmerkelijke omissie in de lijst die Adventure Network ons bij aankomst heeft overhandigd: '101 Dingen om in Punta Arenas te Doen'.

Het klassieke silhouet van een Douglas DC-6, met blauwe en rode strepen over de witzilveren vliegtuigromp, staat in een hoek van de landingsbaan. Daarnaast bevinden zich, in plaats van Bogart en Bacall, Bruce Allcorn en zijn vrouw Pat, die toezicht houden op het laden en bijtanken. Gisteren vertelde Anne Kershaw me dat het vliegtuig in 1948 is gebouwd. Bruce schudt zijn hoofd en zegt alsof hij me wilt bemoedigen:

'Nee... nee... nee. 1953.'

Ik sta op het punt om 'voor mijn tijd' te zeggen, als ik me realiseer dat dit het vliegtuig van mijn jeugd is. Dit was wat ik tekende als ik een vliegtuig tekende.

We gaan aan boord met behulp van een gevaarlijk smalle ladder, met een stuk touw voor de steun. Binnen is niets te merken van het gedrang en het woekeren met de ruimte in een normaal luchtschip. In wezen is het een lege ruimte waarin alles wat voor de vlucht nodig is, is vastgemaakt. We gaan met zijn achtentwintigen naar Patriot Hills, dus heeft men zo'n 30 stoelen klaargezet. Een schot scheidt de passagiers van het vrachtruim, waar Kazama-Sans motorfiets een ereplaats inneemt. Ongerept wit staat hij op zijn stellage, als een ridder op een praalgraf. Bruce, in zijn kapiteinsoverall met vier strepen op de epaulet, en Louie de gediplomeerde stuntman kruipen in de nauwe cockpit en voeren hun laatste controles uit.

Er heerst een sfeer van nerveuze opwinding. De lijzige stem van Bruce klinkt uit de luidsprekers:

'Het zal een beetje een ruwe start worden... ee!. beetje turbulentie boven de bergen... We zullen landen op een landingsbaan van blauw ijs... het ijs is een beetje ruw en het vliegtuig schommelt een beetje... Flink wat kabaal van de motoren... allemaal gebruikelijk... U mag rustig naar de cockpit komen, maar waarschuwt u alstublieft als u foto's met flitslicht maakt... Schrik me daar nogal een ongeluk van.'

Louie herinnert ons er nog eens aan dat het vliegtuig geen drukcabine bevat, dat er geen airconditioning is en vraagt ons het niet roken-teken in acht te nemen. Dit veroorzaakt een applaus en een kreet van bijval van de Australiërs:

'Er zijn menselijke wezens aan boord!'

Ik zie Basil, die het liefst een paar ontspannende trekjes zou nemen, voordat hij zich begeeft in wat de oude kaarten afschreven als Terra Australis Incognita, nog dieper in zijn stoel wegzinken.

Om 12.10 uur wordt de eerste motor gestart. Als ze alle vier warmlopen en het vliegtuig slingert en schudt, is iedereen elkaar aan het filmen en wuift Anne een opgelucht vaarwel terwijl we taxiën om op te stijgen.

Om 12.30 uur, als het weer voldoende is opgeklaard, dondert de DC-6 over de startbaan, rijst zelfverzekerd de lucht in, draait en vliegt zuidwaarts over de Straat van Magellanes, weg van de olieraffinaderijen en de felgekleurde daken van Punta Arenas en de uitgestrekte, boomloze vlakte van Tierra del Fuego.

Terwijl we naar onze kruishoogte van 3300 meter klimmen, drijven de eerste wolkenslierten voorbij en vangen we een laatste glimp op van het majestueuze, met sneeuw bedekte Andesgebergte, dat vanaf hier 7500 kilometer naar het noorden loopt, tot aan de stranden van de Caribische Zee.

Rob, een lange, slanke jonge Canadees van Adventure Network, legt ons de verschillende aspecten van de achteneenhalf uur durende reis uit, waarbij hij de *National Geograp hic*-kaart van Antarctica gebruikt, die op het schot is vastgeprikt. 1700 zeemijlen bij een kruissnelheid van 220 knopen, geschatte aankomsttijd 8.30 uur in de avond. De eerste vier uren over de Drake-passage. Dichter bij het continent krijgen we een eerste blik op ijsbergen en de ijskap, als we de Bellinghausen Zee oversteken. Bereiken land boven Aleksandra Island, op 70 graden zuiderbreedte, waarna we over de Ellsworth Mountains komen.

In tegenstelling tot het Noordpoolgebied – een bewegende oceaan die met ijs van ongeveer een meter is bedekt – is Antarctica een landmassa, bedekt met een ijskap die op sommige plaatsen 4000 meter dik is. Het is een groter gebied dan de VS, maar desondanks bevinden zich waarschijnlijk minder dan 4000 mensen op het continent. (Volgens mijn ruwe berekening betekent dit dat als en wanneer we landen, onze filmploeg eenzeshonderdzesenzestigste van de totale bevolking zal uitmaken.)

Na ongeveer drie uur vliegen vanaf Punta Arenas, terwijl we rondlopen om ons te bedienen van een zelfbedieningspicknick als middageten, lijkt het vliegtuig een zeer snelle sprong te maken, te duiken om vervolgens weer bijna onmiddellijk hoogte te winnen. Terwijl we ons evenwicht proberen te hervinden, horen we de laconieke stem van Bruce over de intercom:

'Zojuist zijn we de zuidelijke poolcirkel gepasseerd.'

De eerste ijsschotsen komen in zicht. Reusachtige, witte drijvende platforms, die aan de basis doortrokken zijn met scherp jadegroen. Sommige hebben een doorsnede van meer dan een kilometer en zijn 250 meter hoog (waarvan vaak maar 75 meter boven water uitsteekt). Het pakijs ziet er eerst uit als geslagen room op een kop zwarte koffie, dan als gebroken eierschalen, maar vergroeit tenslotte tot een ongebroken strook van ijs, zodat nauwelijks te onderscheiden is waar het ijsdek eindigt en het continent begint. Harde rukwinden jagen, kloppen de zee op tot wit schuim en slaan slierten sneeuw van de kliffen. Men noemt ze katabatische winden, veroorzaakt door een massa koude lucht die naar het polaire plateau zinkt, van de bergen naar beneden stroomt en versnelt als hij de kust bereikt, soms met snelheden van 290 kilometer per uur. Vanuit een vliegtuig ziet alles er schitterend en sereen uit, helder en tintelend als het Los Angeles van Hockney, maar het land daarbeneden is het meest ongastvrije op aarde.

Beneden ons wordt de vlakke witte woestijn onderbroken door nunataks – pieken die groot genoeg zijn om door de ijskap heen te breken – en uiteindelijk door de lange ketens van kruimelige zwarte rotsen die de Ellsworth Mountains vormen.

Een groot deel van Antarctica is nog niet in kaart gebracht, zodat er op het moment een wedstrijd in het benoemen van nieuwe bergen, plateaus, baaien en gletsjers aan de gang is. Om complete verwarring te voorkomen bestaat er een internationale commissie die namen en claims onderzoekt. Aan de meest recente kaart te zien lijden ze op het moment aan een betreurenswaardig gebrek aan inspiratie – een groep bergen heet de 'Executive Committee Range'. Als dat geaccepteerd wordt, kan ik vast wel een 'Palin Piek' vinden.

Een van de Canadezen begint te dwepen met wat Antarctica bij haar teweegbrengt.

'Ik ervaar hier een soort van reinigingsproces... ik drink geen koffie, ik rook niet.'

Zelf kan ik wel wat reiniging gebruiken. Onder mijn neus staat een puist op het punt door te breken – mijn eigen persoonlijke nunatak – mijn keel is droog en ontstoken en mijn rib doet pijn. Welke afgrijselijke soort bacteriën zal ik over het zuiverste der continenten verspreiden?

We gaan bijna landen. Bruce vergelijkt het landen op een baan van blauw ijs met het landen op een keienweg. De zon heeft gaten in het ijs gesmolten, die 'suncups' genoemd worden en de baan verraderlijk ongelijk maken. Het is zo glad dat hij de remmen niet kan gebruiken en het vliegtuig enkel op de motor moet besturen. Maar een groot vliegtuig op wielen als het onze kan niet op de sneeuw worden neergezet.

Om 19.45 uur maakt Bruce voor het laatst een bocht in de luwte van een lage rotsketen, waarna hij de DC-6 laat dalen op het doorschijnende, glasachtige, blauwgroene oppervlak van de Antarctische ijskap. Er is veel kabaal als de toon van de motoren hoger wordt en we schokken en slingeren. Sneeuw wervelt langs het raam door de tijdelijke blizzard die we veroorzaken. Na enkele momenten van geraas en gedonder komt alles tot bedaren. Bruce keert het vliegtuig en taxiet naar een verzameling olievaten en een convergerend groepje sleeën die met Ski-Doo's beladen zijn.

De gevaren van het leven op Antarctica nemen een aanvang zodra je één voet op de grond zet. Dit is een extreem glibberig continent en iedereen schuifelt heen en weer en probeert niet te vallen, waarbij we elkaar allemaal in de weg lopen. Er is niet veel tijd voor een begroeting. Dit is waarschijnlijk de drukste dag van het seizoen in Patriot Hills. Achtentwintig mensen en hun bagage moeten uitgeladen en naar het kamp gesleept worden, dat zich driekwart kilometer verderop bevindt. Het vliegtuig moet bijgetankt worden en binnen twee uur op de terugweg naar Punta Arenas zijn, anders zullen de motoren bevriezen.

Ik besluit om naar het kamp te wandelen.

Een korstachtig oppervlak van door de wind opgeblazen ijs- en sneeuwrichels, die sagustris worden genoemd, strekt zich uit tot aan de horizon voor me.

De lucht is helder en we zijn terug in het land van de middernachtzon.

De wind is barmhartig mild en mijn thermometer geeft min 6 graden aan. Niets om je druk over te maken.

Ik realiseer me waar ik me bevind, nu nog slechts 1100 kilometer van de Zuidpool. Op de wereldbol die ik thuis heb, is dat het donkere, zelden bekeken gebied aan de basis, dat nooit afgestoft wordt. Wat ironisch dat de werkelijkheid precies omgekeerd is. Schone, stralende, verblindende helderheid. En stilte, afgezien van het geknerp en geknars van de sneeuw onder mijn laars.

Basis Patriot Hills is een verzameling van moderne lichtgewicht tenten van variërende groottes en kleuren – hoofdzakelijk wit en rood – die gemaakt zijn van Coldura, een verstevigd soort nylon. Eén tent fungeert als keuken, eetkamer, droogkamer, radiokamer, kantoor, bibliotheek en algemene ontmoetingsplaats. Voor zover ik kan zien, is er niet zoiets als een was- of badtent en het toilet bestaat uit een houten raamwerk over een plastic zak, met aan drie zijden een lage sneeuwwal die enige bescherming biedt tegen de wind en een openbare aanblik. Je kunt gemakkelijk zien of het bezet is – en door wie – vanwege het hoofd dat boven de wal uitsteekt.

Als ik mijn slaapzak uitrol, hoor ik het lage gebrom van een vliegtuig. Ik steek mijn hoofd buiten de tent, net op tijd om de DC-6 op minder dan 10 meter hoogte over het kamp te zien scheren, waarna het naar de bergen vliegt. Bruce keert terug naar huis en met hem onze enige kans op ontsnapping.

In de kantinetent hebben Scott, de dokter, en Sue van Nieuw-Zeeland voor iedereen een hete, dikke en voedzame groenten- en vleessoep bereid, waarna de klimmers – Japanse, Australische en Nieuw-Zeelandse – door het eenmotorige Otter-vliegtuig naar het Mount Vinton Massief worden gebracht, dat anderhalf uur hiervandaan ligt. Ze moeten profiteren van elk beetje mooi en stabiel weer.

Peter Hillary bevindt zich in de tweede golf klimmers die vertrekt. Hij en zijn groep zullen pas over twee weken terugkeren. Ik vraag hem of hij, als de zoon van Sir Edmund, ooit iets anders dan bergbeklimmer had kunnen worden.

'Tja, als vader iets deed dan was het toch echt zo dat hij ons bijna ontmoedigde om naar de bergen te gaan... het was echt niet zijn speciale wens dat een van zijn kinderen aan bergbeklimmen ging doen.'

Wat er ook fout is gegaan, Peter is een van de enthousiastelingen die uit het betere hout gesneden zijn – vindingrijk, avontuurlijk en zich bewust van het feit dat hij het allemaal te serieus neemt.

Nu Bruce en het Vinton-team zijn vertrokken, daalt er een zekere rust op de basis neer. De mensen van Kazama-San slaan hun eigen tenten op. Zijn motorfiets staat, als een gemeentelijk standbeeld, midden in het kamp. Nigel nipt aan een whisky in de zonneschijn voor onze tent. Het is twee uur 's nachts, maar geen van ons kan zijn ogen van dit glanzende, witte landschap afhouden.

DAG 139 – PATRIOT HILLS

Away from the coast, there is no life, and therefore now bacteria; no disease, no pests, no beasts of prey, no human interference. It is a clinical environment... It can only be compared with life under the ocean or in space.

Ik lees deze beschrijving van Antarctica in het boek *The Last Place on Earth*, in de kantinetent boven een kop thee in de vroege ochtend. Buiten beweegt de lucht nauwelijks. De stilte is welhaast onbeschrijflijk. Het is alsof alles waarvan je weet dat het geluid maakt, alles dat leven geeft, plotseling is uitgeschakeld. Bruces vrouw beschreef het als een oorverdovende stilte en dat is precies wat het is.

Ik heb onrustig geslapen, nog steeds geplaagd door een rommelende, misnoegde maag, die er slag van heeft gekregen precies te weten wanneer ik me het verst van een toilet bevind. Het is nu niet alleen maar een zaak van uit bed gaan en naar de dichtstbijzijnde deur lopen. Het is een zaak van uit bed gaan zonder vijf anderen te wekken, vervolgens een broek, een trui, een jas, twee enorme laarzen, een nekband, een hoofdband, een bivakmuts, een zonnebril en handschoenen aan te trekken, honderd meter over het ijs te lopen, jet te herinneren dat je het toiletpapier vergeten bent, terug te lopen, op iemands hoofd trappen, om er tenslotte achter te komen dat een Japanse motorrijder er vóór jou is aangekomen.

Desondanks, als je er eenmaal in volle, eenzame glorie gezeten bent, ervaar je een hevig gevoel van tevredenheid dat je tot zover bent gekomen. Het uitzicht vanuit de wc is immens en leeg. Daarbuiten is niemand, duizenden kilometers in de omtrek.

Geen enkel soort afval mag in Antarctica worden achtergelaten. Elk uitvloeisel, menselijk of anderszins, zal een heroïsche reis maken, niet via een donker riool of een afvoerpijp, maar met de DC-6 van Bruce Douglas, 2700 kilometer terug naar Zuid-Amerika, om pas daar te worden weggegooid. Later zie ik iemand van het personeel de toiletzak verwisselen. Er is 'Felices Fiestas' op gedrukt en een hele hoop kerstmannetjes. Mike Sharp en zijn vijf man personeel wensen, zeer terecht, alle vervuiling van dit nog ongerepte continent te beperken. Mannen mogen op het ijs plassen, maar enkel op één plek, die is aangegeven door een rode vlag, zodat we ook nog belangrijke informatie over de windrichting krijgen. Iemand die denkt dat hij even snel buiten de tent kan plassen, komt van een koude kermis thuis, want urine kleurt de sneeuw fel oranje.

Er is een kans dat we morgen naar de pool kunnen gaan. Aan de Amundsen Scott Basis wordt het weer daar nagevraagd. De weinige menselijke activiteit dic in Antarctica valt waar te nemen, vindt plaats rondom een aantal wetenschappelijke onderzoeksstations. (Een internationaal verdrag verbiedt, voor de komende 50 jaar, elke vorm van onderzoek naar delfstoffen of de exploitatie daarvan, zodat de jongens met het grote geld hier nog niet zijn.) Deze stations of bases zijn afhankelijk van elkaar voor informatie en ze communiceren op diverse tijden van de dag, als leden van een exclusieve club, hoewel ze elkaar waarschijnlijk nooit ontmoeten. Adventure Network is de enige toeristische organisatie op het continent. Als Mike Sharp zijn zin kreeg, werden dat er meer.

'We krijgen zoveel verschillende mensen hier... een stuk of zestig per seizoen... daarvóór was alles afgesloten en beheersten de regeringen Antarctica. Wat ik bedoel is, een organisatie als de BBC bijvoorbeeld, zou het Britse regeringsbeleid voor Antarctica moeten volgen, terwijl ze nu de vrijheid hebben alles te bekijken ... en dat maakt een verschil. Regeringsinstanties ruimen nu hun brandstofvaten op en halen hun afval hiervandaan, terwijl ze de boel in het verleden ergens stortten.'

Aan het einde van het seizoen wordt het kamp in een sneeuwgrot opgeborgen, die zich ruim één meter onder de grond bevindt en een jaar later weer geopend wordt. Zelfs een vliegtuig kan begraven en herkregen worden. Ze hadden een Cessna 185 begraven, met de staartvleugel boven de grond zodat ze het terug konden vinden, maar tijdens de hevige winterstormen werd de staartvleugel gebroken door een rondvliegend olievat. Vandaag wordt de vleugel vervangen door Bill Aleekuk, een Eskimo en mecanicien die dit seizoen voor het eerst bij de maatschappij werkt. Er zijn geen ijsberen op Antarctica en ook waren er geen Eskimo's, totdat Bill afgelopen november arriveerde.

Geleidelijk stroomt de kantinetent vol. We zetten thee en koffie van sneeuw die in een metalen reservoir wordt gesmolten, dat is vastgehecht aan een verwarmingselement op kerosine. Naast het reservoir staat een plastic bak met versgehakte blokken sneeuw – het Antarctische equivalent voor een kolenkit of een mand met houtblokken.

Kazama-San houdt zich bezig met het testen van zijn motorfiets. Dat is een Yamaha, aangedreven door een speciaal ontworpen motor, die weinig lawaai maakt en zeer zuinig is. Het achterwiel is zeer breed en als de riem van een punker beslagen met spijkertjes, voor meer grip op de sneeuw. Kazama-San is een charismatische, aanstekelijk vrolijke persoonlijkheid. Hij is per motorfiets naar de Mount Everest en de Noordpool gereden, en nu, als het lukt, naar de Zuidpool. Ik vraag naar zijn volgende doel.

'Maan,' roept hij met een maniakale grijns. Ik geloof hem.

14.45 uur: Kazama-San en zijn team vertrekken na een toepasselijke Japanse ceremonie.

Hij knoopt een geel lint waarop gelukwensen staan om zijn middel en stuurt zijn witte Yamaha het kamp uit. Het voertuig is zo licht en stil en onsolide, dat hij eruitziet als een samoerai op een poedel. Hij wordt gevolgd door Rob, die een Ski-Doo bestuurt en twee sleeën voorttrekt, waarvan de ene een radio op zonne-energie bevat. De hele stoet is erg milieubewust, maar het milieu lijkt het vooralsnog niet erg te waarderen. De slee loopt vast op de eerste richel en moet geduwd worden.

Later, in de verte, leidt Kazama's motorfiets de optocht als de rattenvanger van Hamelen over de besneeuwde wildernis. Ze hopen de pool over 28 dagen te bereiken.

In minder dan twee uur keert Rob terug met de boodschap dat Kazama's milieuvriendelijke motor, vanwege het ongewoon warme weer (vandaag slechts één graad onder nul), in de sneeuw is vastgelopen. Kazama wil de tocht voortzetten door enkel 's nachts te reizen.

's Avonds slaag ik erin contact met mijn vrouw te krijgen, via Anne Kershaw in Punta Arenas. Het enkele feit dat ik vanuit de woestenij van Antarctica een verbinding heb met mijn kleine huis in Londen, is waarschijnlijk alles waar ik op mag hopen, want vanwege de buitensporige storingen klinkt Helens stem als een gesmoorde jan-van-gent – een bewijs dat we ons hier niet in de hoofdstroom van de internationale communicatie bevinden. Maar ze kan me blijkbaar verstaan en een gedeelte van haar gemurmel wordt vertaald als een gelukwens en een liefhebbende omhelzing. Sue heeft pasta gekookt, die we wegspoelen met Chileense rode wijn. Daarna verdwijnen Basil en Nigel met een Ski-Doo en een ijshouweel in de zonovergoten nacht. Ze keren triomfantelijk terug met een klomp ijs uit de nabijgelegen heuvels, dat even oud moet zijn als de rotsen zelf.

Basil lijkt erg tevreden met zichzelf als hij een klompje in een glas doet. 'Daar zijn we dan. Tien-jaar-oude whisky. Twee-miljoen-jaaroud ijs!'

In dit Niemandsland waar de zon niet ondergaat, verlies ik elk besef van tijd. Ik weet enkel dat als ik de kantinetent verlaat, de stem van Billie Holliday uit het cassettedeck schalt en Basil een welgemeende borrel neemt met een ongeschoren, Canadese oude rot met roodomrande ogen, die Dan heet en die ons morgen, ijs en weder dienende, naar de Zuidpool zal vliegen.

DAG 140 – VAN PATRIOT HILLS NAAR DE THIEL MOUNTAINS

Ontwaak uit een volslagen warme, comfortabele, baarmoederlijke nacht, halfaangekleed en opgerold in mijn RAB-slaapzak, en hoor het desolate geluid van een polaire wind, die als een opvliegende buurman tegen de zijkant van de tent zucht, sist en slaat. De wind groeit in hevigheid, alsof hij er nu pas, nu hij mij gewekt heeft, echt plezier in heeft gekregen. Ik kijk om me heen. Fraser is onzichtbaar – ergens in zijn slaapzak neem ik aan. Clem snurkt geruststellend, zoals hij vermoedelijk ook zou doen als de Slag bij Waterloo buiten zou worden uitgevochten. Basil, zijn gezicht beschermd tegen het daglicht, ziet eruit als een kruising tussen een bankrover en iemand halverwege een plastisch-chirurgische ingreep. Nigel is wakker en vraagt zich waarschijnlijk, net als ik, af of deze weersverandering een verder uitstel zal inhouden. Rudy is al klaarwakker en in de weer.

Een wasbeurt in Antarctica gaat met de Franse slag, als het al gebeurt. We bevinden ons weliswaar boven op 70 procent van de totale zoetwatervoorraad in de wereld, maar het is nauwelijks te krijgen, en als een attent iemand niet is opgestaan, wat sneeuw heeft uitgehakt en een blok daarvan in het reservoir heeft geplaatst, kun je net zo goed in de woestijn zijn.

De enige wasplek is de keuken en scheren boven het aanrecht wordt niet aanbevolen. Zelfs in de tent is de temperatuur slechts 7 graden, waardoor het uittrekken van kleren onaangenaam is. Ik kan me niet voorstellen hoe iemand zich in hemelsnaam behoorlijk kan wassen, ofschoon Patti beweert dat het haar gelukt is.

Als ik mijzelf in de spiegel bekijk, word ik door verontrustend uitgemergelde trekken aangestaard. De kou heeft mijn huid strakgetrokken. Mijn ogen zijn verzonken en mijn neus lijkt een centimeter of vijf gegroeid te zijn. Een donkere stoppelbaard versterkt de indruk van een man aan het eind van zijn Latijn, zoniet aan het einde van de wereld. Ik zet een kop thee en voeg me bij Rudy, die verdiept is in een verslag van Shackletons expeditie naar het Antarctisch gebied. Shackleton kwam tot op 150 kilometer van de pool, 3 jaar voor Amundsen.

We hebben nog 1100 kilometer te gaan. Wat dat betreft, is er geen spoor van Dan de piloot of iemand anders. Windstoten komen af en aan. Door het raam zie ik sneeuwslierten over het ijs jagen. De deur wordt met moeite opengeduwd en een ronde, omwikkelde klerenbundel tekent zich af tegen de heldere lucht, voordat de deur dichtslaat. Deze klerenbundel staat voor één moment, blijkbaar bevroren, met uitgestrekte armen als een pinguïn voor ons, waarna hij een diepe zucht slaakt en zich begint los te wikkelen. Pas nadat enkele lagen hoofdbedekking zijn uitgetrokken, weet je absoluut zeker wie er is binnengekomen.

Scott bereidt flensjes van zuurdesemdeeg als ontbijt. We eten ze met 'Lumberjack'-siroop. Mike belt de Zuidpool voor weersinformatie. Het zicht is een beetje wazig, maar verder goed. Temperatuur min 26 graden. Wind 14 knopen. Er is geen reden om hier langer te blijven. Men geeft het sein om het vliegtuig te laden.

Dan, die eruitziet als een plompe Lee Marvin, leerde vliegen bij de USAF, en later in Alaska. Terwijl we onze uitrusting verzamelen, merk ik dat hij bedachtzaam naar het vliegtuig kijkt. Ik vraag hem of hij de Zuidpool goed kent.

Hij krabt aan een witgebaarde kin: 'Nooit eerder geweest.'

Hij moet genieten van het geluidloos op en neer gaan van mijn kaak, want zijn ogen schitteren als hij eraan toevoegt:

'Ik ben van het noorden. Ik ben naar het zuiden gegaan voor de winter... om van het mooie weer te genieten.'

Ik tracht er het beste van te maken en beklop de zijkant van het vliegtuig.

'Maar ik wed dat dit vliegtuig behoorlijk wat van de pool gezien heeft.'

'Nee hoor. Dit is de eerste vlucht met een eenmotorige Otter op de Zuidpool.'

Zo komt aan het licht dat noch de piloot, noch het vliegtuig en zelfs niet Scott – onze begeleider van Adventure Network – ooit op de pool zijn geweest. We zijn allemaal groentjes.

Nu weet ik wat Mike Sharp bedoelde, toen hij me gisteren vertelde dat het succes van Adventure Network was 'gebaseerd op enthousiasme... echt... We zijn een maatschappij van ex-avonturiers die... nog steeds het avontuur zoeken.'

Om 3.45 uur in de middag nemen we afscheid, niet alleen van Patriot Hills, maar ook van Nigel en Patti, die achter moeten blijven. Hoewel ze dit de hele tijd geweten hebben, spijt het ons dat we hen zo dicht bij onze uiteindelijke bestemming moeten achterlaten.

We proppen ons op minieme stoeltjes, die door onze lijvige kleding nog kleiner worden gemaakt. Het heeft iets van het zitten in de lessenaars van de peuterklas. We delen de cabine met een vat kerosine, alsook met camera-, kampeer- en kookuitrusting, pompen en sneeuwschoppen. De enige lege ruimte is de gang, die spoedig wordt gevuld met een aluminium ladder.

Om tien voor vier taxiet deze dichtopeengepakte verzameling van mensen met hun spullen over het geribbelde en gegroefde ijs en begint aan de langste en minst overtuigende opstijging die ik ooit heb meegemaakt. Het heeft niets te maken met de piloot, die zich helemaal geen zorgen maakt, het komt doordat de onophoudelijke trilling en het gebonk van de ski's van het vliegtuig over de sagustris ons verhinderen om voldoende vaart te maken. De verbrokkelde rotswand van de Patriot Hills nadert snel en mijn handen klemmen zich vast aan de stoel voor me. Dan, met een paar gazelle-achtige sprongen, zijn we in de lucht en binnen enkele seconden verandert het zwaaiende groepje onder ons in vlekjes tegen de sneeuw.

We vliegen naar wat de mensen hier 'het inwendige' noemen – een vlak plateau met weinig onderscheiden kenmerken, dat van de 1200 meter van Patriot Hills oploopt tot de officiële 2842 meter van de pool, ofschoon de plaatselijke atmosferische omstandigheden de luchtdruk verminderen tot een waarde die bij 3222 meter hoort. Onderweg moeten we de Thiel Mountains aandoen om bij te tanken en om Dan de gelegenheid te geven wat brandstof voor Kazama-Sans expeditie af te werpen, die daarlangs zal komen.

Na twee à drie naderingen, waarbij Dan en Scott naar de olievaten speuren, landen we op het ijs, op een plek die King's Peak heet. Aangezien we tweeëneenhalf uur in het vliegtuig hebben gezeten zonder van plaats te kunnen veranderen, is het een bevrijding om op het ijs te kunnen klauteren, zelfs al begeven we ons tussen de tanden van een krachtige, bijtend koude wind.

Scott zet Rudy en mij aan het werk: het opzetten van een tent. Het zal best eenvoudig zijn voor degenen die met dit soort zaken bekend zijn, maar ik ben nooit een enthousiaste kampeerder geweest en de verzameling fiberglas tentstokken zegt me absoluut niets. Scotts geduld is bijzonder prijzenswaardig.

'Alle stokken hebben een kleurcode,' legt hij een beetje bondig uit. Dit helpt me niet verder, aangezien mijn zonnebril de meeste kleuren volledig vertekent.

Na veel gekreun en gesteun en een hopeloze worsteling om precisie-montage te combineren met dikke poolwanten, is de tent opgezet. We kruipen naar binnen, drinken thee en koffie en knabbelen aan chocolade, terwijl we wachten tot Dan terugkeert van de 80 kilometer lange vlucht om Kazama's brandstof af te werpen.

Vanzelfsprekend veroorzaakt het vage bewustzijn in de uithoeken van mijn geest dat we ons bij een temperatuur ver onder nul op 480 kilometer van de Zuidpool bevinden zonder een vorm van vervoer, een sprankje twijfel. Het komt niet vaak voor dat je leven van één man afhangt, maar de mogelijkheid dat Dan niet terugkeert, is te ondraaglijk om bij stil te staan.

De opgewaaide sneeuw speelt om ons heen. In het open veld, weg van de beschermende barrière van King's Peak, moet het oneindig veel erger zijn. Ieder van ons is veel opgeluchter dan hij durft te tonen, als de paarse flits van de Otter weer om de berg verschijnt. Dan vraagt een laatste weerbericht op van de Basis Scott-Amundsen. Net als bij Russ op de Noordpool, rust in dit soort situaties een groot deel van de verantwoordelijkheid op de schouders van de piloot. Dan weet dat er geen wijkplaats is en geen brandstofopslag om tussen deze plek en de pool te landen. Het is volledig aan hem om op basis van de informatie de uiteindelijke beslissing te nemen. Hij beslist dat we doorgaan.

23.30 uur We hebben de laatste van de met rotsen bezaaide hellingen van de kloof gezien en nu is er in elke richting niets dan wit. Voor mij valt Clem in slaap. Dan heeft zijn pet van zeehondenleer verruilt voor een honkbalpet, die door de koptelefoon op zijn plaats wordt gehouden. Scott vraagt bezorgd of iemand van ons de gevolgen van de hoogte voelt – want we bevinden ons op een equivalent van 7000 meter boven zeeniveau, in een vliegtuig zonder drukcabine. Ik merk op dat ik sneller ademhaal, maar afgezien daarvan voel ik me goed. De opwinding van onze situatie heeft me wakker geschud uit de vermoeide, haast melancholische loomheid die ik ervoer toen we een uur geleden op King's Peak zaten.

DAG 141 – NAAR DE ZUIDPOOL

0.30 uur Boven het kabaal van de motor uit schreeuwt Dan terug dat we ons op 47 minuten van de pool bevinden.

1.00 uur Radioverbinding met de luchtverkeersleiding van de basis op de Zuidpool. 'Er is geen gemarkeerde landingsbaan en het US

Government neemt geen verantwoordelijkheid voor uw landing. Wat is uw verklaring?' Dan: 'OK.' 'OK. Succes bij uw landing.' Scott dient Rudy een teug zuurstof toe. De gevolgen van de hoogte zijn nu duidelijk merkbaar. Ademtekort, elke beweging kost tweemaal zoveel moeite.

1.10 uur We kunnen de Zuidpool zien liggen. Zij bevindt zich ergens in het midden van een gebouwencomplex, dat gedomineerd wordt door een geodetische koepel met een doorsnede van 50 meter. Voertuigen en bouwmaterialen staan in het kamp verspreid. Het is de drukste plek die we op Antarctica hebben gezien.

1.20 uur We landen op het Amundsen-Scott South Pole Station en hobbelen tot stilstand op een brede, schoongeveegde landingsbaan van sneeuw.

Twee goed verpakte gestalten van de basis wachten tot we uit het vliegtuig komen en we begroeten elkaar met een handdruk, maar de oudste van hen, een Amerikaan met de naam Gary, deelt ons mede dat het niet tot het beleid van de National Science Foundation (de beheerder van de basis) behoort om materiële hulp van welke soort dan ook aan NGI's – Non-Gouvernementele Instanties – zoals wijzelf aan te bieden. Dan bevestigt dat onze expeditie zelfvoorzienend is en dat Adventure Network brandstofvoorraad en accommodatie in de nabije omgeving heeft. Gary, die ons officieel heeft medegedeeld dat we niet welkom zijn, klaart zichtbaar op en nodigt ons uit voor een kop koffie.

Pas als we naar de koepel lopen, langs Portakabins en stapels hout, isolatiemateriaal, alle rommel van een bouwplaats, word ik me bewust van de krachtsinspanning die nodig is om alles draaiende te houden. Het lijkt alsof ik me in een droom bevind. Hoe ik ook mijn best doe, de koepel lijkt niet dichterbij te komen.

Na wat een mensenleven lijkt te duren, dalen we tussen muren die in het ijs zijn uitgehakt af naar een brede, ondergrondse ingang, waarboven een bord ons te kennen geeft dat 'De Verenigde Staten van Amerika u verwelkomen in het Amundsen-Scott South Pole Station'.

Hier geen voorwendsel van neutraliteit. Na een reis van 37.000 kilometer hebben we het einde van de aarde gevonden, en dat is Amerika.

We duwen een deur open die even zwaar is als die van een diepvries in een slagerij, waarna we een warme, goedverlichte kantine binnenkomen. Muziek staat aan. 'If You Leave me Now' van

Chicago. Vers sinaasappelsap en koffie staan altijd klaar. Op T-shirts staat: Skiën op de Zuidpool – 3 km van de basis, 30 cm poedersneeuw. Een man in bermudashorts vult een dienblad met chiliworstjes, kalkoensoep, frites en besuikerde citroentaart.

Een van de koks *herkent* me zelfs.

'He'... wauw! Michael Palin...!' Hij wrijft wat besuikerde citroentaart van zijn overall en komt met uitgestoken hand naar me toe.

'Welkom op de pool!'

Op de Zuidpool wordt Nieuw-Zeelandse tijd aangehouden. Iedereen is aan het eten, niet omdat het 2 uur 's ochtends is en ze niet kunnen slapen, maar omdat we een sprong voorwaarts van 16 uur hebben gemaakt, een tijdsprong van recordafmetingen. Deze mensen nuttigen hun avondmaal.

Ik staar verlangend naar de hamburgers en de frites en vraag me af of de consumptie van een of beide traktaties tegen de regels van de National Science Foundation zou zijn, maar na een kop koffie sjokken we weer naar buiten. Scott, Fraser, Nigel en Clem vertrekken om de tent op te graven die hier vorig jaar is achtergelaten, zodat we kunnen eten en slapen. Rudy gaat terug naar het vliegtuig. Ik wil me net bij hen voegen, als ik me realiseer dat ik – te midden van al deze regels, voorschriften, koffie en besuikerde handen – volledig vergeten ben waarom we hier zijn.

De temperatuur, bij een verkillende wind, is een snijdende, bijna verlammende minus 50 graden Celsius en het is 3.15 uur in de ochtend op 3300 meter, als ik me begeef op de slotetappe van deze buitengewone reis.

Op enkele honderden meters van de koepel, midden in de sneeuw, staat een halve cirkel van vlaggen van alle landen die op Antarctica werken, in het centrum waarvan een weerkaatsende wereldbol op een sokkel staat. Dit is de 'Ceremoniële Zuidpool', waarbij bezoekende hoogwaardigheidsbekleders worden gefotografeerd.

Met een verdoofd gezicht en een tekort aan lucht knars ik er langzaam voorbij, totdat ik bij een kleine bronzen paal kom, die driekwart meter boven de grond uitsteekt. Het ding lijkt op een niet aangesloten afvoerbuis van een toilet, maar het markeert exact 90 graden zuidwaarts. Vanaf deze plek gaan alle richtingen naar het noorden. Op deze plaats kan ik in 8 seconden om de wereld lopen. Op dit punt ga ik met één sprong naar 30 graden oosterlengte... naar 30 graden westerlengte, en 72 graden oost en 23 graden west.

Ik bevind me op dezelfde lengtegraad als Tokio, Caïro, New York en Sheffield. Ik sta op de Zuidpool.

In de verte zie ik gestalten in anoraks die door de sneeuw schrijden, af en toe stoppen, een cirkel vormen, wijzen en met een schop in de grond slaan. Ze lijken dit merkwaardige ritueel over een groot gebied te herhalen. Uiteindelijk geven Clem en Nigel en Fraser en Rudy de zoektocht naar de tent op en staan we samen aan de onderkant van de wereld. Of op de top. Dat hangt ervan af hoe je het bekijkt.

Nawoord

De eerste krantenkop die ik op de terugweg naar huis in december zag, luidde 'De Sovjet-Unie eindigt op oudejaarsavond'. Enkele maanden eerder zou een dergelijke gedachte zijn weggelachen. Er is nu al zoveel gebeurd dat een aantal ervaringen tijdens *Van pool tot pool* binnen minder dan één jaar tot een ander tijdperk lijken te behoren. Niet alleen is de Sovjet-Unie verdwenen maar andere landen zijn ervoor in de plaats gekomen. Als we nu dezelfde reis zouden maken, hadden we 20 in plaats van 17 landen op ons scorebord kunnen zetten – Estland, Wit-Rusland en de Oekraïne vormen nu een nachtmerrie voor de kaartenmaker. Leningrad heet nu Sint-Petersburg en de Hamer en Sikkel is niets meer dan een mooie naam voor een kroeg. Serieuzer nieuws: Groenland heeft de kerstman opgeëist; 'Groenlands Eerste Minister beschuldigt Finland van stelen Kerstman', was een andere recente krantenkop. De Novgorod-schotel heeft op wonderbaarlijke wijze Londen in één stuk gehaald, maar is helaas gebroken op de 15 kilometer van Londen naar Watford.

De filmploeg heeft aangetoond dat er leven *is* na *Van pool tot pool* – Fraser is binnen enkele maanden na onze thuiskomst teruggekeerd naar de Ngorongoro Krater. Patti's malaria is, ten tijde van dit schrijven, nog niet opnieuw uitgebroken, mijn rib is in de voorspelde zes weken genezen. Ik heb geen last van andere nadelige bijwerkingen, afgezien van een periodieke angst dat ik wakker word en ontdek dat mijn lichaam getatoeëerd is met een serienummer van de Tanzaniaanse Spoorwegen.

Het droevigste nieuws was dat van de dood van Lorna en John Harvey uit Shiwa, zes maanden nadat we bij hen gelogeerd hadden. Zij, en vele anderen, ontvingen ons met de geduldige, attente en gulle gastvrijheid, zonder welke onze reis van pool naar pool nooit mogelijk zou zijn geweest.